Vorrei dedicare questo libro
a un grande uomo e cedo
volentieri la parola a Starleen.

"A Mario Tiengo,
pioniere della terapia del dolore
e delle cure palliative in Italia,
riverito professore di algologia
e di anestesia.
Grande uomo,
amatissimo marito
… mi manchi così tanto…
la tua piccola stella, Starleen."

I wish to dedicate this book
to a great man and I give the
floor to Starleen, happily.

"To Mario Tiengo,
pioneer of pain therapy
and palliative care in Italy,
revered professor of algology
and anesthesiology.
Great man,
much beloved husband
… I miss you so much…
your little star, Starleen."

INSTANT ENGLISH
di JOHN PETER SLOAN
Nuova versione aggiornata e ampliata

Testi: John Peter Sloan
Redazione e correzione dei testi: Starleen K. Meyer
Illustrazioni: Sara Pedroni
Progetto grafico e impaginazione: Aemmestudio (VR)
Fotografie di copertina: studio Mafalda (MI)

Redazione Gribaudo
Via Garofoli, 262
37057 San Giovanni Lupatoto (VR)
redazione@gribaudo.it

Responsabile editoriale: Franco Busti
Responsabile di redazione: Laura Rapelli
Redazione: Claudia Presotto
Responsabile grafico: Meri Salvadori
Fotolito e prestampa: Federico Cavallon, Fabio Compri
Segreteria di redazione: Daniela Albertini

Stampa e confezione: Grafiche Busti srl, Colognola ai Colli (VR),
azienda certificata FSC®-COC con codice CQ-COC-000104

Socio Unico Giangiacomo Feltrinelli Editore srl
Via Andegari, 6 - 20121 Milano
info@gribaudo.it
http://www.feltrinellieditore.it/gribaudo/

Prima edizione: 2014 [3(CX)]
Seconda edizione: 2014 [5(E)]
Terza edizione: 2014 [8(E)]
Quarta edizione: 2014 [10(E)]
Quinta edizione: 2015 [1(E)]
Sesta edizione: 2015 [3(L)] 978-88-580-1110-2

INSTANT ENGLISH

di JOHN PETER SLOAN

GRIBAUDO

SUMMARY

Instructions	6
Introduction	7
STEP 1	8
STEP 2	60
STEP 3	112
STEP 4	172
STEP 5	216
STEP 6	232
STEP 7	252
STEP 8	292
STEP 9	304
STEP 10	362
Solutions and translations	417
Index	445

INSTRUCTIONS

Hai tra le mani la nuova versione di *Instant English* migliorata per te, da consultare a casa e alla John Peter Sloan – la Scuola! Troverai (spero!) non solo i tuoi argomenti preferiti da sempre, ma anche nuovi aspetti utilissimi e entusiasmanti!

L'ordine del libro rispecchia l'importanza dei concetti della lingua inglese, evidenziando tutte le cose più importanti, in modo tale da permettere a chiunque di parlare bene il prima possibile! Non tutte le frasi sono tradotte, alcuni esempi saranno in inglese e in italiano, altri solo in inglese: dovrai fidarti della mia esperienza, maturata con i miei studenti italiani in questi anni. Io ho "vuotato il mio cervello" in questo libro, inserendo tutto ciò che serve per comunicare bene in inglese. Quello che non riuscivo a esprimere con le parole l'ho messo sul sito: proprio qui potrai trovare tanti nuovi materiali, video, e soprattutto file audio con la pronuncia corretta... e molto altro ancora. Sul sito potrai vedere i video in cui io stesso ripeto le parole e, ovviamente, ascoltare attentamente come si pronuncia l'inglese in modo perfetto: il sito, ricordalo bene, è www.instantenglish.it
E, se non ti basta, visita anche www.johnpetersloan.com

Con quest'icona sono segnalati i False Friends.

Con quest'icona sono segnalati gli Idioms.

INTRODUCTION

Dedicato a tutti gli italiani che pensavano di essere loro il problema!

Come insegnante di un'importante scuola di inglese in Italia, mi sono subito reso conto che il metodo che veniva utilizzato era inefficace e difficile per gli studenti italiani. Tanti concetti che non esistono nella lingua italiana non potevano essere compresi nel modo corretto se spiegati in inglese, secondo il metodo di quella scuola. Mi sono, quindi, trovato a spiegarli in italiano, di nascosto, e questo per gli studenti ha significato spiccare il volo...

Davo loro qualche vocabolo e qualche verbo in modo che potessero formulare fin da subito delle frasi in inglese, grazie al metodo dei BUILDING BLOCKS, sempre scegliendo esempi comici per un motivo molto semplice: quando uno si diverte, impara più volentieri. Tutti i miei studenti si ricordano ancora, a distanza di anni, le pazze storielle scritte da me per insegnare loro le regole... e con le storielle si ricordano anche la grammatica!

Il mio metodo, basato fondamentalmente sulla semplicità, sulla logica e il buonsenso è diventato così popolare che ho deciso di mettere tutto in un libro ora migliorato per te, perché imparare l'inglese può essere davvero divertente se affronti ogni esercizio come un gioco o un puzzle! E poi, apprendere le regole fondamentali sarà ancora più entusiasmante dal momento che potrai direttamente applicarle al tuo inglese in viaggio, al lavoro e utilizzarle per scoprire tutti i piccoli segreti di ogni inglese, come le frasi più tipiche e diffuse: gli idioms. Questo metodo ti darà sicuramente, in breve tempo, una grande soddisfazione, ma anche un grande vantaggio, perché come ben sappiamo tutti: l'inglese è il futuro!

Non scordarti che, in aggiunta al libro, c'è anche il sito www.instantenglish.it: andare a consultarlo è davvero importante, sarà come avere il tuo insegnante sempre a casa o in ufficio. In particolare, nella sezione "INSTANT ENGLISH BONUS" puoi trovare materiale audio e video...

E per ricevere notizie sugli aggiornamenti di *Instant English*, c'è anche il club *"INSTANT ENGLISH NEWS"* per gli utenti di **facebook**.

STEP 1

1.1 **Verbo essere (to be)**
Forma affermativa
Forma negativa
Forma interrogativa

1.2 **Il plurale**

1.3 **Articoli... the basics**

1.4 **Pronomi e aggettivi dimostrativi**

1.5 **Countables and uncountables**

1.6 **Pronomi personali complemento**

1.7 **Verbo avere (to have/to have got)**
Forma affermativa
Forma negativa e to do come ausiliare
Forma interrogativa e to do come ausiliare

1.8 **Vocaboli base**
I colori
La famiglia e la casa
Everyday objects
I numeri

1.9 **L'ora**

1.10 **Gli avverbi di frequenza e di sequenza**

Verbo essere (to be) 1.1

Prima di tutto vediamo (Let's see) i PRONOMI PERSONALI per i SOGGETTI.

I	io
you	tu
he	egli/lui
she	lei
it	esso/essa (riferito a un oggetto)
we	noi
you	voi (tu e voi in inglese è sempre you)
they	essi/loro

"H"

Per cominciare bene bisogna imparare la fonetica della lettera "H". Questo è molto importante, perché se non pronunci bene la lettera "H" rischi di dire un'altra parola rispetto a quella che intendevi.

I hate my teacher. Odio il mio insegnante.
I ate my teacher. Ho mangiato il mio insegnante.

Se sei in mezzo a qualche strana tribù in Africa, ti potrebbe anche andare bene la seconda ipotesi, ma in Gran Bretagna è difficile. Come fai a sapere se hai pronunciato bene il suono della "H"? Sai quando hai gli occhiali sporchi e aliti sulle lenti per poi pulirle? Ecco, quella è la "H" inglese! Ora ci sono notizie buone e notizie cattive. Le notizie cattive sono che esistono parole che cominciano con una "H", ma per le quali la "H" inglese NON dev'essere MAI pronunciata. Le buone sono che queste parole possono essere raggruppate in pochi gruppi:
honour (onore) e qualsiasi parola che comincia con honour, come honourable (onorevole), honorarium (onorario) ecc.
honest (onesto), honestly (onestamente) e honesty (onestà)
hour (ora) e hourly (ogni ora)
heir (erede maschio), heiress (erede femmina) e heirloom (cimelio di famiglia)

VERBO ESSERE (TO BE)

Sei in vena di scegliere? Anche qui potrò accontentarti. Puoi scegliere di pronunciare o no la "H" inglese di herb (erba) e tutte le parole che cominciano con herb, come herbal (erbaceo)...
E se vuoi parlare con Shakespeare, potresti scegliere di pronunciare o no la "H" in hostler (stalliere).

1. FORMA AFFERMATIVA

Vediamo il verbo ESSERE coniugato al presente indicativo.

	FORMA ESTESA	FORMA CONTRATTA
io sono	I am	I'm
tu sei	you are	you're
egli/lei/esso è	he/she/it is	he's/she's/it's
noi siamo	we are	we're
voi siete	you are	you're
essi/loro sono	they are	they're

La FORMA AFFERMATIVA è così strutturata:

soggetto + verbo + complemento

I am John./I'm John. Io sono John.
You are Julie./You're Julie. Tu sei Julie.
He is nice./He's nice. Lui è simpatico.
She is drunk./She's drunk. Lei è ubriaca.
It is beautiful./It's beautiful. È bello.
We are young./We're young. Noi siamo giovani.
You are old./You're old. Voi siete vecchi.
They are sad./They're sad. Loro sono tristi.

Using it!

tired	stanco
ugly	brutto
generous	generoso
drunk	ubriaco
old	vecchio
sad	triste
happy	felice
slow	lento
fast	veloce
fat	grasso
thin	magro
big	grosso
small	piccolo
serious	serio
elegant	elegante
beautiful	bello*
handsome	bello*
young	giovane
honest	onesto
good	buono
tall	alto
short	basso (per persone)
low	basso (per edifici, oggetti)

* Beautiful per cose, animali, bambini e… donne; handsome per giovanotti e uomini… specialmente se sono di Birmingham!

NICE

È un aggettivo molto usato in inglese, perché è un termine positivo che può riferirsi a TUTTO… Guarda questi esempi:

He is nice. Lui è simpatico.
The chicken dish is nice. Il piatto di pollo è buono.

VERBO ESSERE (TO BE)

The weather is nice. Il tempo è bello.
His car is nice. La sua macchina è carina.
John is nice. John è carino.

È importante sapere che gli aggettivi in inglese non vengono declinati al maschile o al femminile, o al singolare o al plurale, a seconda del sostantivo che accompagnano (un altro problema evitato!).

Un'altra cosa molto importante è anche la posizione degli aggettivi nella frase inglese. L'aggettivo viene PRIMA del sostantivo a cui si riferisce... in italiano di solito accade il contrario:
He is a nice man. Lui è un uomo carino.
(letteralmente tradotto sarebbe: «Lui è un carino uomo».)

Ora facciamo i primi esempi. Usando le informazioni che ti ho dato, traduci le frasi che trovi di seguito; le risposte agli esercizi sono in fondo al libro... ma RESISTI: non guardare prima, dai! Quando hai finito di fare l'esercizio (ma solo quando hai finito), vai a vedere in fondo al libro quante frasi hai azzeccato. Non ti preoccupare se sbagli delle cose: sbagliando si impara. La cosa importante è capire il motivo dello sbaglio che hai fatto per non ripeterlo.

Un'altra cosa utile: quando leggi gli esempi, leggili sempre AD ALTA VOCE. La memoria non è localizzata in una singola parte del cervello! Tutte le parti del cervello contribuiscono alla memoria collettiva e ci sono diverse strade che portano informazioni alla memoria: leggendo ti arriva l'informazione attraverso gli occhi, ma se dici una frase, ripetendola a voce alta, l'informazione arriva anche attraverso le orecchie. Si tratta di un'altra strada ed è un modo più facile per ricordare. Questo è il motivo che spiega perché la gente dice di imparare molto meglio l'inglese parlando, proprio perché ascolta!
Sai quando hai un problema e nella tua testa ci pensi e ci ripensi per trovare la soluzione e non la trovi? Poi ne parli a un amico e, mentre parli, le cose ti appaiono più chiare: è, ancora una volta, merito del fatto che ti stai ascoltando.

ESERCIZIO n. 1

1. Io sono magro e pazzo. ....
2. Noi siamo vecchi e stanchi. ....
3. Loro sono ubriachi e arrabbiati. ....
4. Tu sei generoso. ....
5. Lei è grassa. ....
6. Noi siamo felici. ....
7. La macchina è veloce. ....
8. Lui è generoso. ....
9. Io sono grasso. ....
10. Noi siamo tristi. ....

2. FORMA NEGATIVA

Vediamo il verbo ESSERE coniugato al presente indicativo nella forma negativa. Per farlo è necessario introdurre una parolina corta ma importante, che cambia completamente il senso della frase: NOT.
Serve per rendere un verbo negativo e, per farlo, si posiziona proprio dopo il verbo all'interno della frase.

(Presto vedremo un altro modo per creare un negativo... siete già curiosi?)

	FORMA ESTESA	FORMA CONTRATTA
io non sono	I am not	I'm not
tu non sei	you are not	you aren't
egli/lei/esso non è	he/she/it is not	he/she/it isn't
noi non siamo	we are not	we aren't
voi non siete	you are not	you aren't
essi/loro non sono	they are not	they aren't

La FORMA NEGATIVA è così strutturata:

soggetto + verbo + *not* + complemento

I am not John./I'm not John. Io non sono John.
You are not Julie./You're not Julie. Tu non sei Julie.
He is not nice./He's not nice. Lui non è simpatico.
She is not drunk./She's not drunk. Lei non è ubriaca.
It is not beautiful./It's not beautiful. Non è bello.
We are not young./We're not young. Noi non siamo giovani.
You are not old./You're not old. Voi non siete vecchi.
They are not sad./They're not sad. Loro non sono tristi.
There is no food in the fridge. Non c'è cibo nel frigorifero.

DOUBLE TROUBLE

C'è qualcosa da negare, magari la serata al bar o capelli biondi sulla giacca quando la fidanzata è una mora? Fai attenzione a non mettere due negativi in un'unica frase perché… in inglese, come in matematica, due negativi si cancellano e la frase diventa positiva.

~~There is not/I don't have NO blonde hair on my jacket.~~
Con queste frasi hai appena ammesso alla fidanzata mora che ci sono capelli biondi sulla tua giacca! Amico mio, se fossi in te, comincerei a correre… per andare a John Peter Sloan – la Scuola dove ti insegnano, invece, tre modi differenti di cavartela:

There is no blonde hair* on my jacket.
Non ci sono capelli biondi sulla mia giacca.
There isn't any blonde hair on my jacket.
Non c'è nessun capello biondo sulla mia giacca.
I don't have any blonde hair on my jacket.
Non ho nessun capello biondo sulla mia giacca.

* Hair è sempre singolare in inglese, ma questo lo sai, vero?!

3. FORMA INTERROGATIVA

Ci manca solo la frase interrogativa per terminare il quadro della struttura della frase inglese, in questo caso vista con il verbo ESSERE (to be), ma che puoi applicare a qualsiasi verbo. In italiano, per distinguere tra un'affermazione e una domanda, ci si affida al tono quando si parla, al punto interrogativo quando si scrive. In inglese, invece, la differenza tra un'affermazione e una domanda sta proprio nell'organizzazione della frase: per l'affermativa mettiamo prima il soggetto e poi il verbo, mentre per l'interrogativa facciamo il contrario; prima mettiamo il verbo e poi il soggetto. È semplice, no?!

AFFERMATIVA	INTERROGATIVA
I am	am I?
you are	are you?
he/she/it is	is he/she/it?
we are	are we?
you are	are you?
they are	are they?

La FORMA INTERROGATIVA POSITIVA è così strutturata:

verbo + soggetto + complemento

AFFERMATIVA	INTERROGATIVA
She is beautiful.	Is she beautiful?
They are tired.	Are they tired?
I am drunk.	Am I drunk?
He is old.	Is he old?
We are young.	Are we young?
You are English.	Are you English?
You and Mary are happy.	Are you and Mary happy?
The man is fat.	Is the man fat?

VERBO ESSERE (TO BE)

Dedico ora un brevissimo accenno alla forma interrogativa negativa, che è prevalentemente usata per chiedere la conferma su qualcosa in merito alla quale si ha già una certa idea.

La FORMA INTERROGATIVA NEGATIVA è così strutturata:

verbo + *not* + soggetto + complemento

Isn't she beautiful? Non è bella?
Aren't you tired? Non sei stanco?
Isn't he stupid? Non è stupido?
Aren't they drunk? Non sono ubriachi?

SHORT ANSWERS

La risposta a domande come quelle che ci sono sopra, si chiama short answer (risposta breve), e permette di evitare la ripetizione dell'aggettivo, quindi va strutturata come di seguito.

Positiva: YES, SOGGETTO + VERBO (Yes, she is./Yes, I am.)
Negativa: NO, SOGGETTO + VERBO + NOT (No, they are not.)

Lisa: John, are you drunk? John, sei ubriaco?
John: No, I am not, my little wife! No, non lo sono, mogliettina mia!
Lisa: I am not your wife, I am your mother! You are drunk, aren't you!? Non sono tua moglie, sono tua madre! Tu sei ubriaco, vero!?
John: Oh, sorry. Ok, yes! I am. Oh, scusa. Ok, sì! Sono ubriaco.
(... In realtà quando sono ubriaco non riesco a dire questa frase, solitamente cado a terra e basta...)

Sai qual è il modo migliore per provare a vedere se hai capito una regola o una cosa? Provare a fare esercizio, mettendo in pratica quella regola... e allora ho deciso di metterti alla prova con qualche esempio!

ESERCIZIO n. 2

1. Sono ubriaco. ....
2. Concy è bella, vero? ....
3. La macchina grande è vecchia, vero?! ....
4. Julie è alta ed elegante. ....
5. Non ho nessun cibo buono. ....
6. Sono magri, vero? ....
7. Siamo simpatici e onesti. ....
8. Il piatto di pollo è grande, vero? ....
9. Jack non è serio. ....
10. John è giovane e generoso. ....

IT IS NICE TO SEE YOU, AGAIN

Se vuoi dire a un tuo amico «È bello vederti ancora» non devi fare il giro dell'oca tipo: «Il momento felice mi offre l'occasione di vederti e di esprimere la felicità che questa esperienza inaspettata suscita in me». «Ma tu sei pazzo!» direbbe lui... perché in italiano non è necessario sempre esprimere il soggetto. Puoi saltare subito al verbo. In inglese, invece, no.

E allora come si fa quando c'è una situazione generica di questo tipo? Quando non c'è una persona, un animale o persino un evento meteorologico che agisce?

VERBO ESSERE (TO BE)

La parola prezzemolo IT (che qui funziona come un preparatory subject, «un soggetto preparatorio») ci salva.

It is 3 P.M. Sono le 15.00.
It's important to book the reservation. È importante fare la prenotazione.
It's a lovely day. È un bel giorno.
It's time to go. È ora di andare.
It's raining. Piove.
It's exciting to see John perform. È stimolante vedere John che recita.
It surprises me. Mi sorprende.
It's going to rain. Pioverà.
It's no good, I don't love John, anymore. Non c'è verso, non amo più John.
It's worth it! Vale la pena!
It took me six hours to drive to Rome. Mi ci volevano sei ore per guidare a Roma.
Who is that in the car? It's my aunt. Chi è quella nella macchina? È la mia zia.

Il plurale 1.2

Come hai già potuto notare in tutti gli esempi che ti ho fatto fino a qui, è stata aggiunta una "-S" ai sostantivi per trasformarli dal singolare al plurale. E questa è la regola per la formazione del plurale in inglese.

Quando incontri dei sostantivi che, al singolare, terminano per -S, -SS, -SH, -CH, -X o -Z devi invece aggiungere -ES per formare il plurale.

	INGLESE SINGOLARE	INGLESE PLURALE
autobus	bus	buses
classe	class	classes
ciglia	eye lash	eye lashes
chiesa	church	churches
scatola	box	boxes

Quando incontri, invece, dei sostantivi che terminano per -Y devi aggiungere -S, se la Y è preceduta da una vocale, devi invece aggiungere -ES se la Y è preceduta da una consonante; ricorda che, in questo caso, la Y diventa I.

	INGLESE SINGOLARE	INGLESE PLURALE
ragazzo	boy	boys
giocattolo	toy	toys
signora	lady	ladies
studio	study	studies

Ma non sarebbe inglese senza qualche eccezione, vero? Eccone un paio:

	INGLESE SINGOLARE	INGLESE PLURALE
topo	mouse	mice
oca	goose	geese
pesce	fish	fish
dado	die	dice
bambino	child	children
informazione	information	--------

BECAUSE, BUT, AND

Ti fornisco alcuni ELEMENTI FONDAMENTALI: due preziosi avverbi e la congiunzione più importante, per permetterti di esprimere qualche concetto in più, per formulare delle frasi con più significato e, soprattutto, per capire il senso dei miei esempi...

because significa «perché»
(da non usare nelle frasi interrogative, dove per dire "perché?" usiamo WHY)
but significa «ma»
and significa «e»

ESERCIZIO n. 3

1. Lei è generosa perché è ubriaca. ....
2. Lui è stanco perché è vecchio. ....
3. Loro sono veloci perché sono giovani. ....
4. Noi siamo lenti perché siamo grassi e ubriachi. ....

   ....
5. Io sono simpatico, ma lui è giovane e bello. ....

   ....
6. Lei è bella, ma non è elegante. ....
7. Noi siamo grassi, ma siamo veloci. ....
8. Tu sei magro e giovane, ma sei lento. ....
9. Loro sono onesti e generosi. ....
10. Noi siamo belli e simpatici, ma non siamo eleganti. ....

    ....

PRONUNCIA

Pronuncia

Vorrei rassicurarti… amiamo l'accento italiano. Davvero! Questo cosa comporta? Che devi preoccuparti solo di riuscire a comunicare. Per il resto… rilassati!

I suoni delle VOCALI possono essere raggruppati in due grandi gruppi:
LONG (lunghi, pronunciati pienamente, allargando bene la bocca)
e SHORT ("schiacciati"… non allargare così tanto la bocca!)
… e poi il piccolo monello, la vocale SHWA (rilassa la bocca e la gola).

Indichiamo le vocali LONG con maiuscole e le vocali SHORT con minuscole:

LONG		SHORT		
A	ei	**a**	a	Hi, m**A**te! It's M**a**tthew. Ciao, amico! È Matteo.
E	ii	**e**	eh	It's m**E**! We just m**e**t! Sono io! Ci siamo appena conosciuti!
I	ai	**i**	ih	H**I**, h**i**t me! Ciao, colpiscimi!
O	ou	**o**	oh	M**O**r**o**n! Scemo!
U	iu	**u**	uh	C**U**te cat, **u**gly dog! Gatto carino, cane brutto!

DUE CONSIGLI prima di concludere: ascolta i miei podcasts, trova un dizionario online con la pronuncia audio e… all'inizio delle parole stai attento alla "s"! A meno che sia seguita da una "u" – come in sugar (zucchero) – quando prende il suono di una gomma che si sgonfia (shhh), ha sempre il suono chiaro e sibilante di un serpente (sss). All'interno delle parole e alla fine delle parole è tutto un altro paio di maniche, ma diciamo che in linea di massima, se il suono precedente è "dolce" (come una vocale o la "cc" in italiano), suona come una mosca (zzz), ma se il suono precedente è "duro" (come la "t" in italiano) allora il suono è come il serpente (sss).
E ora… spicca il volo!

Articoli... *the basics* 1.3

In inglese esiste un solo ARTICOLO DETERMINATIVO che non si coniuga mai! Né al femminile, né al plurale!
Questa meraviglia è THE, che traduce «il», «lo», «la», «i», «gli», «le» e «l'». Non ci credi? Guarda un po':

il gatto	THE cat
i gatti	THE cats
la mano	THE hand
le mani	THE hands
lo scorpione	THE scorpion
gli scorpioni	THE scorpions

Anche l'ARTICOLO INDETERMINATIVO non è male!
«Un», «uno» e «una» si traducono tutti con A o AN.
A si usa prima dei sostantivi che iniziano per consonante, mentre AN si usa prima dei sostantivi che iniziano per vocale. Anche in questo caso, sbalordito dalla semplicità? Provare per credere:

un cane	A dog
un gatto	A cat
una moto	A bike
una mela	AN apple
un'arancia	AN orange

E se avete cinque scorpioni che avete addestrato a cavalcare piccolissime moto mentre mangiano mele e arance?

alcuni scorpioni	SOME scorpions
alcune moto	SOME motorbikes
alcune mele	SOME apples
alcune arance	SOME oranges

... ma nessun animale domestico?

nessun gatto	NO cats
nessun cane	NO dogs

Pronomi e aggettivi dimostrativi 1.4

In inglese gli aggettivi e i pronomi dimostrativi sono:

SINGOLARE	PLURALE
This questo	These questi
That quello	Those quelli

Gli **AGGETTIVI DIMOSTRATIVI** nella frase inglese precedono il sostantivo e ne diventano parte integrante, per cui la struttura della frase che abbiamo spiegato precedentemente non cambia.

La FORMA AFFERMATIVA è così strutturata:

aggettivo dimostrativo + soggetto + verbo + complemento

This cat is black. Questo gatto è nero.

La FORMA NEGATIVA è così strutturata:

aggettivo dimostrativo + soggetto + verbo + *not* + complemento

This cat is not black. Questo gatto non è nero.

La FORMA INTERROGATIVA è così strutturata:

verbo + aggettivo dimostrativo + soggetto + complemento

Is this cat black? Questo gatto è nero?

PRONOMI E AGGETTIVI DIMOSTRATIVI

I **PRONOMI DIMOSTRATIVI** prendono il posto del soggetto... quindi anche con questi sei capace di costruire delle frasi: la struttura è sempre la stessa!

La FORMA AFFERMATIVA è così strutturata:

soggetto (pronome dimostrativo) + verbo + complemento

This is my cat. Questo è il mio gatto.

La FORMA NEGATIVA è così strutturata:

soggetto (pronome dimostrativo) + verbo + *not* + complemento

This is not my cat. Questo non è il mio gatto.

La FORMA INTERROGATIVA è così strutturata:

verbo + soggetto (pronome dimostrativo) + complemento

Is this my cat? È questo il mio gatto?

PRONOMI E AGGETTIVI DIMOSTRATIVI

Using it!

sweet	caramella
cup	tazza
jacket	giacca
joke	barzelletta
VERBS	
to take courses	seguire corsi

Indovina? Cosa devi fare ora? Bravo! Traduci...

ESERCIZIO n. 4

1. Quelle caramelle sono tue. ....
2. Queste tazze sono grandi. ....
3. Quell'uomo è simpatico. ....
4. Questo bar è brutto. ....
5. Quel bar è bello. ....
6. Quegli uomini sono onesti. ....
7. Questi bambini sono veloci. ....
8. Questo caffè è mio. ....
9. Queste macchine sono lente. ....
10. Quella ragazza è con quell'uomo con la giacca verde; quello con gli occhi blu è con questa ragazza qui. ....
11. Quella è una barzelletta molto (really) buffa. ....
....
12. Sì, è davvero molto divertente seguire i corsi a John Peter Sloan – la Scuola.
....

Countables and uncountables 1.5

Cominciamo a dare i numeri, "facendo il conto" dei sostantivi numerabili e di quelli non numerabili, le due categorie in cui si dividono i sostantivi inglesi!

COUNTABLES: sono i sostantivi numerabili, cioè quelli che si possono contare, davanti ai quali si può mettere un numero...
Pen (penna) è countable, infatti le penne si possono contare, posso dire che sul mio tavolo c'è una penna, che dal tuo tavolo ho preso due penne...
Litre (litro) è countable; i litri si possono contare: un litro, due litri, tre litri e così via...

Prima dei sostantivi countables si può mettere l'articolo indeterminativo singolare A/AN...
A pen is a nice gift. Una penna è un bel regalo.
A litre of milk already is open. Un litro di latte è già aperto.

e l'articolo determinativo THE...
THE pen in my bag is red. La penna nella mia borsa è rossa.
THE litre of milk on the table is cold. Il litro di latte sulla tavola è freddo.

UNCOUNTABLES: sono i sostantivi non numerabili, cioè quelli che non si possono contare, davanti ai quali non si può mettere un numero...
Esattamente come accade in italiano, tra questi sostantivi ci sono le varie sostanze solide o liquide, tipo wood, sugar, butter, milk, whiskey, water...

Milk (latte) è uncountable, infatti non si può contare. Si possono contare i litri e i bicchieri di latte, ma davanti alla parola milk non ci si può mettere un numero.
Money (denaro) è uncountable, infatti è possibile contare le monete, le banconote, le sterline, ma davanti alla parola money non si può mettere un numero.

Prima dei sostantivi uncountables non si può mettere l'articolo indeterminativo singolare A/AN. Per quantificarli si usano delle espressioni come:
A drop* of whiskey in autumn is nice. Una goccia di whisky in autunno è bello.
A glass* of whiskey is elegant. Un bicchiere di whisky è elegante.
Some whiskey at breakfast is sad. Del whisky a prima colazione è triste.

* drop e glass sono sostantivi countables

SOME, ANY, NO, NONE

Sono i partitivi inglesi. Si chiamano così perchè traducono «alcuni», «dei», «qualche», «nessun», quindi una parte (o no) di un qualcosa.

SOME si usa nelle frasi affermative o nelle interrogative dove sai già, o ne hai la sensazione, che la risposta sia affermativa.
ANY invece si usa nelle negative e interrogative.

Cito anche A LITTLE (un poco di) e A FEW (alcuni, qualche) come possibili alternative.

I have some friends. Ho alcuni amici.
I haven't any friends. Non ho alcun amico.
Are there any shells on the beach? C'è qualche conchiglia sulla spiaggia?
Is there any air in the ball? C'è dell'aria nel pallone?
I have little time. Ho poco tempo.
I have a little time. Ho un po' di tempo.
I have few records. Ho pochi dischi.
I have a few records. Ho qualche disco.
I have some records at home. Ho dei dischi a casa.

Il negativo si forma anche adoperando NO davanti ai sostantivi:
I have no friends. Non ho alcun/nessun amico.
There are no shells on the beach. Non c'è nessuna conchiglia sulla spiaggia.
I have no time. Non ho tempo.
I have no records. Non ho nessun disco.

Quando la cosa che manca è sottointesa si può formare adoperando anche il pronome negativo NONE.
I have none. Non ce l'ho.
There are none. Non ci sono.

IMBUTO MAGICO

Vi sento già mormorare: «Come scegliere tra A/AN/SOME/NO e THE/THIS/THAT/THESE/THOSE?».
Qui ci viene in aiuto l'imbuto magico!

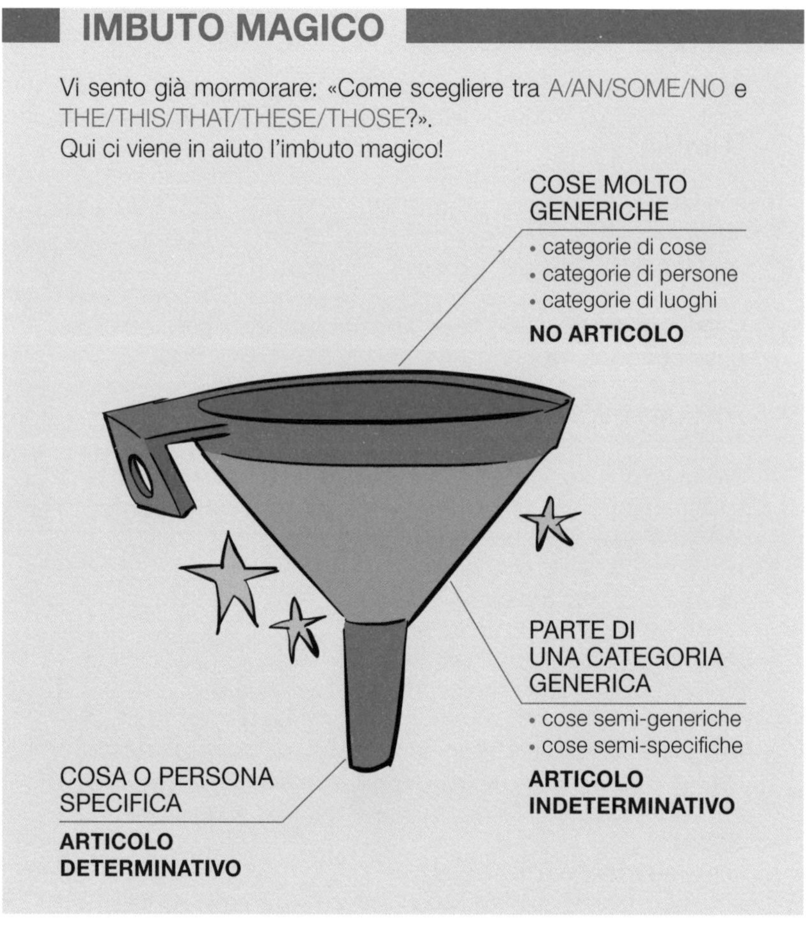

COUNTABLES AND UNCOUNTABLES

Quando si parla di COSE MOLTO GENERICHE, tipo categorie di persone, di cose, di luoghi, non si usa affatto un articolo (N.B. Per riferire a categorie usando un sostantivo countable, dev'essere al PLURALE):
Nurses usually are caring people. Gli infermieri sono di solito persone premurose.
No nurses are caring people. Nessuna infermiera è una persona premurosa (ma non è vero!).

Quando si comincia a focalizzarsi su PARTE DI UNA CATEGORIA GENERICA, insomma si parla in modo semi-generico e semi-specifico allo stesso tempo, come in italiano si adopera l'articolo indeterminativo:
A nurse can be a caring person. Un'infermiera può essere una persona premurosa.
Some nurses can be caring people. Alcuni infermiere possono essere persone premurose.
There is not a single nurse who cares. Non c'è neanche un'infermiera premurosa (ma non è vero!).

Quando, invece, si parla di UNA PERSONA O UNA COSA SPECIFICA, come in italiano ci vuole l'articolo determinativo:
The nurse at my doctor's office is a very caring person. L'infermiera dell'ufficio del mio medico è una persona molto premurosa.
This nurse, here, is a very caring person. Quest'infermiera qui è molto premurosa.
That nurse, there, is a very caring person. Quell'infermiera lì è molto premurosa.
These nurses, here, are very caring people. Queste infermiere qui sono persone molto premurose.
Those nurses, there, are very caring people. Quelle infermiere lì sono persone molto premurose.

COUNTABLES AND UNCOUNTABLES

Using it!

advice*	consiglio/i
air	aria
collaboration	collaborazione
equipment	attrezzatura
finance	finanza
food	cibo
for	per
furniture	mobili
health	salute
information*	informazione/i
intelligence	intelligenza
justice	giustizia
nature	natura
news	notizie
pollution	inquinamento
power	potere
progress	progresso
rain	pioggia
time	tempo
traffic	traffico
transport	trasporto
water	acqua
work	lavoro
absolute	assoluto
absolutely	assolutamente
equal	uguale

VERBS

to corrupt	corrompere
to want	volere
to hear	sentire
to need	aver bisogno di

* Per esempio, come per tutti gli uncountables:

I need some advice.
NON ~~I need an advice./I need advices~~.
MA I need the advice of someone in the right office.

I need some information.
NON ~~I need an information./I need informations~~.
MA I need the information out of the red book.

ESERCIZIO n. 5

1. Voglio sentire i tuoi consigli, per favore (please). ....

   ....

2. Ho (I have) delle buone notizie per te. ....
3. La giustizia è uguale per tutti. ....
4. «Il potere corrompe e il potere assoluto corrompe assolutamente.»

   (Uomo saggio, Lord Acton, yes?) ....

   ....

5. Abbiamo bisogno di un po' di pioggia. ....
6. Il traffico stamattina era terribile. ....
7. Mi scusi (Excuse me), (Vorrei) un'informazione, per favore. ....

   ....

8. La collaborazione tra Granny e il Maniac è bella. ....

   ....

9. Il cibo qui è sempre buono. ....
10. I miei fratelli sono tutti gentili. ....

    ....

Pronomi personali complemento 1.6

I pronomi personali complemento ti saranno certamente utilissimi, perché così potrai, d'ora in avanti, riferire alle persone non solo come soggetti delle tue frasi, ma anche come complementi oggetto dei verbi, per esempio... o insieme alle preposizioni che, piano piano, d'ora in avanti, continuerai a imparare.

SOGGETTO	PRONOME PERSONALE COMPLEMENTO
I	me
you	you
he	him
she	her
it	it
we	us
you	you
they	them

I APPRECIATE IT

Significa «Lo apprezzo». Fin qui arrivi facilmente. Si usa l'articolo come un oggetto complemento anche in italiano.
Ma che cavolo fai in inglese... che vuole il suo oggetto complemento... quando non esiste in italiano? Ecco un esempio:
Troviamo che sia esilarante guardare John a Zelig.

Facile anche questo. Ti ricordi il nostro prezzemolo IT? Anche qui ci viene in aiuto.
We find it exhilarating watching John in Zelig.

Qualche altro esempio? Nessun problema...
I like/love/hate it a lot. (Non) Mi piace tantissimo (affatto).
I'll see to it, tomorrow./I'll do it, tomorrow. Lo farò domani.
I thought it strange that Concy gave me a kiss./It seemed strange to me that Concy gave me a kiss. Mi sembrava strano che Concy mi avesse dato un bacio.
He made it clear that he wants to go./He said clearly that he wants to go. Ha detto chiaramente che vuole andare.

PRONOMI PERSONALI COMPLEMENTO

AFFERMATIVA	NEGATIVA	INTERROGATIVA
Lei è con lui. She is with him.	Lei non è con lui. She is not (isn't) with him.	Lei è con lui? Is she with him?
Lui è con lei. He is with her.	Lui non è con lei. He is not (isn't) with her.	Lui è con lei? Is he with her?
Loro sono con me. They are with me.	Loro non sono con me. They are not (aren't) with me.	Loro sono con me? Are they with me?

Serve che te lo dica ancora che... c'è un nuovo esercizio e le soluzioni le devi guardare solo alla fine? Come dici? NO?! Bene, non ne avevo alcuna voglia... preferiresti forse una noiosa riunione di lavoro?

WITH (OUT)

Per affrontare il prossimo esercizio, ti regalo due preposizioni:
WITH che significa «con».
WITHOUT che significa «senza».

Non puoi non conoscere la canzone *With or Without you* degli U2! Il titolo non significa altro che «Con o senza di te». Bono canta «Io non posso vivere, con o senza di te»; mia moglie me la cantava sempre al Karaoke, prima di sposarci, ora mi canta *I will survive*, cioè «Resisterò e trionferò» (letteralmente «sopravviverò», ma... il senso cambia nel contesto!).

Faccio subito qualche esempio in cui utilizzo i pronomi personali e anche le preposizioni che ti ho presentato nel box e che, grazie agli U2, certamente ti saranno rimaste bene impresse.

ESERCIZIO n. 6

1. Noi siamo con te. ....
2. Sei con lui?. ....
3. Lui e lei sono con me. ....
4. Lui e lei sono con me? ....
5. Siete con loro. ....
6. Non siete con lei. ....
7. Non sono con loro. ....
8. Sei con me? ....
9. Non sei con lui? ....
10. Noi non siamo con te. ....

Verbo avere (to have/to have got) 1.7

Il verbo principale, il verbo ESSERE (to be) lo abbiamo già visto. Secondo in ordine d'importanza viene certamente il verbo AVERE (to have).

1. FORMA AFFERMATIVA

Vediamo il verbo avere coniugato al presente indicativo.

	FORMA ESTESA	FORMA CONTRATTA*
io ho	I have	I've
tu hai	you have	you've
egli/lei/esso ha	he/she/it has	he's/she's/it's
noi abbiamo	we have	we've
voi avete	you have	you've
essi hanno	they have	they've

* ATTENZIONE: usiamo la forma contratta del verbo have solo e unicamente quando lo usiamo come un ausiliare, che vedremo meglio più in là:
I have my John Peter Sloan – la Scuola class at 9:30 A.M.
NON ~~I've my John Peter Sloan – la Scuola class at 9:30 A.M.~~

La FORMA AFFERMATIVA è così strutturata:

soggetto + verbo + complemento

Come vedi, il verbo to have si coniuga sempre have in tutte le persone, tranne la terza persona singolare (he/she/it), per cui diventa has.

You have a nice house. Hai una casa carina.
They have a big house. Hanno una casa grande.
I have an ugly friend. Ho un amico brutto.
She has a small nose. Ha un naso piccolo.
We have an old dog. Abbiamo un cane vecchio.

VERBO AVERE (TO HAVE/TO HAVE GOT)

IN ANTEPRIMA: TO HAVE GOT

Un altro modo per esprimere con maggiore forza il concetto di possesso è di usare to have got: il passato prossimo di to get (have got). Non confonderti! Qui have è sia il verbo ausiliare (have), sia il verbo principale espresso nella forma del participio passato (got). Ricordati, non esprime un senso del passato, esprime la stessa cosa di to have, rinforzando il concetto di possesso.
You've got a friend... (Dai, se devo dirti chi ha cantato questo e cosa vuol dire, si butta male!)

La frase affermativa si compone come quella di to have.
I've got only 5 Euros in my pocket. Ho solo 5 Euro in tasca.
He's got time to help you. Lui ha tempo per aiutarti.
They've got three kids. Loro hanno tre bambini.

IN ANTEPRIMA: GET

Tre piccole lettere contengono un mondo che probabilmente non hai mai esplorato, o quantomeno non bene. Lo vedi, è lì, una giungla piena di voraggini pericolose, bestiole feroci e fiumi pieni zeppi di piranha. Non avere paura! Ti do subito un machete e una canoa, non solo per esplorare questo mondo ricco e affascinante, ma anche per dominarlo! Prima, quello più facile...

Usi get per «ottenere/ricevere».
Ho ricevuto la tua lettera, ieri. I got your letter, yesterday.
Ha ottenuto una promozione. He got a promotion.
Mi potresti prenderlo, per favore? Would you get that for me, please?

Usi get anche per tradurre «raggiungere/arrivare».
John ci è arrivato appena in tempo. John got there just in time.
Arrivo in ufficio alle 9. I get to the office at 9 A.M.
Usi get per «beccare/prendere/ricevere involontariamente».

John è stato morso dal cane di Concy. John got bit by Concy's dog.
John è stato beccato da Concy al pub con Julie. John got caught at the pub with Julie by Concy.

Usi get anche per tradurre «capire».
L'ha capito! He got it!
Non capisco cosa vuole. I don't get what he wants.

Infine, la ciliegina sulla torta, usiamo get anche per indicare un cambiamento di stato di essere.
Mi alzo dal letto. I get up out of bed. (vado da giù a su)
Quando bevo champagne, mi ubriaco. When I drink champagne, I get drunk. (vado da sobrio a ubriaco)
Invecchio. I am getting old. (vado da giovane a vecchio)

2. FORMA NEGATIVA E TO DO COME AUSILIARE

Per coniugare la forma negativa, ancora una volta dovrai utilizzare la magica parolina NOT, posizionata dopo il verbo all'interno della frase. E non dimenticare di aggiungere got… in americano è obbligatorio, mentre nell'inglese della Regina suona più friendly, meno snobby.

	FORMA ESTESA	FORMA CONTRATTA
I have	I have not (got)	I haven't (got)
you have	you have not (got)	you haven't (got)
he/she/it has	he/she/it has not (got)	he/she/it hasn't (got)
we have	we have not (got)	we haven't (got)
you have	you have not (got)	you haven't (got)
they have	they have not (got)	they haven't (got)

La FORMA NEGATIVA è così strutturata:

soggetto + verbo + *not* + (*got*) + complemento

VERBO AVERE (TO HAVE/TO HAVE GOT)

You have not (got) a car. Non hai una macchina.
You haven't (got) a beer, yet! No hai ancora una birra!
They have no (not got) time. Non hanno tempo.
Concy hasn't (got) time for John… ever. Concy non ha tempo per John… mai.
She has not (got) a big house. Lei non ha una casa grossa.
Dave hasn't (got) a beautiful car. Dave non ha una bella macchina.
I have not (got) an ugly brother. Non ho un fratello brutto.
I haven't (got) a smart dog. Non ho un cane intelligente.
He has not (got) an old motor bike. Lui non ha una moto vecchia.
He hasn't (got) a train ticket. Lui non ha un biglietto del treno.

TO DO

Un'altro modo di formare il negativo di to have (e quasi tutti gli altri verbi tranne to be e i modali, ma di questi ne parleremo più avanti) è di usare to do come un verbo ausiliare. Ricordati… non fare la forma contratta è solo più formale, in genere il senso non cambia.

La FORMA NEGATIVA usando to do è così strutturata:

soggetto + *do* + *not* + verbo + complemento

You do not have a car. Non hai una macchina.
You don't have a beer, yet! Non hai ancora una birra!
They don't have time. Non hanno tempo.
Concy doesn't have time for John… ever. Concy non ha tempo per John… mai.
She doesn't have a big house. Non ha una casa grossa.
I don't have a smart dog. Non ho un cane intelligente.
He doesn't have a train ticket. Lui non ha un biglietto del treno.

Per to do come il verbo principale… abbi pazienza… ne parleremmo fra non molto, prometto.

3. FORMA INTERROGATIVA E TO DO COME AUSILIARE

È vero, se vuoi sembrare Prince William o Princess Kate, puoi semplicemente invertire l'ordine del soggetto e del verbo.

AFFERMATIVA	INTERROGATIVA
I have	have I?
you have	have you?
he/she/it has	has he/she/it?
we have	have we?
you have	have you?
they have	have they?

Have you a match? Hai un fiammifero?
Have they John's new book? Hanno il nuovo libro di John?

Ma non parliamo più così! Normalmente, la forma interrogativa del verbo AVERE (e di quasi tutti i verbi tranne i famosi to be e i modali) si fa con l'ausiliare to do.

La FORMA INTERROGATIVA POSITIVA con to do è così strutturata:

to do + soggetto + *have* + complemento

Do you have a match? Hai un fiammifero?
Does he really have a Ferrari? Ha davvero una Ferrari?
Do they have John's new book? Hanno il nuovo libro di John?

... ma, ecco, che riappare il nostro amico have got, usato spesso anche qui per esprimere con maggiore forza il concetto di possesso. Attenzione, però! Come per il verbo ESSERE, per fare la forma interrogativa di have got non si usa mai to do. Invece, si invertono il soggetto e have e si aggiunge got.

La FORMA INTERROGATIVA POSITIVA con have got è così strutturata:

verbo + soggetto + (*got*) + complemento

VERBO AVERE (TO HAVE/TO HAVE GOT)

AFFERMATIVA	INTERROGATIVA
You have a car.	Have you (got) a car?
They have time.	Have they (got) time?
She has a big house.	Has she (got) a big house?

Have you got a match? Hai un fiammifero?
Has he really got a Ferrari? Ha davvero una Ferrari?
Have they got John's new book? Hanno il nuovo libro di John?

SHORT ANSWERS

Come vedi, anche per il verbo AVERE la struttura della frase non cambia. Le risposte alle domande sono anch'esse short answers.
Positiva: YES, SOGGETTO + VERBO (Yes, I have./Yes, she has.)
Negativa: NO, SOGGETTO + VERBO + NOT (No, they have not.)

Wife: Have you got time for me? John: No, I haven't.
Wife: Have you got time for The Simpsons? John: Yes, I have.
Wife: Have you got time for the pub? John: Always!

PRINCIPAL vs. PRINCIPLE

I valori che ci teniamo stretti stretti e che ci servono come paletti per il nostro comportamento sono i nostri principles. Chi dirige la scuola elementare, media o superiore dei nostri figli è un principal. Potrei descrivere una cosa o una persona fondamentale che preferisco alle altre con l'aggettivo principal.

The PRINCIPAL PRINCIPAL of the local high school directs it according to high PRINCIPLES. Il principale preside del liceo più vicino lo dirige secondo alti principi.

VERBO AVERE (TO HAVE/TO HAVE GOT)

Using it!

garden	giardino
dog	cane
brother	fratello
mother	madre
wife	moglie
sister	sorella
father	padre
husband	marito
pool	piscina
car	automobile/macchina
boyfriend	fidanzato/ragazzo
girlfriend	fidanzata/ragazza
one	lo (come pronome)

ESERCIZIO n. 7

1. Noi abbiamo un giardino piccolo. ....
2. Io non ho un cane grasso. ....
3. Lei ha un fratello brutto. ....
4. Loro hanno una madre magra. ....
5. Lui ha una bella moglie e io ho una bella fidanzata. ....
....
6. Lui ha una sorella bella, ma triste. ....
7. Tu hai un fidanzato? No, non ce l'ho. ....
8. Io sono giovane, ma ho una macchina grossa. ....
....
9. Io non sono bella, ma ho un ragazzo bello. ....
....
10. Lei ha due fratelli e una sorella. ....
....

Vocaboli base 1.8

Prima di andare avanti, sarebbe utile aggiungere dei vocaboli base, per permetterti di comporre delle frasi più complete. Per farlo, allo scopo di aiutarti a ricordare con più facilità le nuove parole, ho deciso di raggrupparle in aree semantiche (di significato), perché se sono inserite in un contesto forse ti verrà più naturale ricondurle al loro significato quando le incontri o quando le devi utilizzare.

1. I COLORI

Let's start with colours!
I colori sono allegri e divertenti, chissà che non portino fortuna alla tua attività di ricordarli.

red	rosso (anche per capelli)
green	verde
yellow	giallo
blonde	biondo (solo per capelli)
blue	azzurro
pink	rosa
black	nero (anche per capelli)
white	bianco (anche per capelli)
grey	grigio (anche per capelli)
brown	marrone (anche per capelli)

Using it!

car	automobile/macchina
house	casa
dog	cane
eye	occhio
hat	cappello
bike	bicicletta
television	televisione
pen	penna
money	soldi
tape	nastro adesivo

scissors	forbici
stapler	puntatrice
staples	punti
paper clip	graffetta

Usando i nuovi vocaboli, traduci ora queste frasi, facendo attenzione all'aggettivo e sforzandoti di fare l'esercizio e poi consultare le soluzioni!

ESERCIZIO n. 8

1. Lui ha una veloce macchina rossa. ....
2. Io ho una grossa casa bianca. ....
3. Loro hanno un cane nero e lento. ....
4. Lui ha un occhio nero. ....
5. Lei ha un cappello arancione. ....
6. Noi abbiamo una bicicletta marrone. ....
7. Voi avete una televisione in bianco e nero? ....
8. Tu hai un gatto grigio? ....
9. Hai una penna nera? ....
10. Ho una mela verde. ....
11. Non ho tempo, ma ho graffette, nastro adesivo, una puntatrice e punti. ....
    ....
12. Lei non ha soldi per me. ....
13. Non abbiamo una bella casa. ....
14. Non abbiamo una bella macchina. ....
15. Voi non avete tempo per me! ....
    ....

2. LA FAMIGLIA E LA CASA

Partiamo dai sostantivi più importanti riferiti alla famiglia e alla casa!

mother/mom	madre/mamma
father/dad	padre/papà
brother	fratello
sister	sorella
son	figlio
daughter	figlia
uncle	zio
aunt	zia
grandchild	nipote (di nonni)
nephew	nipote (di zii - maschile)
niece	nipote (di zii - femminile)
parents	genitori
relatives	parenti
cousin	cugino
boyfriend/girlfriend	fidanzato/fidanzata (frequentarsi seriamente)
fiancé /fiancée	fidanzato/fidanzata (nel senso manzoniano letterale dei *Promessi Sposi*)
friend	amico
grandmother	nonna (abbreviato grandma)
grandfather	nonno (abbreviato grandpa)

IN-LAW, STEP- e FOSTER

Le famiglie allargate di oggi ci impongono una serie di termini per questi nuovi parenti. Fortunatamente, sono facili...
"-in-law" si usa per i fratelli, le sorelle e i genitori del coniuge:
mother-in-law suocera
father-in-law suocero
brother-in-law cognato
sister-in-law cognata

Non esiste una traduzione di una sola parola per “consuoceri”; si deve esprimere il concetto con una frase, come: the mother/father of the wife/husband of my son/daughter.

“step-” si usa per i parenti acquisiti attraverso un secondo (o terzo, o quarto...) matrimonio:
step-brother/sister figlio/a del coniuge del tuo genitore
step-mother/father coniuge del tuo genitore

Finally, “foster”. È un'idea molto nobile; aprire la propria abitazione a un bambino in affidamento temporaneo:
foster children bambini in affidamento temporaneo
foster parents i genitori di bambini in affidamento temporaneo

Using it!

room	stanza
living room	soggiorno
bedroom	camera da letto
bathroom	bagno
kitchen	cucina
cellar	cantina
garage	garage
attic	solaio
garden	giardino
roof	tetto
under	sotto
book	libro
cool	fresco
near	vicino
garage	garage
chair	sedia
sofa/divan	sofà/divano
bed	letto
table	tavola

HOUSE or HOME

House è la casa fisica, l'edificio vero e proprio mentre home è "una questione" di cuore. Se abiti in una casa dove non stai bene magari non la chiami home, ma my house. È uguale anche per le nazioni... Italy is now my home.

E ora, concentrati sulla tua famiglia e sulla tua casa, cerca di ricordarti tutti i vocaboli che hai imparato e fai questi esercizi, traducendo le frasi nel primo caso e completandole con l'inserimento dei verbi che mancano nel secondo.

ESERCIZIO n. 9

1. Mio padre è sotto la macchina in garage. ....
2. Mia nonna è in camera da letto con il suo libro. ....
3. Il gatto nero è nella cantina perché c'è fresco. ....
4. La camera da letto è vicino al bagno. ....
5. Mio fratello è nel soggiorno con un suo amico, ma senza il cane. ....

   ....
6. Mia sorella è in giardino. ....
7. Mia mamma è in cucina. ....
8. Mio nonno è nel letto e il gatto è sotto il letto. ....

   ....
9. Mio cugino è nella macchina in garage. ....

   ....
10. I miei genitori sono nella cantina. ....

   ....

ESERCIZIO n. 10

1. My mother .... in the garden.
2. .... my mother in the garden?
3. .... the boys playing in the cellar?
4. .... Tommy got a big garage?
5. He .... got a fat, black cat.
6. She .... from Germany.
7. .... he from England?
8. .... you got my yellow ball?
9. Joe .... not in the house.
10. We .... not got a car. I .... sorry!
11. The apple .... green.
12. The apples .... green.
13. I .... a brown bike.
14. David .... a red bike
15. We .... in the garage with Michael.
16. Michael .... in the garage with us.
17. They .... with me and Tommy and the boys .... with their mother.
18. The black and white cat .... green eyes.
19. The dogs .... eating the cats.
20. You .... not with me because you .... not got a car.

3. **EVERYDAY OBJECTS**

Hai bisogno di qualche elemento in più per la casa e le tue attività quotidiane? O.K., eccoli!

bus	(auto)bus
pullman	bus
metro/The Tube (London)	metro
Emergency exit	uscita di emergenza (tieh! tieh!)
desk	scrivania
pencil	matita
pencil sharpener	temperino
pen	penna
scissors	forbici
paper clip	graffetta
stapler	puntatrice
staple	punto
tape	nastro adesivo
a sheet of paper	un foglio di carta
a ream of paper	una risma di carta
envelope	busta
letter	lettera
printer	stampante (dai, non dirmi che ti devo ricordare anche del "computer"...)
ink	inchiostro
pass	tessera, pass
vacuum cleaner	aspirapolvere
broom	scopa
mop	mocio/scopa di filacce
rag	straccio
sink	lavabo/lavandino
handle	manubrio/maniglia
broom	scopa
table cloth	tovaglia
table napkin	tovagliolo
silverware	posate
knife	coltello

VOCABOLI BASE

fork	forchetta
spoon	cucchaio
glass	bicchiere
mug	tazza grande
plate	piatto
bowl	ciotola
soup bowl	piatto fondo
sculpture	scultura
bed (dove vorrei essere ora!)	letto
blanket	coperta
sheet	lenzuolo
pillow	cuscino
pillowcase	fodera
table	tavola
chair	sedia
doorbell	campanello d'ingresso
intercom	citofono
ATM	bancomat
(business) card	biglietto da visita
house	casa
office	ufficio
door	porta
window	finestra
ground floor	pianterreno/primo piano
first floor	secondo piano/piano nobile
second floor (ecc.)	terzo piano
room (+ funzione)	sala/stanza (+ funzione)
es. dining room	sala da pranzo
es. bedroom	stanza da letto
alarm clock	sveglia
clock	orologio
watch	orologio da polso
flash light/torch	torcia
scales	bilancia
toilet paper	carta igienica
paper towel	carta da cucina
towel	asciugamano

VOCABOLI BASE

VERBI

to rent	affittare, noleggiare
to buy	comprare
to lease	leasing
to sell	vendere
to own	possedere
to live (in)	vivere (in)
to set the table	apparecchiare la tavola
to clear the table	sparecchiare la tavola
to write	scrivere
to print	stampare
to answer	rispondere
to pay the bills	pagare le bollette
to (have to) go to the bathroom	(aver bisogno di) andare in bagno e…

(N)EITHER

Prima di andare avanti c'è una minilezione da fare su either + or e neither + nor:

either + or si usa quando c'è una scelta tra due cose;
neither + nor vuol dire «nessuno dei due».

Un uomo va in un bar che vende solo caffè e latte.
Man: A juice, please. Un succo, per favore.
Barman: We don't sell juice. You can have either coffee or milk. Non vendiamo succhi. Può avere o caffé o latte.
Man: Neither coffee nor milk, I will go to a different bar. Né caffè, né latte. Andrò in un altro bar.

4. I NUMERI

Approfondiamo ora il vocabolario aggiungendo altri esempi con i numeri: cominciamo con l'aiuto di questo specchietto esemplificativo.

I NUMERI CARDINALI		I NUMERI ORDINALI	
1	one	primo	first
2	two	secondo	second
3	three	terzo	third
4	four	quarto	fourth
5	five	quinto	fifth
6	six	sesto	sixth
7	seven	settimo	seventh
8	eight	ottavo	eighth
9	nine	nono	ninth
10	ten	decimo	tenth
11	eleven	undicesimo	eleventh
12	twelve	dodicesimo	twelfth
13	thirteen	tredicesimo	thirteenth
14	fourteen	quattordicesimo	fourteenth
15	fifteen	quindicesimo	fifteenth
16	sixteen	sedicesimo	sixteenth
17	seventeen	diciassettesimo	seventeenth
18	eighteen	diciottesimo	eighteenth
19	nineteen	diciannovesimo	nineteenth
20	twenty	ventesimo	twentieth
21	twenty one	ventunesimo	twenty first

... e via di seguito, aggiungendo i numeri singoli.

Facciamo qualche esempio sull'uso dei numeri cardinali, che forse sono più difficili da usare rispetto agli ordinali.

Neil Armstrong was the first person to walk on the Moon. Neil Amstrong fu la prima persona a camminare sulla Luna.
Schumacher arrived third today. Schumacher è arrivato terzo oggi.

VOCABOLI BASE

I am drinking my second glass of wine. Sto bevendo il mio secondo bicchiere di vino.
Italy won the World Cup for the fourth time. L'Italia ha vinto la Coppa del Mondo per la quarta volta.
This is my fifth day at University! Questo è il mio quinto giorno all'università!

E... visto che ci siamo divertiti arrivando fino al 21, proseguiamo con qualche altro numero, che ci porterà fino al 100!

30	thirty
40	forty
50	fifty
60	sixty
70	seventy
80	eighty
90	ninety
100	hundred

Ora sì che abbiamo materiale sufficiente per qualche nuovo esercizio, anche se ci servirebbe qualche altra parola...

Using it!

work	lavoro
chicken	pollo
good	buono
rabbit	coniglio
children	bambini
leg	gamba
to weigh	pesare
pound	libbra inglese
kilogram	(dai... cosa sarà mai?)
weight	peso
your	tuo (in questo contesto)
what	che (in questo contesto)
that	che (in questo contesto)
each	cadauno (in questo contesto)

ESERCIZIO n. 11

1. Lei ha due cani grossi e brutti che pesano 150 libbre cadauno. ....

   ....

2. Lui non ha una bicicletta nera. ....
3. Hai quattro euro? Non ho soldi. ....
4. No, non ho quattro euro perché non ho lavoro. ....

   ....

5. Lui ha due occhi grossi e rossi perché è stanco. ....

   ....

6. Noi abbiamo quaranta polli in giardino. ....
7. Avete un pollo grande e bianco e che pesa venti chili? ....

   ....

8. Non hanno un pollo grande e bianco, ma hanno un buon coniglio grigio che pesa tre libbre. ....

   ....

9. Loro hanno sette bambini piccoli perché non hanno la T.V. ....

   ....

10. Tu non hai due gambe veloci, perché sei vecchia e ubriaca. Qual è il tuo peso?

    ....

A questo punto vorrei incoraggiarti a inventare tu stesso dei nuovi esempi con tutti i mezzi (verbi, parole, preposizioni e regole) che ti ho fornito fino a ora. A volte i miei studenti mi dicono: «Ma io non ho fantasia!». Questo non è accettabile! Voglio dire, se sei in un locale di Londra a parlare con qualcuno, devi togliere dalla tasca il libro di inglese per parlare o riuscire a dire qualcosa? No! Ovviamente, no! E allora buttati... e non temere di sbagliare!

L'ora 1.9

Cominciamo dall'A, B, C... anche se, trattandosi di ore, sarebbe più opportuno dire l'1, 2, 3... e vediamo le principali espressioni:

quarter	quarto d'ora
a quarter to + ORA	manca un quarto d'ora a... ORA
a quarter past + ORA	sono le... ORA e un quarto
half	mezz'ora
half past + ORA	sono le... ORA e mezza
o'clock	in punto (si usa solo riferendosi a un'ora esatta!)

Le frasi che si usano per chiedere l'ora sono:
What time is it?/What's the time?/What time do you have?

Poi, in linea di massima, tutto ciò che sta a destra dell'orologio è past, tutto ciò che sta a sinistra è to. Mentre il quarto d'ora può essere sia past che to, la mezz'ora è solo past!
Questo significa che, fino a quando la lancetta non segna i 30 minuti sull'orologio, in inglese ci si esprime con past. Dopo che la lancetta supera i 30 minuti, si comincia a parlare di to...

Ancora, in inglese non esistono le 24 ore, ma ce ne sono soltanto 12 che si ripetono 2 volte, quindi per indicare tutto ciò che viene dopo mezzogiorno si usa P.M. (Post Meridiem), mentre A.M. (Ante Meridiem) si utilizza per tutto quello che viene prima.
Ma questa consuetudine si riferisce soltanto alle ore scritte: per dire A.M. o P.M. diciamo molto più semplicemente in the morning nel primo caso e in the afternoon o in the evening nel secondo.

SCRITTO		PARLATO
10.00*	(10.00 A.M.)	It is ten o'clock in the morning. Sono le 10 di mattina.
18.15	(06.15 P.M.)	They will arrive at a quarter past six in the afternoon. Arriveranno alle 18 e un quarto.
22.30	(10.30 P.M.)	It's half past ten in the evening. Sono e 10 e mezzo di sera.
12.35	(12.35 P.M.)	It's twenty five to one in the afternoon. Mancano 25 minuti all'una del pomeriggio.

L'ORA

05.05 (05.05 A.M.) I arrived at five past five in the morning.
Sono arrivato alle 5 e 5 del mattino.
08.10 (08.10 A.M.) It's ten past eight in the morning.
Sono le 8 e 10 minuti del mattino.

* Se scrivi a un americano, usi i due punti invece di un punto o una virgola quando scrivi l'ora. Quindi 8:10 A.M., 9:00 P.M. e così via...

Dimenticavo... quando non c'è a quarter past/to, half past o multipli di cinque, devi sempre aggiungere minutes.

20.28 (08.28 P.M.) They will arrive at twenty eight minutes past eight in the evening.
Arriveranno alle 28 minuti dopo le 8 di sera.

E, se adesso hai davvero capito... dovresti essere in grado di comprendere queste frasi:

I will be at school at a quarter past three (P.M. or in the afternoon). (15.15) Sarò a scuola alle 15 e un quarto.

Lunch will be ready at half past one. (13.30) Pranzo sarà pronto alle 13 e 30.

Can I call you at seven o'clock (P.M. or in the evening)? (19.00) Potrò chiamarti alle 19?

It's five to five (P.M. or in the afternoon); we must run! (16.55) Mancano 5 minuti alle 17; dobbiamo correre!

I wake up at six o'clock on the dot every morning. (06.00) Mi sveglio ogni mattina alle 6 in punto.

I will be at the office at nine in the morning. (09.00) Sarò in ufficio alle 9 di mattina.

L'ORA

The game started at three o'clock and finished at a quarter past four (P.M. or in the afternoon). (15.00 - 16.15) La partita è cominciata alle 15 e si è conclusa alle 16 e un quarto.

I will be at the bar at nine in the evening. (21.00) Sarò al bar alle 21.

I was born at twenty two minutes to three in the afternoon. (14.38) Sono nato che mancavano 22 minuti alle 15.

Did you call me at twenty five to two (A.M. or in the morning)? (01.35) Mi hai chiamato stamattina che mancavano 25 minuti alle 2?

E ora continua ad allenarti formulando delle frasi per iniziare, fino a portare avanti una conversazione: prendilo come un gioco, divertiti a formulare frasi con quello che sai...
Lo stesso principio vale nel LAVORO!
Non avere mai paura di sbagliare, l'importante è comunicare, cercare di farsi capire nel miglior modo possibile. Nessun inglese ti prenderà in giro se vede che ti stai impegnando.

Gli avverbi di frequenza e di sequenza 1.10

Ora che sai i numeri e come dire l'ora, avrai anche bisogno di commentare la frequenza degli eventi e di metterli in relazione l'uno con l'altro, no? Come dice la parola stessa, gli avverbi di frequenza e di sequenza servono per indicare la frequenza e la sequenza con cui avviene o si compie un'azione.

usually	di solito
before	prima
sometimes	a volte
during	durante
always	sempre
after	dopo
never	mai
often	spesso
rarely	raramente
every	ogni
once a	una volta ogni

L'avverbio di frequenza nella frase si mette tra soggetto e verbo, fatta eccezione per le frasi con il verbo ESSERE (to be); in questi casi l'avverbio di frequenza si mette dopo il verbo.
She sometimes plays tennis. Lei a volte gioca a tennis.
He never eats pasta. Egli non mangia mai pasta.
I always help you. Io ti aiuto sempre.
Tom often comes with me to school. Tom viene spesso a scuola con me.
I never go to school. Io non vado mai a scuola.
She always forgets my birthday. Lei si dimentica sempre il mio compleanno.
During the day, he listens to music during meals. Durante il giorno, ascolta la musica durante i pasti.
She arrives in the office before her boss. Lei arriva in ufficio prima del suo capo.
He comes home after his father. Arriva a casa dopo il suo papà.
He eats carrots every day. Mangia carote ogni giorno.
Once a day, he takes his pills once. Una volta al giorno, prende le sue pillole una volta.

MA:
She is usually late. Lei di solito è in ritardo.
He is often drunk. Egli è spesso ubriaco.

E quando la frase è molto lunga e complicata alcuni di questi possono, come in italiano, essere spostati all'inizio o alla fine della frase (è meglio guardare un buon dizionario perché non tutti possono stare in ambedue i posti). Una virgola li separa dal resto della frase.
The Maniac in the Granny Smith videos that we watch at the John Peter Sloan – la Scuola is usually sad, but he calls her, often. Il Maniaco nei videos di Granny Smith che guardiamo alla John Peter Sloan – la Scuola di solito è triste, ma la chiama spesso.
Sometimes, I do my homework, even if I should always do it. A volte faccio i miei compiti, anche se dovrei farli sempre.

ADVERBS

Un avverbio è una parola che si usa per indicare quando, dove e come una certa azione si svolge. Gli avverbi sono quelle "parole" che in italiano finiscono in -MENTE e in inglese normalmente si creano aggiungendo -ly all'aggettivo.

lento	slow	chiaro	clear
lentamente	slowly	chiaramente	clearly
ovvio	obvious	ovviamente	obviously

Using it!

boss	capo
telephone	telefono
order	ordine
client	cliente
problem	problema
customer service	servizio clienti
reception	reception
on the telephone	al telefono
here	qui
together with	insieme a
day	giorno
question	domanda

PARTECIPARE

Sento spesso usare to participate per dire «partecipare».

To participate esiste come verbo, e significa proprio «partecipare», ma suona molto formale. Si usa invece il sostantivo participant per indicare le persone che partecipano a qualche evento...
Per dire "partecipare" ci sono due differenti possibilità:

To attend vuol dire essere a un meeting o a un corso senza essere attivo; essere lì per ascoltare o imparare.

To take part in vuol dire essere attivo a un meeting, a un corso o una presentation o in un dibattito; essere lì e contribuire, offrire idee e opinioni, parlare, discutere...

ESERCIZIO n. 12

1. Io di solito sono al Servizio Clienti. ....
2. Lei non c'è mai. ....
3. Io sono sempre al telefono. ....
4. Una volta all'ora sono al telefono insieme a un cliente. ....
   ....
5. Hai spesso problemi con i clienti?. ....
6. Durante il giorno, sei in reception?. ....
7. A volte ho trenta-tre ordini. ....
8. Prima che il cane sia qui, Giorgio ha una domanda. ....
   ....
9. Dopo che John è al telefono, raramente è felice. ....
   ....
10. A volte Julie al Servizio Clienti è triste. ....
    ....

STEP **2**

2.1 **Simple present/present simple**
Forma affermativa
Forma negativa
Forma interrogativa

2.2 **Pronomi e aggettivi possessivi**

2.3 **Double object**

2.4 **Riflessivo**

2.5 **Imperativo**

2.6 **Genitivo sassone**

2.7 **Preposizioni 1.0**
Place
Time
Motion

2.8 **Chi, come, cosa, quando, quale e dove?**
Who
What
When
Where
Why
Which
How

2.9 **There is/there are**

2.10 **How much/how many**

2.11 **Much, many, a lot of**

2.12 **Too much, too many, too**

2.13 **I giorni della settimana e le parti del giorno**

2.14 **I mesi e le stagioni**

Simple present /present simple 2.1

Il presente indicativo si utilizza per esprimere azioni abituali o per parlare di cose permanenti, cioè che sono così e basta! Vediamo nel dettaglio i due usi di questo tempo verbale. (C'è un altro uso "sorpresa", ma ne parliamo avanti... molto avanti...)

USO 1

Il simple present si usa per esprimere azioni che si fanno spesso, abitualmente o che accadono sempre allo stesso modo.

I play tennis. Io gioco a tennis.
(Significa che si gioca a tennis abbastanza regolarmente.)
She works in a bar. Lei lavora in un bar.
(Lei lavora in un bar e lo fa abitualmente.)
I (always) eat pasta at lunch. Io mangio (sempre) pasta a pranzo.
The train leaves (every day) at 8 o'clock. Il treno parte (ogni giorno) alle 8 in punto.
The shop closes (every day) at 6 o'clock. Il negozio chiude (ogni giorno) alle 6 in punto.

USO 2

Il simple present si usa per esprimere, generalmente, cose che "sono così e basta!", i dati di fatto.

I am a man. Io sono un uomo.
Cats like milk. I gatti adorano il latte.
The planet is round. Il pianeta è rotondo.
The universe expands at an incredible rate. L'universo si espande a una velocità incredibile.
Men from Birmingham are incredibly handsome. Gli uomini di Birmingham sono incredibilmente belli.
She loves you. (yeah, yeah, yeah) Lei ti ama.

Beati noi, la coniugazione del verbo non cambia mai per tutte le persone, tranne per la terza persona singolare (he/she/it), a cui bisogna aggiungere una -S.

SIMPLE PRESENT/PRESENT SIMPLE

Facciamo l'esempio con il verbo to work (lavorare):

I work	io lavoro
you work	tu lavori
he/she/it works	egli/lei/esso lavora*
we work	noi lavoriamo
you work	voi lavorate
they work	essi/loro lavorano

* Se ci si riferisse a un oggetto, si tradurrebbe, invece, come "funziona":
This watch works beautifully! Questo orologio funziona che è una meraviglia!

L'aggiunta della -S per la terza persona singolare segue la stessa regola dell'aggiunta della -S per il plurale: attenzione, quindi, ai verbi che terminano per -S, -SS, -SH, -CH, -X, -Z e anche -O... e non dimentichiamo quelli che terminano con -Y (se preceduta da una consonante la Y si trasforma in I e si aggiunge poi -ES; se preceduta da una vocale la Y si mantiene tale e si aggiunge solo -S). Ecco qualche piccolo esempio, giusto per ripassare:

VERBO	SIGNIFICATO	TERZA PERSONA SINGOLARE
to pass	passare	passes
to box	boxare/imballare	boxes
to wash	lavare	washes
to go	andare	goes
to play	giocare	plays
to study	studiare	studies

IN ANTEPRIMA... CAN

Se vuoi sembrare Prince William o Princess Kate, puoi sempre continuare a usare to be able to per esprimere le cose che sei capace di fare. In effetti, sai già come usare to be, potrebbe essere un'opzione, no? Ahhh... no! Noi non parliamo così. Noi usiamo il verbo modale can. I verbi modali sono un piccolo mondo tutto loro, li vedremmo più avanti. Per il momento, ti serve solo essere capace di dire I can speak English! Guarda un po'...

RIUSCIRE (ESSERE IN GRADO DI)
She can open the window, and she's only two! Riesce ad aprire la finestra e ha solo due anni!
AVERE UN'ABILITÀ
I can speak English thanks to John Peter Sloan! So parlare (in) inglese, grazie a John Peter Sloan!
AVERE IL PERMESSO DI (uso colloquiale... lo vedrai più avanti...)
Can I open the window, Ms. Terrible? – Yes, Johnny, you can. Posso aprire la finestra, Sig.ra Terribile? – Si, Johnny, puoi.
DEDURRE IMPOSSIBILITÀ (SOLO AL NEGATIVO!)
That can't be true! Non può essere vero!

Hai notato una bella cosa? È sempre can per tutti! Io, tu, noi, lui/lei/esso, voi e loro. Sempre can, can, can, can, can, can!
Per di più, le frasi si costruiscono come tutte le altre. Facile, no?
Aah, prima di dimenticarmi, un'altra strizzatina d'occhio: quando vuoi usare un verbo dopo can, devi usare l'infinitivo SENZA to. Dai un'occhiata agli esempi sopra e vedrai che ho ragione.

1. FORMA AFFERMATIVA

Cominciamo, ora che sai i suoi principali usi, a vedere nel dettaglio come si costruisce una frase con il simple present, a partire dalla forma affermativa.

La FRASE AFFERMATIVA è così strutturata:

soggetto + verbo + complemento

I work in a shop. Io lavoro in un negozio.
you work... she/he/it works... we work... you work... they work...

2. FORMA NEGATIVA

Per la forma negativa si utilizza sempre l'ausiliare to do, tenendo presenti le eccezioni rappresentate dai verbi to be e to have got. Per questi due ultimi non si usa mai to do. Si usa semplicemente not.

La FRASE NEGATIVA è così strutturata:

soggetto + *do/does* + *not* + verbo
+ complemento

I don't work in a shop. Io non lavoro in un negozio.
You don't work... he/she/it doesn't work... we don't work... you don't work... they don't work...
MA
I am not feeling well, today. Non mi sento tanto bene, oggi.
No, I haven't got the car, today. No, oggi non ce l'ho la macchina.

3. FORMA INTERROGATIVA

Per la forma interrogativa il simple present utilizza il verbo ausiliare TO DO (does per la terza persona singolare), che prende il primo posto nella formazione della frase interrogativa, prima del soggetto, a patto che non si utilizzino il verbo ESSERE o il passato prossimo di to get, HAVE GOT; in questi casi, infatti, come abbiamo già detto, si ha l'inversione tra soggetto e verbo.

La FRASE INTERROGATIVA con l'ausiliare to do è così strutturata:

do/does + soggetto + verbo* + complemento

Do you work in a shop? Lavori in un negozio?
Does he/she/it work? Do you work? Do they work?

* Non aggiungere mai la -S al verbo principale, che è all'infinito, perché è, infatti, l'ausiliare TO DO a essere coniugato alla terza persona: abbiamo does!

SHORT ANSWERS

Come abbiamo già visto per i verbi ESSERE e AVERE, le short answers sono appunto «risposte brevi» molto utilizzate anche con il simple present e si formano senza utilizzare il verbo principale della frase interrogativa, ma to do.

Do you work in a sweet shop? In inglese, non si dice: Yes, I work.
MA
Yes, I do. No, I do not (don't). – Yes, you do. No, you do not (don't). – Yes, he/she/it does. No, he/she/it does not (doesn't). – Yes, we do. No, we do not (don't). – Yes, you do. No, you do not (you don't). – Yes, they do. No, they do not (they don't).

Sai qual è il modo migliore per provare a vedere se hai capito una regola o una cosa? Provare a fare esercizio, mettendo in pratica quella regola… e allora ho deciso di metterti alla prova con qualche esempio ed esercizio!

John: What do you do?* Che lavoro fai?
Carol: I work in an office. Lavoro in un ufficio.
John: Do you like it? Ti piace?
Carol: No, I don't; do you like your job? No, a te piace il tuo lavoro?
John: Yes, I do. Sì.

* La domanda What do you do?, senza l'aggiunta di altre specifiche, si usa solo ed esclusivamente per chiedere informazioni riguardo al lavoro/la professione... Lo avevamo già visto, te lo ricordavi?

E adesso, per confonderti un po' la vita, aggiungo qualche question word…,

HOW? COME?

Carol: Do you like pasta? Ti piace la pasta?
John: Yes, I do. Sì.
Carol: How do you like pasta? Come ti piace la pasta?
John: Hot. Calda.

SIMPLE PRESENT/PRESENT SIMPLE

WHY? PERCHÉ?
Carol: Why do you live in Italy? Perché vivi in Italia?
John: Because* I like Italy. Perché mi piace l'Italia.
Carol: Don't you like England? Non ti piace l'Inghilterra?
John: Yes, I do, but I like Italy, too. Sì, ma mi piace anche l'Italia.

* Ricordati che, come si nota in quest'esempio, nelle risposte non si utilizza why per dire "perché", ma si usa quasi sempre because.

Carol: Do you like her? Ti piace lei?
John: No, I don't. No.
Carol: Why don't you like her? Perché non ti piace?
John: I don't know why** I don't like her. Non so perché non mi piace.

** Quando si spiega la ragione del perché si usa why anche nella risposta.

WHEN? QUANDO?
Carol: Do you like beer? Ti piace la birra?
John: Yes, I do; I love it. Sì, la amo.
Carol: When do you drink beer? Quando bevi birra?
John: I drink beer every Saturday evening. Bevo la birra ogni sabato sera.

Carol: When does the shop open? Quando apre il negozio?
John: I don't know. Non lo so.
Carol: Do you go to that shop? Vai in quel negozio?
John: No, I don't. No, non ci vado.

WHAT? CHE COSA?
Carol: What do you do? Che lavoro fai?
John: I teach English. Insegno inglese.
Carol: What does your wife do? Che lavoro fa tua moglie?
John: She does nothing. Non fa nulla.

Carol: What do you think of me? Che cosa pensi di me?
John: I think you are nice. Penso che sei carina.
Carol: Do you really think so? Davvero lo pensi?
John: Yes, I do. Sì, davvero.

WHO? CHI?
Carol: Who do you work with? Con chi lavori?
John: I work with Omar. Lavoro con Omar.
Carol: Who does Omar work with? Con chi lavora Omar?
John: With me! Con me!

WHERE? DOVE?
Carol: Where do you work? Dove lavori?
John: In Milan. A Milano.
Carol: Where does Omar work? Dove lavora Omar?
John: Stop talking, please! Basta parlare, per favore!

Adesso completa le frasi usando to be o to do... e fai attenzione perché ho inserito un piccolo trabocchetto: c'è un esempio in cui devi usare to have, scopri qual è!?

ESERCIZIO n. 13

1. .... you love me?
2. .... she with you?
3. .... you smoke?
4. No, I .... not smoke.
5. How .... you? Well?
6. How......................... you know me?
7. How......................... your mother?
8. Why......................... your brother smoke?
9. Why......................... you come here?
10. Why .... she here?
11. When .... you got time?
12. When .... you work?
13. When .... your birthday?

14. What .... you want?
15. What .... the problem?
16. What .... I?
17. Who .... you?
18. Who .... you think you are?!
19. Who .... you want? Me or him?
20. Who .... the washing in this house?
21. Where .... everybody?*
22. Where .... you go at the weekend?
23. Where .... your money come from?
24. Where .... I?
25. Where ....you want to go? .... you sure?

* Ricordati che everybody ed everything vogliono il verbo al singolare!

TO MAKE/TO DO

Questi due verbi traducono entrambi il verbo "fare", ma vediamo con quali diverse sfumature di significato:

TO MAKE è essenzialmente «fare, creare». Quindi, ottenere con le nostre azioni un risultato, creare qualcosa ANCHE IMMATERIALE che non c'era all'inizio.
to make a cake (fare una torta)
to make a fire (accendere un fuoco)
to make a presentation (scrivere una presentazione, crearla)
to make a pact (fare un patto)
to make an appointment (fare un appuntamento)
to make a mistake (fare uno sbaglio)
to make arrangements (mettersi d'accordo)
to make a suggestion (dare un suggerimento)

to make a complaint (lamentarsi)
to make a decision (fare una decisione)
to make an effort (fare uno sforzo)
to make an exception (fare un'eccezione)
to make an excuse (scusarsi)
to make money/a fortune/a profit (fare soldi/una fortuna/profitto)
to make love/peace/war (fare l'amore/la pace/la guerra)
to make noise (fare rumore)
to make progress (fare progressi)
to make plans (programmare)

In più, ci sono frasi che sono così e basta: to make a bed (fare il letto... ogni tanto...)

TO DO invece si riferisce all'azione del fare, ma senza creare niente, o quando l'azione è ripetitiva.
to do* homework (fare i compiti)
to do a presentation (fare una presentazione che è già stata scritta)
to do good/harm (fare del bene/del male)
to do one's hair (farsi i capelli)
to do the grocery shopping (fare le spese)
to do the bed (una domestica che li fa regolarmente)

Anche qui, ci sono frasi che sono così e basta:
to do research (fare la ricerca), to do business (far affari), to do someone a favor (fare un piacere), to do one's best (fare il proprio meglio)

Ancora tre pensierini per te prima di lasciare to do:
want to do voler fare, like to do piacere fare, love to do ama fare
I want to do my homework. Voglio fare i miei compiti.
I like to do my homework. Mi piace fare i miei compiti.
I love to do my homework. Amo fare I miei compiti.

* ATTENZIONE: The teacher makes the homework; the student does it.

Mettiamoci un po' alla prova, cosa dite? Scegli la risposta giusta: make o do. O... forse dovrei dire che sarebbe meglio guardare anche il prossimo box prima di fare gli esercizi...

ESERCIZIO n. 14

1. I can .... a cake, can you?
2. I .... my bed.
3. It .... good to be in the fresh (fresca) air.
4. I can .... an exception this time.
5. Who (chi) .... your hair?
6. In your house, who .... the grocery shopping?
7. I always .... my best.
8. The news (telegiornale) .... me sad.
9. Does John .... any money, now?
10. I .... many suggestions.

TO MAKE +

Ricordati che il verbo to make in generale significa «fare» nel senso di creare qualcosa di materiale (una torta) o immateriale (un appuntamento), ma quando si usa:
to make + pronome personale complemento significa «obbligare», «costringere» .

In inglese, non si usa QUASI MAI il verbo to oblige, preferendo esprimere lo stesso significato con to make seguito dal pronome personale complemento.
I will make you stay here. Ti costringerò a stare qui.

Pronomi e aggettivi possessivi 2.2

Vedrai che ora, con questo ulteriore piccolo passo tra gli aggettivi e i pronomi possessivi, arriverai ancor più velocemente a formulare frasi più lunghe e più dettagliate.

PRONOMI PERSONALI SOGGETTO	PRONOMI PERSONALI COMPLEMENTO	AGGETTIVI POSSESSIVI	PRONOMI POSSESSIVI
I	me	my	mine
you	you	your	yours
he	him	his	his
she	her	her	hers
it	it	its	its
we	us	our	ours
you	you	your	yours
they	them	their	theirs

RICORDA sempre che:

A. Davanti all'aggettivo possessivo e anche al pronome possessivo NON si mette MAI l'articolo (THE);
B. Il pronome possessivo NON è MAI seguito dal nome, perché lo sostituisce.

Quindi continuiamo a costruire!
I am with Paul and his brother. Sono con Paul e suo fratello.
They are with Sara and her brother. Sono con Sara e suo fratello.
My mother and her dog are in the garden. Mia mamma e il suo cane sono nel giardino.

E ora, prima di tradurre, visto che è da un po' che non te lo ricordo, lasciami dire che le soluzioni alla fine del libro le devi guardare solo alla fine!

Using it!

broken	rotto
wallet	portafoglio
bag/purse	borsa

PRONOMI E AGGETTIVI POSSESSIVI

ESERCIZIO n. 15

1. Sono nel mio garage con la mia macchina gialla. ....

   ....

2. Mia moglie e sua madre sono in via Montenapoleone e hanno il mio portafoglio!

   ....

3. Sono in giardino con il mio cane e il mio gatto, che sono vecchi e stanchi.

   ....

4. Sara ha la mia macchina rossa, perché la sua bici verde è rotta. ....

   ....

5. Loro sono nella loro macchina con mio fratello e il suo amico. ....

   ....

6. Il mio libro è sul tavolo, il tuo è in camera da letto. ....

   ....

7. Suo padre è vecchio e magro, il mio è grasso. ....

   ....

8. I nostri genitori sono vecchi, i loro sono giovani. ....

   ....

9. La sua borsa è grossa e nuova, ma la vostra è vecchia e sporca. ....

   ....

10. La sua mamma è inglese, la loro è americana. ....

   ....

Double object 2.3

A questo punto devo farti conoscere la regola del doppio oggetto. Quando un verbo è seguito da due complementi, uno diretto (cioè che segue il verbo senza la presenza di preposizioni) e uno indiretto (cioè che segue il verbo con la presenza di preposizioni), in inglese si usa la costruzione del double object: il complemento indiretto viene posto subito dopo il verbo (senza il to) senza aggiungere alcuna preposizione, seguito, poi, da quello diretto.

Non preoccuparti, è più facile a farsi che a dirsi! Ti faccio un esempio:
non si dirà ~~Give a pen to me.~~ MA Give me a pen.

Using it!

address	indirizzo
job	lavoro
present	regalo
joke	barzelletta
letter	lettera
story	storia

Ci sono, in particolare, alcuni verbi che utilizzano sempre questa regola:
to give (dare) You give me your money.
to send (mandare) You send them your address.
to offer (offrire) John offers jobs to his friends.
to buy (comprare) You buy Lucy a present.
to sell (vendere) Sell it to me. You sell Tom your car.
to show (mostrare) You show Julie his dog.
to tell (dire) You tell them a joke.
to find (trovare) You find me an umbrella.
to write (scrivere) You write Kevin a letter.
to read (leggere) You read me a story.

Se, invece, usi il pronome sia per il complemento diretto che per quello indiretto, funziona al rovescio:
You give it to me.
You send it to them.
John offers them to them.

Riflessivo 2.4

Quando, poi, persone fanno cose A o PER se stessi, allora si deve usare il riflessivo... ma molto cose che sono riflessive in italiano (come vestirsi) non lo sono in inglese. (A meno che a quaranta e rotti anni tu non abbia finalmente cominciato a vestirti da solo!) Controlla le parole in un buon dizionario...

PRONOMI PERSONALI	PRONOMI RIFLESSIVI	
I	myself	I see myself in the mirror. Vedo me stesso nello specchio.
you	yourself	You talk to yourself too much. Ti parli troppo (a te stesso).
he/she/it	himself/herself/itself/oneself	She turns herself into a witch. Si trasforma in una strega.
we	ourselves	We love ourselves too much. Ci amiamo troppo (noi stessi).
you	yourselves	You buy yourselves gifts. Vi comprate regali (per voi stessi).
they	themselves	They put themselves in my shoes. Si sono immedesimati (in me.)

Possiamo adoperare pronomi riflessivi anche per enfasi...
Do it yourself! Fallo tu da solo!
The house itself is nice, but I don't like the location. La casa in se è bella, ma non mi piace il luogo.

... anche quando non li useremmo normalmente...
Look, she's only two, and che can dress herself, already! Guarda ha solo due anni eppure può già vestirsi da sola!

... o, aggiungendo BY, sottolineare che abbiamo fatto qualcosa da soli:
They painted their house all by themselves. Hanno dipinto la loro casa tutto da soli.

Attenti, però, a questa divertente trappola:
They talk to themselves a lot. Si parlano (a se stessi) moltissimo.
They talk to each other a lot. Si parlano molto (tra di loro).

Imperativo 2.5

Easy peasy, facile facile. Si usa l'infinito senza to per tutti e si adopera come l'imperativo in italiano... per dire agli altri (e talvolta anche a noi stessi, in senso ironico) cosa fare.
Oh (insert your name here), don't wait too long before you follow your dreams.
Oh (inserire qui il tuo nome), non aspettare troppo prima di inseguire i tuoi sogni.

Spesso, poi, lo usiamo insieme a un oggetto diretto e/o indiretto.
Si usa spesso in ufficio (Send this to the sales office by Monday. Manda questo all'ufficio delle vendite entro lunedì.), a casa (Make your bed. Metti in ordine il tuo letto.) e addirittura in classe (Get out your homework. Tirate fuori i vostri compiti.). E non dimenticare di dire please!

Ora vediamo le frasi viste sopra, trasformate in frasi imperative:
Give me all your money! (I ladri non sono tra i più cortesi.)
Send them your address, please.
John, offer your friends jobs, please!
Buy Lucy a present, please!
Sell Tom your car, please.
Show Julie his dog, please.
Tell them a joke, please.
Find me an umbrella, please.
Write Kevin a letter, please.
Please, read me a story.
Give it to me, please.
Send it to them, please.
John, offer them to them, please.

REMEMBER vs. REMIND

Quante volte stai correndo da un appuntamento all'altro e dici all'amico, al collega, alla moglie o al marito: «Ricordami, per favore, di... ». Magari dici anche a te stesso: «Ricordati di...».
Be', queste due azioni, che sono espresse con lo stesso verbo in italiano, si esprimono in inglese con due verbi completamente differenti: remind e remember.

IMPERATIVO

La più importante differenza tra i due verbi riguarda il soggetto dell'azione:

SE IL SOGGETTO CHE RICORDA COINCIDE CON CHI FA RICORDARE allora si deve usare REMEMBER seguito da un infinito + to, da un verbo -ing (*vedi* il capitolo *Verb patterns* a pag. 287) o direttamente da un sostantivo:
I remember to walk in the park for my health. Mi ricordo di camminare nel parco per la mia salute.
I remember walking in the park with my grandfather when I was little. Mi ricordo le camminate che io e il nonno facevamo nel parco.
I remember your birthday every year. Mi ricordo il tuo compleanno ogni anno.

SE INVECE È QUALCOSA O QUALCUN'ALTRO A FAR RICORDARE, allora si deve usare REMIND seguito dalla persona da far ricordare e poi da un infinito + to o da of /about/question words (*vedi* il capitolo *Chi, come, cosa, quando, quale e dove?* a pag. 92) + sostantivo:
Remind me to pay you back for the dinner; if you don't, I won't remember. Ricordami di ripagarti per la cena, se non lo fai, non mi ricorderò.
This beach reminds me of our honeymoon, do you remember it? Questa spiaggia mi ricorda della nostra luna di miele, te la ricordi?
Why didn't you remind me about my wife's birthday? Now it's too late. Perché non mi hai ricordato del compleanno di mia moglie? Ora è troppo tardi.
You asked me to remind you about tonight's match. Mi hai chiesto di ricordarti della partita di stasera.
Remind me what your name is, will you? Potresti ricordarmi il tuo nome, per favore?

Genitivo sassone 2.6

In inglese il possesso, quando ovviamente non è espresso da un aggettivo o un pronome possessivo, viene indicato da un apostrofo e una S...

Se a possedere è UNA PERSONA:
il cane di Bob, non si traduce ~~the dog of Bob~~, MA Bob's dog
il computer di mia sorella, non si traduce ~~the computer of my sister~~, MA my sister's computer
il negozio del macellaio, non si traduce ~~the shop of the butcher~~, MA the butcher's shop.

Se a possedere è UN ANIMALE:
l'osso del cane, non si traduce ~~the bone of the dog~~, MA the dog's bone
la coda del topo, non si traduce ~~the tail of the mouse~~, MA the mouse's tail

Il genitivo sassone viene utilizzato anche con funzione di TEMPO:
la festa di domani, non si traduce ~~the party of tomorrow~~, MA tomorrow's party
il pranzo di lunedì, non si traduce ~~the lunch of Monday~~, MA Monday's lunch

Il genitivo sassone è utilizzato anche con NAZIONI e CITTÀ (countries and cities):
i musei di Londra, non si traduce ~~the museums of London~~, MA London's museums
i fiumi dell'Inghilterra, non si traduce ~~the rivers of England~~, MA England's rivers

Il genitivo sassone è anche utilizzato per ENTITÀ:
il piatto del ristorante, non si traduce ~~the dish of the restaurant~~, MA the restaurant's dish.
la festa dell'ufficio, non si traduce ~~the party of the office~~, MA the office's party

CON IL PLURALE

Se il sostantivo a cui si deve riferire il genitivo sassone è plurale, e quindi già termina con una -S, si aggiunge al sostantivo solo l'apostrofo:
il cibo dei gatti, non si traduce ~~the food of the cats~~, MA the cats' food.
the cat's food (il cibo del gatto) the cats' food (il cibo dei gatti)

Quando si fa il possessivo di IT non si mette l'apostrofo perché quella forma indica it is. Invece, si aggiunge la "s" senza apostrofo:
Its food is in its bowl. il suo cibo è nella sua ciotola.

GENITIVO SASSONE

Using it!

son	figlio
husband	marito
cook	cuoco
mountain	montagna
canteen	mensa
worker	lavoratore
guide	guida
reader	lettore
open	aperto
on	su
already	già

Ho una piccola confessione da farti... quando il sostantivo non è un proper name, come London o John, talvolta è possibile usare la versione più lunga con of... ma non c'è una regola, perciò vai avanti tranquillo con il genitivo sassone. Ecco alcuni esempi da tradurre usando il genitivo sassone!

ESERCIZIO n. 16

1. Io sono il figlio di mia madre. ....
2. Lui è il marito di Concettina. ....
3. Il cappello dei cuochi è bianco. ....
4. Le montagne del Perù sono belle. ....
5. Il giornale di mio nonno è sul tavolo. ....
6. Ho già il giornale di domani. ....
7. Io ho la radio di mio fratello. ....
8. Lui ha la macchina di mio padre. ....
9. La mensa dei lavoratori è aperta. ....
10. Sono la guida dei miei lettori. ....

Preposizioni 1.0 2.7

Le preposizioni sono la colla della frase. Grazie al loro uso, possiamo fare già delle frasi più complete e ricche di informazioni.
O.K., dai, sono arrivato a pagina 79 del mio libro e non ho ancora fatto l'esempio più usato e banale del mondo:

The pen is ON the table. (Originale, non trovi?) La penna è SU+IL tavolo.
(In italiano è SUL, ma scritto così ti fa capire che serve l'articolo in inglese.)

1. PLACE

AT

Indica un punto fisso, il punto preciso ma non necessariamente circoscritto in cui si trovano una persona o un oggetto.
He is at the park. Lui è al parco (dove si trova il parco, si trova anche lui).
She is at the bar with her husband.
We are at my house.
Mom is at the market.
Dad is at church.

at the bus/train station, at the airport, at the corner, at the bus stop, at the door, at the top of the page, at the end of the road, at the entrance, at the crossroads, at the pub, at home, at work, at school, at university, at college, at the top, at the bottom, at the side, at reception...

ON

Questa preposizione indica una superficie ed è molto facile... si può tradurre con «su».
The cat is on the book.

on the wall, on the ceiling, on the door, on the cover, on the floor, on the carpet, on the menu, on a page, on a bus, on a train, on a horse, on the radio, on the beach, on the road...
Qualche volta la superficie è immateriale, come le onde televisive o radiofoniche... on the radio, on T.V., on the phone...

PREPOSIZIONI 1.0

IN

Questa preposizione indica l'essere inserito o il trovarsi in uno spazio chiuso*.
I am in a hotel room.
She is in London.
The children are in the playground.
The flowers are in the red vase.
The present is in a red box.

in the garden, in France, in my pocket, in my wallet, in the building, in the car, in a taxi, in a lift, in the newspaper, in the sky, in Oxford Street...

* È importante sapere che essere in uno spazio chiuso non vuol dire necessariamente "chiuso" secondo parametri fisici come muri; to be in London va bene, perché Londra si può intendere come "chiusa" rispetto a parametri definiti, anche se non fisici.

Adesso prova a memorizzare l'uso delle preposizioni di luogo leggendo gli esempi che ti propongo di seguito e che, a questo punto, posso anche evitare di tradurre, oh NO?!
Jane is waiting for you at the bus stop.
The shop is at the end of the street.
My plane stopped at Dubai and Hanoi and arrived in Bangkok two hours late.
When will you arrive at the office?
Do you work in an office?
I have a meeting in New York.
Do you live in Japan?
Jupiter is in the solar system.
The author's name is on the cover of the book. There are no prices on this menu.
You are standing on my foot.
There was a "no smoking" sign on the wall.
I live on the 7th floor at 21 Oxford Street in London.

AT the bar, there was a cat IN a box ON the floor.
AT the cinema, there was a man IN a boat ON the screen.
He is ON the 7th floor AT work IN London.

IN (MY) OFFICE

Non si dice "he is in office", perché il Presidente degli Stati Uniti è "in office" (in carica)... si usa "in my/his/her/the office" per dire che si è o non si è in ufficio in quel momento.

OUT OF

Questa prepositional phrase indica l'essere fuori di uno spazio chiuso.
I park the car out of the garage because the garage is very small.
I am out of the office, now.

OVER

Questa preposizione indica l'essere sopra senza toccare.
The sun is over the mountains.
My house is over a basement (seminterrato).

UNDER

Questa preposizione indica l'essere sotto e le due cose si toccano.
Many plants grow (crescere) well under the sun.
I wear (portare) my sweater under my coat when it is cold.

...o si riferisce alla posizione sotto una superificie (o un livello) più o meno dritta:
I swim under water.
My cat hides (nascondersi) under the table.
The red chair is under the painting.

BELOW

E se, invece, le due cose una sopra l'altra non si toccano...
From the mountain, we can see the city below.

BY/NEAR

Usiamo questa preposizione quando vogliamo indicare una vicinanza fisica.
She sits by him every day.
Our house is near the airport.

2. TIME

Le principali preposizioni di tempo, in inglese, sono:

AT

Si usa per indicare un'ora precisa.
At lunchtime, I have an appointment.
I am seeing her at 7 in the morning. (azione programmata)
I will meet you at 12 noon. (decisione presa nel momento in cui parla)
I saw them at 4 in the afternoon. (azione già avvenuta nel passato)
I was swimming at 6.40. (azione continuata nel passato)

at 3 o'clock, at noon, at bedtime, at sunrise, at sunset, at the moment, at Christmas time, at the same time, at midday, at midnight…

ON

Si usa per indicare i giorni e le date (che, se ci pensi, sono un po' la stessa cosa, dato che una data rappresenta un giorno!).
On Monday, I am studying with Carol. (azione programmata)
On August the 1st, I am leaving for Africa. (azione programmata)
On Tuesday, I started work. (azione già avvenuta nel passato)
On September 11, there was a memorial service. (azione già avvenuta nel passato)
On Thursday, I will come with you to the stadium. (decisione presa nel momento in cui parla)

on Christmas day, on Tuesday morning, on my birthday…

IN

Questa preposizione si usa per indicare i mesi, gli anni, i secoli o i lunghi periodi. Ti insegno un trucchetto: quando si parla di tempo, se non puoi usare AT (ora precisa) e nemmeno ON (giorno, data) devi per forza usare IN, che "va bene per tutto il resto".
I was born in 1978.
It will be easier in the future!

PREPOSIZIONI 1.0

I can do it in an hour.
I will be there in a minute!
I will be there in 20 minutes!

In the morning, in the week, in the month, in the year, in the century, in 2010, in summer, in the past, in the 1990s, in the Ice age, in the future, in a minute, in an hour…

Adesso prova a memorizzare l'uso delle preposizioni di tempo leggendo gli esempi che ti propongo di seguito e che, come ti ho già anticipato, eviterò di tradurre, per fare meno fatica!
I have a meeting at 9 a.m.
The shop closes at midnight.
Jane went home at lunchtime.
In England, it often snows in December.
Do you think we will go to Mars in the future?
There will be a lot of progress in the next century.
Do you work on Mondays?
Her birthday is on November 20.
Where will you be on New Year's Day?

Ora, per fare un esempio reale, metto la mia data di nascita compresa l'ora:
I was born ON February 27 IN 1970 AT 6 in the morning.
I was born ON February 27 IN 1978 AT 6 in the morning (se a chiedermelo è una ragazza carina!).

Prova anche tu a dire e poi scrivere la tua data di nascita con giorno, anno e ora:

....

PREPOSIZIONI 1.0

ECCEZIONI!

Quando nelle frasi usi LAST (scorso), NEXT (prossimo), EVERY (ogni) oppure THIS (questo) non usare più AT, IN e ON:
I went to London last June NON ~~in last June!~~
He's coming back next Tuesday NON ~~on next Tuesday!~~
I go home every Easter NON ~~at every Easter!~~
We'll call you this evening NON ~~in this evening!~~

Con i mesi, gli anni e le parti del giorno si usa IN, tranne con NIGHT/MIDNIGHT (mezzanotte) e MIDDAY (mezzogiorno), che vogliono rigorosamente la preposizione AT:
I study at night non ~~in the night!~~
She kisses you at midnight non ~~in the midnight!~~
I need to have a lunch at midday non ~~in the midday!~~

A questo punto, prova a inserire la giusta preposizione, scegliendo tra quelle di tempo e luogo.

ESERCIZIO n. 17

1. I live .... the centre of Milan.
2. My drink is .... the table.
3. I go to Sardinia .... the summer.
4. I have an appointment with the doctor .... 6 o'clock A.M.
5. I like living .... the city.
6. My book is .... my car .... the seat (sedile).
7. My brother works .... the new factory in Oxford.
8. He only comes here .... Mondays.
9. .... June 5, she will be (sarà) 6 years old!
10. They are surely .... the train, the train leaves .... 7.15 P.M. from the station.

11. If he is not .... the bar, then he is .... work.
12. The last time I saw (ho visto) him was .... 1985 .... the railway station.
13. She is .... the car with Simon .... Thursdays.
14. I don't like to speak .... the morning.
15. I will be (sarò) .... the hospital .... 10.00 A.M.
16. I sleep .... the floor.
17. There are 150 people .... the church .... 9 .... the morning!
18. There is a beautiful house .... Scotland. It is .... a hill near the lake.
19. I go to France by boat .... the summertime (estate).
20. Do you see the supermarket .... the end of the road?

3. **MOTION**

Quando c'è un movimento è importantissimo usare la preposizione di moto corretta per indicarlo.
Non si può dire: «I go school!»... solo Tarzan parla cosi!
Si deve dire: «I go to school!» (vado A scuola).
Quando si tornerà da scuola, si dirà: «I come from school!».

TO

È la preposizione da usare per esprimere il moto a luogo, anche se bisogna fare molta attenzione al verbo to arrive che, pur essendo di moto a luogo, vuole la preposizione AT, perché la cosa più importante non è andare, ma dove si arriva.
I go to the shops by car.
I went to the shops by car.
I will go to the shops by car.

MA
I arrived at school.

FROM

È la preposizione da usare per esprimere il moto da luogo.
I come back from school at 6 p.m.
I came back from school at 6 p.m.
I will come back from school at 6 p.m.

INTO

È la preposizione da usare per esprimere il movimento da fuori a dentro.
I went into the hotel. Sono andato dentro l'albergo (da fuori a dentro).
NOW I am in the hotel. (sono dentro, in uno spazio chiuso)

MA colloquialmente... diciamo anche I put the flowers in the vase. E perché?!! Non è movimento into? Come per to arrive è più importante lo spazio chiuso dove finiscono i fiori che il fatto di inserirceli dentro.

OUT OF

Usi out of quando vuoi esprimere movimento da dentro a fuori.
I go out of the house every morning at 7 a.m.
I take the car out of the garage every morning.
I go out of my mind when people say that Birmingham is boring.

GO OUT OF YOUR MIND

Può esprimere molte cose, ma tutte hanno a che fare con uno stato di essere negativo al di fuori di ogni limite.
I go out of my mind when people say that Birmingham is boring. Vado in incandescenza quando persone dicono che Birmingham sia noiosa.
I go out of my mind with worry when my children are out of my sight. Impazzisco con sovrappensieri brutti quando non riesco a vedere i miei bambini.

MIND

DISPIACERE

Do you mind if I smoke? Ti dispiace se fumo?
Would you mind if I smoke? Ti dispiacerebbe se fumassi?
She doesn't/wouldn't mind if you call her after midnight.
Sleep in our house, we don't mind.

MENTE

È la parte del cervello che ragiona.
I wanted to go to America, but I have changed my mind.
You're leaving school early?! Have you lost your mind?! In my mind's eye, I can see a great future.

ATTENZIONE

Mind the gap in the ladder. (USA: watch out for...) Attenzione allo spazio nella scaletta (manca un gradino).
Mind your Ps and Qs! Sii educato! (detto come ammonizione)
Mind your tongue! Attenzione a come parli! (per chi dice cose spiacevoli o offensive)
Mind your language! Attenzione/modera il linguaggio! (a chi dice le parolacce)

CURARE

She minds children, she is a child minder. (USA: she takes care of/watches over/babysits children; she is a babysitter)
Mind your own business. Pensa agli affari tuoi. (fatti i fatti tuoi e non curarti di quelli degli altri)

OBBEDIRE (U.S.A. and... Ireland!)

The children don't mind their parents. I bambini non obbediscono ai loro genitori.

PREPOSIZIONI 1.0

ONTO

Ha la stessa funzione di INTO, ma in questo caso il movimento che si esprime è verso sopra (on) ... toccando!
The cat was on the chair. The cat jumped onto the table. The cat is now on the table. Il gatto era sulla sedia. Il gatto è saltato sul tavolo. Il gatto ora è sul tavolo.

Se dicessi: The cat jumped on the table vorrebbe dire che il gatto è già sul tavolo e salta su e giù, sempre sul tavolo... in questo caso sarebbe un po' fuori di testa questo gatto, oh no?!

Anche qui, però, è più importante dove finiscono i fiori che il fatto che li stai spostando: I put the flowers on the table.

OFF (OF)

Se vai su una cosa devi anche essere capace di scendere, no?
Ecco come farlo...
I get off (of) the tram at the Baker's Street stop. Scendo dal tram alla fermata Baker's Street.
The cat gets off (of) the table when it feels like it. Il gatto scende dal tavolo quando se lo sente (e non prima!).

ACROSS

Devi andare da una parte della strada (o stanza o piazza) all'altra? A meno che tu non abbia fumato qualcosa di strano, la superficie sarà bella piatta, anche se può essere leggermente accidentata. Insomma, non hai colline nel bel mezzo della tua stanza. In tal caso, la mozione attraverso una superficie più o meno piatta è indicata con across (e qui non credo che si debba tradurre)!
He went across the street to see John's red Ferrari. (magari!)
She is across the piazza from us, do you see her?
The river is too deep, you can't walk across it.

OVER

Al contrario, quando devi andare su e poi giù per attraversare qualcosa, come quando prendi il famoso London Bridge per attraversare il Tamigi, vai over.
To get to the Tate Gallery from here, you need to (hai bisogno di) go over the bridge (ponte).

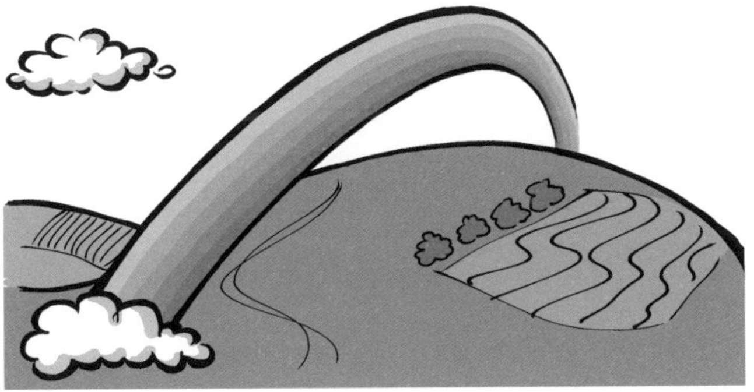

Using it!

cup	tazza
window	finestrino
bird	uccello
clouds	nuvole
trip	viaggio
boats	barche

PREPOSIZIONI 1.0

wind*	vento
sea	mare
suddenly	improvvisamente
odour	odore
scots	scozzesi
flight	volo
joke	barzelletta
funny	divertente

VERBS

to smell	odorare
to ask	chiedere
to pour	versare
to see	vedere
to look	guardare
to sit	sedersi

* Attenzione: wind (WIHND) è vento, wind (WAIND) è attorcigliare

Con tutte queste nuove preposizioni, che c'è di meglio che provare a tradurre qualche bella storiella? In fondo al libro, poi, le troverai corrette, ma per favore, resisti prima di andare a vedere... traducile tu meglio che riesci!

TRADUCIAMO!

Il viaggio dei miei sogni

A bordo dell'aereo chiedo un drink.
La hostess versa il caffè caldo nella mia tazza mentre l'aereo va contro il vento. Attraverso il finestrino, vedo un uccello in mezzo alle nuvole e quando guardo giù vedo le barche sul mare.
Voglio uscire dall'aeroplano ed essere in barca.
Improvvisamente, sento un odore di whisky e quando guardo intorno vedo che sono in mezzo a due scozzesi.
Durante il volo parlo a una signora americana vicina a me.
Mette il suo caffè sul tavolino e ascolta le mie divertenti barzellette.

PREPOSIZIONI 1.0

Come promesso, ecco altri vocaboli, altri verbi e, naturalmente, un'altra storiella che contiene preposizioni di luogo e tempo... Ready?

Using it!

from	da parte di
wine	vino
glass	bicchiere
ground	terra
wall	muro
shop	negozio
hands	mani
pocket	tasca
keys	chiavi
centre	centro
boyfriend	fidanzato

VERBS

to fly	volare

TRADUCIAMO!

Bologna dei miei sogni

Sono in un bar nel centro di Bologna alle 10.15.
Davanti a me una donna si siede sul tavolo e versa vino dentro un bicchiere.
Lei cade per terra.
Sul muro una foto ha un uccello che vola attraverso le nuvole.
Fuori vedo un bambino che aspetta sua mamma davanti a un negozio. Mentre aiuto la donna, arriva il suo fidanzato.
Alle 11 vado in albergo.
Metto le mani in tasca e prendo le chiavi della mia stanza. Dentro la stanza c'è una lettera da parte di mia moglie.
«Caro ex-marito, oggi facevo shopping (was shopping) con Maria e ti abbiamo visto (saw) molestare una donna in un bar. Domani ti aiuterò (will help) a trovare una nuova casa!»

Chi, come, cosa, quando, quale e dove? 2.8

Quanti interrogativi, ti chiederai se mi è preso un attacco di curiosità; ma, non ti preoccupare, e anzi, preparati a una lezione che ti sarà davvero molto molto utile!
Question words: si indicano in questo modo tutte quelle parole o espressioni che servono per introdurre una domanda.

6 W's e una H: Who? What? When? Where? Why? Which? e How?

1. **WHO**

WHO significa CHI?
Può avere sia la funzione di soggetto (Who are you?) che (colloquialmente) quella di complemento oggetto (Who do you see in the picture?).
Who are you? Chi sei?
Who are they? Chi sono?
Who is this boy? Chi è questo ragazzo?
Who are these men? Chi sono questi uomini?
Who is that man? Chi è quell'uomo?

Essendo WHO una parola che serve per introdurre una frase interrogativa, per usarla bisogna seguire la struttura della frase interrogativa.

La FRASE CON WHO è così strutturata:

who + verbo + ...

Using it!

skirt	gonna
road	strada
mad	pazzo
tall	alto
thing	cosa
bag	borsa

that	che (congiunzione)
money	soldi
shop	negozio
menu	(dai… questo lo sai già!)

VERBS

to be in charge	avere la responsabilità in una situazione
to know	sapere/conoscere
to ask	chiedere
to eat	mangiare
to live	vivere
to play	giocare
to go	andare
to cook	cucinare

E ora, prova a tradurre queste frasi utilizzando WHO.

ESERCIZIO n. 18

1. Chi è la donna con la gonna rossa e gli occhi verdi? ....
2. Chi è quell'uomo pazzo nella strada? ....
3. Chi sei tu per chiedere a me chi sono io? ....
4. Chi sono quei bambini nel pub? ....
5. Chi è in controllo della situazione a casa tua? ....
6. Chi sono questi uomini in nero? ....
7. Chi è la ragazza alta? ....
8. Chi è grasso e stupido?! ....
9. Chi sono quegli uomini vecchi nel mio garage? ....
10. Chi siete voi per chiedere chi sono io? ....

2. WHAT

WHAT significa CHE COSA/QUALE?
What are you drinking? What is your name? What do you do?
Si utilizza, anch'esso nelle interrogative, per chiedere il nome o delle informazioni su cosa fa una persona.

La FRASE CON WHAT è così strutturata:

what + verbo + ...

What is* your name? Qual è il tuo nome?/Come ti chiami?
What are they? Cosa sono?
What do you do?** Che cosa fai?/Che lavoro fai?

* What's è la forma contratta.
** Se si chiede What do you do? è implicito che si sia interessati ad avere notizie riguardo al lavoro.

MEAN-MEANT-MEANT

MEAN come «intendere»
What do you mean?
Cosa intendi dire?
Do you mean I can come?
Intendi che posso venire?
I don't get what you mean.
Non capisco cosa vuoi dire.

MEAN come «sentire sinceramente»
I truly love you Barbara, I mean it. Ti amo veramente Barbara, lo sento sinceramente.
When I said I would never leave you, I meant it. Quando ho detto che non ti avrei mai lasciato, lo sentivo veramente.

MEAN come «tirchio» (aggettivo) (USA: stingy)
He is rich, but he pays very little; he's so mean. Lui è ricco, ma paga molto poco, è così tirchio.
People from Scotland are not mean; they have no money to be mean with! La gente della Scozia non è tirchia, non hanno i soldi per fare i tirchi!
Give me a sweet, come on! Don't be so mean. Dammi una caramella, dai! Non essere così tirchio!

ESERCIZIO n. 19

1. Cosa è un "tamarro"? ....
2. Cosa sono queste cose verdi sul mio piatto? ....
3. Cosa c'è sul menu? ....
4. Cosa? ....
5. Cosa siamo noi? ....
6. Cosa sei? ....
7. Cos'è quella? ....
8. Cosa hai? ....
9. Cosa ho nella borsa? ....
10. Cosa ha lui che io non ho? ....

3. WHEN

WHEN significa QUANDO?
When do you start school? When do you visit your grandmother?

When do you go to the John Peter Sloan – la Scuola?
Quando vai alla John Peter Sloan – la Scuola?

La FRASE CON WHEN è così strutturata:

when + verbo + ...

When is lunch? Quando è la colazione?
When you smile at me, I melt like ice under the hot sun. Quando mi sorridi, sciolgo come ghiaccio sotto un sole cocente.

Traduciaaammmmoooo usando WHEN. Guarda cosa abbiamo fatto prima e riuscirai, sono sicuro!

ESERCIZIO n. 20

1. Quando è la partita, alle 15:15? (Dai! Usa il modo molto sciolto e carino che hai imparato sopra!) ....

   ....
2. Quando posso chiamarti? ....
3. Quando arriveranno? ....
4. Quando mi hai chiamato? ....
5. Quando sono nato? ....

4. WHERE

WHERE significa DOVE?
Where are you going? Where is the car?
Anche WHERE, come WHO, introduce una frase interrogativa.

LA FRASE CON WHERE è così strutturata:

where + verbo + ...

WHERE IS/WHERE ARE servono per chiedere informazioni sulla presenza di persone o cose.
Where is Bob? Dov'è Bob?
Where are the cats? Dove sono i gatti?

WHERE si utilizza per chiedere informazioni sul luogo di provenienza.
Where are you from? Da dove (pro)vieni?
Where is this boy from? Da dove (pro)viene questo ragazzo?

ESERCIZIO n. 21

1. Dove è il cinema? ....
2. Dove sono le mie scarpe nere belle? ....
3. Dov'è la stazione dei treni? ....
4. Dove sono i miei soldi? ....
5. Dov'è la mia borsa? ....
6. Dove sei? ....
7. Dove sono? ....
8. Dove è? ....
9. Dove è il negozio? ....
10. Dov'è la strada bella? ....

5. WHY

WHY significa PERCHÉ? (in una domanda)
Why are we here? Why doesn't he arrive?

La FRASE CON WHY è così strutturata:

why + verbo + ...

Why doesn't he come on time? Perché non arriva in orario?
Why haven't we gotten our dinner, yet? Perché non abbiamo avuto ancora la nostra cena?

Using it!

fish	pesce
VERBS	
eat	mangiare

ESERCIZIO n. 22

1. Perché mangiamo pesce per cena? ....
2. Perché sei qui? ....
3. Perché abbiamo un gatto? ....
4. Perché lo apprezzi? ....
5. Perché ho degli orologi nella mia stanza? ....

6. **WHICH**

WHICH significa QUALE?
Indica una scelta tra un numero limitato di cose.
Which one is your car? Which road do you take?

La FRASE CON WHICH è così strutturata:

which + sostantivo + ...

Which road do you take, the one on the right, or the one on the left? Quale strada prendi, quella a destra o quella a sinistra?
Which of these books do you read, regularly? Quale di questi libri leggi regolarmente?

ESERCIZIO n. 23

1. Quale stanza è mia? ....
2. Quale sorellastra sei tu? ....
3. Quale colore vuoi? ....
4. Quale scrivania è tua? ....
5. Quale numero hanno? ....

7. HOW

HOW significa COME?
How is your dog? How is the weather?
Anche HOW si utilizza per introdurre frasi interrogative, per chiedere informazioni sullo stato di salute di qualcuno, anche se più avanti vedremo che il suo utilizzo ha ben altre potenzialità...

LA FRASE CON HOW è così strutturata:

how + verbo + ...

How are you? Come stai?
How is she? Come sta lei?
How are they? Come stanno?

HOW OLD si utilizza per chiedere l'età di una persona. In inglese non si dice, come in italiano: «Quanti anni hai?», ma: «Quanto vecchio sei?», per cui:
How old are you? Quanti anni hai?
How old is she? Quanti anni ha lei?

Utilizzando il verbo ESSERE nella domanda, si deve necessariamente usare lo stesso nella risposta e NON il verbo avere, come in italiano. Per cui, ricordati:
I am thirty-five. Ho 35 anni.
She is twenty. Lei ha 20 anni.

E ora, prova a tradurre queste frasi utilizzando HOW.

CHI, COME, COSA, QUANDO, QUALE E DOVE?

ESERCIZIO n. 24

1. Come stanno i bambini? ....
2. Come faccio (How can I) a cucinare senza cucina? ....
....
3. Come fai (How can you) a resistere con lui? ....
....
4. Come sto con questo cappello rosso? ....
....
5. Come fai a sapere (do you know) il mio nome? ....
....
6. Come ti piace (do you like) la pasta? ....
....
7. Come faccio a sapere? ....
8. Come sono i bambini dove lavori? ....
....
9. Come state? ....
10. Come sono? Bella o brutta? ....

There is/there are 2.9

Servono per dare informazioni sulla presenza di persone o cose.

THERE IS traduce C'È
THERE ARE traduce CI SONO

There is a cat on the roof. C'è un gatto sul tetto.
There is a car in the garage. C'è una macchina in garage.
There are two dogs in the garden. Ci sono due cani in giardino.
There are three boys in the sitting room. Ci sono tre ragazzi nel salotto.
There is a house in New Orleans they call the Rising Sun...
(Eri già nato nel 1964 quando uscì questa canzone di *The Animals*?)

Nella forma INTERROGATIVA, il verbo precede there.
Is there a cat on the roof? C'è un gatto sul tetto?
Yes, there is./No, there is not (isn't). Sì, c'è./No, non c'è.
Are there two dogs in the garden? Ci sono due cani in giardino?
Yes, there are./No, there are not (aren't). Si, ci sono./No, non ci sono.

Nella forma NEGATIVA, non si fa altro che aggiungere NOT dopo il verbo.
There is not a cat on the roof. Non c'è un gatto sul tetto.
There is not a car in the garage. Non c'è una macchina in garage.
There are not two dogs in the garden. Non ci sono due cani in giardino.
There are not three boys in the sitting room. Non ci sono tre ragazzi nel salotto.

Using it!

holiday	vacanza
hope	speranza
team	squadra
horse	cavallo
stable	stalla
men	uomini

THERE IS/THERE ARE

La regola te l'ho data, i vocaboli nuovi anche... ora prova a tradurre queste frasi utilizzando there is e there are.

ESERCIZIO n. 25

1. Ci sono due ragazze grasse al bar? ....
2. Non ci sono uomini al bar oggi, perché c'è la partita di calcio. ....

   ....
3. Quella ragazza non è lì questa sera. ....
4. Ci sono quelle caramelle in cucina. ....
5. Non ci sono soldi per la vacanza. ....
6. Non c'è speranza con quella squadra. ....

   ....
7. Ci sono due cavalli nella stalla. ....
8. Ci sono due ragazzi indiani nella mia classe. ....

   ....
9. C'è tempo! ....
10. Ci sono due gatti rossi sul tetto della mia casa. ....

    ....

How much/how many 2.10

Significano rispettivamente «quanto?» e «quanti?» e, dal momento che introducono frasi interrogative, seguono la costruzione della frase interrogativa.

HOW MUCH?
Si usa con i nomi singolari e gli uncountables.

HOW MANY?
Si usa invece con i nomi plurali e i countables.

QUANTITÀ
How much sugar do you want? Quanto zucchero vuoi?
How many books do you usually sell? Quanti libri vendi di solito?

PREZZO
How much is this watch? Quanto costa quest'orologio?
How much are these flowers? Quanto costano questi fiori?

Guarda gli esempi di seguito e presta attenzione a come si chiede "quanto" nel caso ci si riferisca a sostantivi numerabili e non numerabili:

Granny: Would you like a cup of tea?
Grandson: Yes, please.

Granny: How much sugar would you like?
Grandson: A little.

Granny: How much milk?
Grandson: How much have you got?

Granny: I haven't got much. How many biscuits would you like with your tea?
Grandson: How many biscuits are there?

Granny: Not many.
Grandson: Two, please.

Much, many, a lot of 2.11

A LOT OF traduce TANTO

È solitamente usato con le frasi affermative, sia con i sostantivi countables che con gli uncountables.
LOTS OF è meno usato ed è pressoché uguale, solo più formale...
David gives me a lot of information (uncountable). David mi dà tante informazioni.
John has lots of friends when he buys the drinks. John ha tanti amici quando paga lui.
ATTENZIONE: probabilmente vedrai spesso alot... MA è sbagliato!

Ma cosa succede se vuoi fare una domanda o negare qualcosa? (Quando parli con Concy è sempre meglio!)
MUCH traduce MOLTO

È usato nelle frasi negative e interrogative con i sostantivi uncountables.
Is there much hope? C'è molta speranza?
No, there isn't much hope. No, non c'è molta speranza.

MANY traduce MOLTI

È usato nelle frasi negative e interrogative con i sostantivi countables.
Are there many people at the party? Ci sono molte persone alla festa?
No, she hasn't got many friends. No, non ha molti amici.

ESERCIZIO n. 26

1. How .... information is there? (information is uncountable)
2. How .... children go to that school? (children are countables)
3. He has .... time to think.
4. There aren't .... opportunities in that company.
5. There isn't .... hope for Juventus this year. (prrrr!)
6. We have .... money to spend.
7. There isn't .... air in the desert.
8. There aren't .... in the desert.
9. I need .... advice before I make a decision.
10. .... news is false.

Too much, too many, too

2.12

TOO MUCH traduce TROPPO e si usa davanti ai nomi singolari.
There is too much false information on T.V. Ci sono troppe informazioni false alla T.V.
There is too much traffic on the roads. C'è troppo traffico sulle strade.
She puts too much furniture in the house. Mette troppi mobili in casa.
Don't put too much milk in my coffee! Non mettere troppo latte nel mio caffè!

TOO MANY traduce TROPPO e si usa davanti ai nomi plurali.
She has too many ideas. Lei ha troppe idee.
There are too many cars in Milan. Ci sono troppe macchine a Milano.
He has too many problems. Lui ha troppi problemi.
She has too many cats in the house. Lei ha troppi gatti in casa.

TOO traduce TROPPO quando è messo prima di un aggettivo e ha solo un'eccezione negativa.
I am too tired to work. Sono troppo stanco per lavorare.
They are too late to come with us. Loro sono troppo in ritardo per venire con noi.
My boss is too stupid to know I am stressed. Il mio capo è troppo stupido per capire che sono stressato/a.

TOO... or SO?

Se si vuol dire "troppo caldo", l'espressione too hot va bene, in quanto ha un senso negativo... sarebbe meglio se la bevanda fosse più fresca. Se però si vuol dire "troppo bello", che è un concetto positivo, si traduce con so beautiful.

TOO significa ANCHE e TROPPO, dipende dalla sua posizione:
TOO + aggettivo = troppo
... +, + TOO (fine della frase) = anche/pure

John: I love coffee. Amo il caffè.
Hans: I love coffee, too. Anch'io amo il caffè.
John: My coffee is too hot. Il mio caffè è troppo caldo.
Hans: My coffee is too hot, too. Anche il mio caffè è troppo caldo.

TOO MUCH, TOO MANY, TOO

Using it!

vampire	vampiro
toy	giocattolo
safely	in sicurezza
promise	promessa
secret	segreto
factory	fabbrica
VERBS	
to invest	investire
to spend	spendere
to keep	tenere

ESERCIZIO n. 27

1. She is working .... in that factory.
2. She works .... hours.
3. He is investing .... money in that stupid company.
4. He sleeps ...., is he a vampire?
5. They are spending .... money on stupid things.
6. Her son has .... toys; his bedroom is full!
7. There are people drinking .... to drive safely after the pub.
8. We are thinking about buying a house, but they cost ....
9. He made .... promises that he couldn't keep.
10. She knows .... of my secrets!

NOT ENOUGH

È il contrario di "troppo" (too much, too many, too) e significa «non abbastanza»! Questo è davvero molto semplice, quindi: «Don't worry!» (Non ti preoccupare!).
There are too many cars. Ci sono troppe macchine.
There are not enough cars. Non ci sono abbastanza macchine.
There is too much sugar. C'è troppo zucchero.
There isn't enough sugar. Non c'e abbastanza zucchero.

Vedi? È davvero semplice!... ARE per il plurale, IS per il singolare.

There is always too much food at an Italian wedding. C'è sempre troppo cibo a un matrimonio italiano.
There is never enough food at an English wedding. Non c'è mai abbastanza cibo a un matrimonio inglese.
There are too many policemen; I will run nude in the street, tomorrow. Ci sono troppi poliziotti, correrò nudo per la strada domani.
There aren't enough policemen in this town! Non ci sono abbastanza poliziotti in questa città!

Ora tocca a te! Costruisci una frase di senso contrario per ciascuno degli esempi qui sotto!

ESERCIZIO n. 28

1. There is too much work to do. ....
2. There are too many people on the bus. ....
3. There is too much panic about the crisis! ....
4. We have too many rabbits in the garden. ....
5. There is too much interest in my sister! ....

I giorni della settimana e le parti del giorno 2.13

In inglese, al contrario dell'italiano, i nomi dei giorni della settimana sono scritti sempre con l'iniziale maiuscola, perché sono considerati nomi propri:

Monday	lunedì
Tuesday	martedì
Wednesday	mercoledì
Thursday	giovedì
Friday	venerdì
Saturday	sabato
Sunday	domenica

... e vogliono sempre la preposizione ON:
On Saturday, I will be with my wife. Sabato sarò con mia moglie. (Pietà!)
On Monday, I go to the cinema. Lunedì vado al cinema.

Se vuoi far capire al tuo interlocutore che l'azione che fai è un'azione abituale, che si ripete per esempio ogni domenica, devi aggiungere una -S al nome del giorno:
On Sundays, I wash my dog. Ogni domenica lavo il mio cane (wow!).

E ora, vediamo le varie parti del giorno e, tra parentesi, la preposizione (e l'articolo) da ricordare quando le usi:

dawn	(AT)	alba
morning	(IN the)	mattino
midday	(AT)	mezzogiorno
afternoon	(IN the)	pomeriggio
sunset	(AT)	tramonto
night	(AT)	notte
midnight	(AT)	mezzanotte
evening	(IN the)	sera

I mesi e le stagioni 2.14

In inglese, al contrario dell'italiano, anche i nomi dei MESI vanno scritti sempre con l'iniziale maiuscola:

January	gennaio
February	febbraio
March	marzo
April	aprile
May	maggio
June	giugno
July	luglio
August	agosto
September	settembre
October	ottobre
November	novembre
December	dicembre

Next November, I'll be in London. Il prossimo novembre, sarò a Londra.
Last December, I spent Christmas with Concy and her family. Lo scorso dicembre ho passato il Natale insieme a Concy e la sua famiglia.

... e, in assenza di next o last, vogliono sempre la preposizione IN, tranne quando al mese è abbinato anche il giorno; in questo caso, allora, ci vuole la preposizione ON:
I will start school in September. Comincio la scuola a settembre.
I will start school on September 14th. Comincio la scuola il 14 settembre.

Esattamente come per il mese, in assenza di next o last, anche l'anno vuole la preposizione IN, a eccezione di quando c'è anche il giorno, caso in cui vuole ON:
The war will start next October. La guerra inizierà il prossimo ottobre.
The war began last October. La guerra cominciò l'ottobre scorso.
The war started in October 1939. La guerra iniziò in ottobre nel 1939.
The war started on October 14th, 1939. La guerra iniziò il 14 ottobre 1939.

I MESI E LE STAGIONI

Vediamo infine le STAGIONI, che si accontentano dell'iniziale minuscola, e anche loro, in assenza di next o last, vogliono la preposizione IN:

summer	estate
spring	primavera
autumn/fall	autunno
winter	inverno

Next summer, I'll be in Prague. La prossima estate, sarò a Praga.
Last summer, I was in Prague. L'estate scorsa ero a Praga.
In summer, I go to Prague. In estate, vado a Praga.

Using it!

VERBS

bring	portare

ESERCIZIO n. 29

1. Che giorno è oggi? Giovedì 15 di novembre? ....

....

2. Quando vieni la prossima estate, portami, per favore, delle sedie bianche.

....

3. Che giorno della settimana è il 25 di dicembre quest'anno? ....

....

4. Mangio a mezzogiorno, anche in autunno. ....

....

5. Quest'anno Ferragosto è un martedì, l'estate passa troppo velocemente.

....

STEP **3**

3.1 **Present continuous**
Forma affermativa
Forma negativa
Forma interrogativa

3.2 **-ing... lo spelling**

3.3 **Uso del present continuous**
Instant
These days
Per enfasi
Future

3.4 **Going to**

3.5 **Simple future**
Forma affermativa
Forma negativa
Forma interrogativa

3.6 **Simple present per il futuro**

3.7 **Future continuous**
Forma affermativa
Forma negativa
Forma interrogativa

3.8 **Adjectives**

3.9 **Very, so and really**

3.10 **Comparative**
Maggioranza
Minoranza
Uguaglianza

3.11 **Superlative**
Assoluto
Relativo

Present continuous 3.1

Il presente progressivo è un po' più complicato del present simple e ha quattro differenti usi, tutti molto importanti.

Un piccolo esempio di presente progressivo in italiano ci può aiutare:
Io sto cucinANDO. I am cookING.

Quando il verbo in italiano finisce con -ando o -endo, in inglese siamo proprio in presenza del presente progressivo. Questa -ing word funziona come un verbo participle e indica un'azione che si sta svolgendo nel momento in cui si parla. Il presente progressivo vuole, anzi esige, il verbo ESSERE, mentre al verbo che esprime l'azione si aggiunge -ing.

1. FORMA AFFERMATIVA

Ecco, nel dettaglio, a partire dalla forma affermativa, come si costruisce e usa una frase con il present continuous.

La FRASE AFFERMATIVA è così strutturata:

soggetto + *to be* + verbo *-ing*

You are playing tennis. Stai giocando a tennis.
She is walking on the grass. Lei sta camminando sull'erba.
We are going to Greece on Friday. Andiamo in Grecia venerdì.

Hai notato qualcosa di particolare nella precedente frase?
Quando going to è seguito da un LUOGO funziona come il normale present continuous del verbo di moto to go.

2. FORMA NEGATIVA

Per la forma negativa si utilizza sempre l'ausiliare to be, che "torna al suo posto" tra soggetto e verbo, ma facendo attenzione a far precedere il verbo in -ing dal not.

La FRASE NEGATIVA è così strutturata:

soggetto + *to be* + *not* + verbo *-ing*

You are not playing tennis, today. Non stai giocando a tennis oggi.
Aren't you playing tennis, today? Non stai giocando a tennis oggi?
She is not walking on the grass. Lei non sta camminando sull'erba.

Anche qui, niente do come ausiliare!

3. FORMA INTERROGATIVA

Vediamo come si modifica la frase interrogativa con il present continuous; nella forma interrogativa è prevista l'inversione del soggetto e del verbo ausiliare to be.

La FRASE INTERROGATIVA è così strutturata:

to be + soggetto + verbo *-ing*

Are you going to the John Peter Sloan – la Scuola? Vai alla John Peter Sloan – la Scuola?

Cosa manca qui? TO DO! Non si usa to do come verbo ausiliare nel progressivo, ma si può adoperarlo come verbo principale:

NO: ~~Do you going anywhere, tonight?~~ (Vai da qualche parte stasera?)
SÌ: Are you doing anything, tonight? (Sei libero/a stasera?)

SHORT ANSWERS

Anche con il present continuous puoi risparmiarti tanto fiato adoperando una short answer:
Are you coming to my party? Yes, I am./No, I'm not.
Are you doing an important project right now? Yes, I am./No, I'm not.
Are you playing tennis? Stai giocando a tennis?
Yes, I am*. Si, sto giocando.
Is she speaking on the phone? Sta parlando al telefono?
No, she isn't*. No, non sta parlando al telefono.

* Nelle short answers, non è necessario ripetere il verbo con -ing… perché si possono risparmiare parole, a volte!

QUESTION TAGS

Cosa succede se hai già cominciato una frase e a metà strada ti decidi di farne una domanda? Devi fermarti e ricominciare da capo? Ti pare che un inglese, che ha sempre fretta, lo farebbe? Ma perché farlo quando puoi fare un question tag, instead? Un po' come "..., vero?!" alla fine di una frase in italiano; alla fine della frase affermativa o negativa in inglese devi solo appiccicare un tag, un segno, nella forma di una short answer "al contrario".

SE HAI GIÀ COMINCIATO UNA FRASE AFFERMATIVA (e ti aspetti una risposta positiva)... aggiungi il question tag al negativo:
You are still going to buy me a pint, aren't you? Mi compri ancora una birra, vero?!
You will come to my birthday party, won't you? Verrai alla mia festa di compleanno, vero?!
You went out with Concy's girlfriend, didn't you? Sei uscito con l'amica di Concy, vero?!
Avrai notato che devi usare to be nel question tag se si usa to be, sia come verbo principale, sia come verbo ausiliare, nella frase. Similmente, si usa il verbo modale della frase principale anche nel question tag e il verbo to do per tutto il resto.

SE HAI GIÀ COMINCIATO UNA FRASE NEGATIVA (e ti aspetti una risposta negativa, e magari ti senti un po' incredulo)... aggiungi il question tag all'affermativo:
You're not still going to buy me a pint, are you?
(Devo essere impazzito... io che non voglio una birra? Ma su quale pianeta?!)
You're not still coming to my birthday party, are you?
(Abbiamo litigato e non ti voglio più vedere!... Nooooo! Non è vero!... È solo un esempio...)
You didn't go out with Concy's girlfriend, did you?
(Oh santo cielo! No, non sono un suicida!)

-ing... lo spelling 3.2

RADDOPPIO DELLA CONSONANTE

I verbi monosillabici che terminano con una consonante preceduta da vocale e alcuni bisillabici raddoppiano la consonante:

to stop (fermare) stopping
to sit (sedere) sitting
to put (mettere) putting
to prefer (preferire) preferring
to permit (permettere) permitting

PERDITA DELLA "E" PRIMA DI -ING

I verbi che terminano per -E la perdono prima di aggiungere -ing.

to have (avere) having
to come (venire) coming

Fanno eccezione:
to be (essere) being
to see (vedere) seeing
to dye (tingere) dyeing (sì, anche per i capelli)

"IE" DIVENTA "Y"

I verbi che terminano con -IE le trasforma in "Y" prima di aggiungere -ing.

to die (morire) dying
to lie (mentire) lying
to lie (sdraiare) lying

"L" DIVENTA "LL"*

I verbi che terminano con -L preceduta da una sola vocale, raddoppiano la L.

to travel (viaggiare) travelling
to cancel (cancellare) cancelling

* Ogni tanto 'sti americani devono pure rompere... non raddoppiano mai la L prima di -ing.

MANTENIMENTO DELLA -Y

I verbi che terminano con -Y aggiungono semplicemente -ing.

to play (giocare)	playing
to study (studiare)	studying
to cry (piangere)	crying
to buy (comprare)	buying
to lay (posare)	laying

I'M NOT LOVING IT

Al contrario di quanto possa far sembrare una pubblicità ricorrente, non si può dire ~~I'm loving it~~.

To love appartiene a un gruppo di verbi – principalmente verbi che esprimono emozioni o stati mentali o fisici o l'uso dei cinque sensi – che non possono essere usati nella forma progressiva o, se sì, solo in casi molto particolari.
Oltre a to love, ecco alcuni dei principali... per gli altri ti consiglio di consultare un buon *Advanced Learner's Dictionary*, che è un dizionario monolingua, ma molto più completo di un dizionario tradizionale:

to like (piacere)*****, to believe (credere), to doubt (dubitare), to hate (odiare), to imagine (immaginare), to know (sapere), to want (desiderare), to satisfy (soddisfare), to seem (sembrare), to mean (vuol dire), to need (aver bisogno di), to be (essere)******, to feel (sentire), to hear (sentire), to smell (sentire)...

NO: ~~I am being alone.~~
SÌ: I am alone.

* Al contrario di quanto avviene in italiano, per esprimere piacere si concentra l'attenzione non sull'oggetto che provoca la sensazione, ma sul soggetto che prova la sensazione.

Il verbo si coniuga in base a colui che prova la sensazione mentre l'oggetto è espresso come l'oggetto diretto: I like my fans a lot. Mi piacciono tanto i miei fans.

** Attenzione, però, se si usa to be per formare il passivo (che vedremo più avanti), allora si può usarlo nella forma -ing perché in questo caso to be è un ausiliare, non è il verbo principale che esprime il tipo di azione compiuto: I am being picked up at 10. Mi vengono a prendere alle 10.

Non per complicare le cose, ma ci sono verbi che possono e non possono essere adoperati nella forma -ing in base a come si intendono, per esempio, to see:

NO: ~~I'm seeing what you mean.~~ (Capisco – stato mentale – quello che intendi dire.)
SÌ: I see what you mean. (Capisco – intendo – ciò che intendi dire.)

NO: ~~I'm seeing a bird at the window.~~ (Vedo – con i miei occhi – un uccello alla finestra.)
SÌ: I'm seeing the doctor at three o'clock. (Vedo – ho un appuntamento con – il medico alle ore 15.)

E dopo aver detto che i verbi esprimendo stati mentali ed emotivi non possono essere adoperati nella forma progressiva, mi sento il dovere di mostrarti le tre più comuni ECCEZIONI; questi verbi possono tranquillamente essere usati nel progressivo:
I am thinking about her constantly. Penso a lei costantemente.
I am hoping that you'll come to my party. Spero che tu verrai alla mia festa.
I am wondering how I'll finish this sentence. Mi chiedo come finirò questa frase.

Uso del present continuous

3.3

Eccoci arrivati a spiegare quelli che sono i quattro usi fondamentali del presente progressivo.

1. INSTANT

Io chiamo il primo uso del presente progressivo INSTANT, perché indica un'azione che si sta svolgendo in questo istante, ovvero nel momento in cui si parla o si scrive. Questo è quasi sempre, il 90% DELLE VOLTE, usato al telefono o magari in un'altra stanza. Perché? Perché se tu fossi seduto davanti a me in pizzeria, non mi diresti mai: «Hey, John! I am eating a pizza». Sembreresti un pazzo! Perché, ovviamente, se sono davanti a te io vedo che stai mangiando una pizza, mentre se ti chiamo e ti chiedo: «What are you doing?» (Cosa stai facendo?), allora sì che mi puoi rispondere: «I am eating a pizza».

E l'altro 10% DELLE VOLTE? Lo spiegherò ora con alcuni esempi...

Se una persona è nell'altra stanza, per esempio mia moglie è in bagno e siamo in ritardo per la festa:
John (urlando fuori dalla porta): What are you doing? Come on! Che cosa stai facendo? Muoviti!
Concettina: I am coming! Five minutes! Sto arrivando! Cinque minuti!
(Ovviamente lei mente... ci metterà 15 minuti!)

USO DEL PRESENT CONTINUOUS

Se hai una persona davanti che sta mettendo il ketchup sulla pasta (come faccio io!) per la sorpresa e l'orrore potresti urlarle: «What are you doing?», anche se ovviamente lo vedi benissimo cosa sta facendo! Per rispondere, anche con un tono un po' aggressivo (stai attento!), potresti rispondere: «Sto mettendo ketchup sulla mia pasta!»... intendendo «Idiota, che non sei altro!».

I'M WATCHING YOU!

Cosa stai guardando? Non si muove? (Dev'essere Concy...) Allora, you look at it. Invece, se si sta muovendo (Come John verso una pinta di birra!), allora you watch it.

Dave and John watch the football match on T.V., but Concy spends hours looking at herself in the mirror. Dave e John guardano la partita di calcio alla T.V., ma Concy passa ore a guardarsi allo specchio.

GUARDARE: to look-looked-looked
Si usa LOOK (AT) per mettere l'attenzione sull'aspetto fisico di qualcuno o qualcosa (AT è come una freccia che si deve usare quando si indica che cosa si guarda), per la visione di cose fisse: Tom, look at that dog! (Tu vuoi che Tom guardi come è fatto il cane fisicamente, la razza, il colore...)

GUARDARE: to watch-watched-watched
Si usa WATCH per mettere invece l'attenzione sull'azione che qualcuno o qualcosa sta compiendo, insomma, qualcosa di cui il movimento fa parte dell'azione/dell'attrazione.
Tom, watch that dog! (Tu vuoi che Tom guardi quello che sta facendo il cane, tipo salta, balla, canta al karaoke...)

Vedere può essere INVOLONTARIO. Se un scozzese si alza la gonna davanti a te, tu lo vedi ma non è volontario (spero!?). Invece, se lo guardi vuol dire che hai bevuto più di lui!

I HEAR YOU, TOO!

Simile alla differenza tra look at e watch, c'è quella tra hear e listen to.

Usiamo HEAR quando vogliamo sottolineare il mero atto uditivo, anche involontario.
Oh man, what a lot of noise those kids are making! Oh cavolo! Che rumore che stanno facendo quei ragazzi!

Usiamo invece LISTEN TO quando vogliamo indicare che prestiamo attenzione ai suoni.
I'm listening to John's podcast of "*With or Without You*". Sto ascoltando il podcast *With or Without You* di John.

Using it!

T.V.	T.V. (televisione)
hairdresser	parrucchiera
angry	arrabbiato

VERBS

to watch	guardare
to look at	guardare
to hear	sentire
to listen to	ascoltare qualcosa o qualcuno
to wait for	aspettare
to miss	sentire la mancanza di qualcuno o qualcosa
to cry	piangere
to make	fare
to get	diventare (in questo caso)
to get ready	prepararsi
to listen	ascoltare (atto uditivo)
to play	giocare
to say	dire

TRADUCIAMO!

Dialoghi tra John e Concettina

J: Ciao, amore, dove sei? ....

C: Davanti alla TV, sto guardando un film. ....

J. Perché, invece, non guardi me? ....

C: Dove sei? Ti sto aspettando! ....

J: Perché mi stai aspettando, amore? ....

C: Non ho soldi per la parrucchiera. ....

J: Ciao, amore, ti manco? ....

C: Sì, mi manchi... ma chi sei? ....

J: Mi sto arrabbiando! ....

C: Ah, sei tu! ....

J: Amore, cosa stai facendo? ....

C: Sto piangendo. ....

J: Non piangere! Sto arrivando a casa! ....

C: È per questo che sto piangendo. ....

J: Sei a casa? ....

C: Sì, sto facendo una torta con tanto amore. ....

J: Per chi? ....

C: Cosa stai guardando in TV? ....

J: Non lo so, non sto ascoltando. ....

C: Riesci a sentire? Perché non lo stai ascoltando? ....

J: Perché mi stai parlando tu! ....

USO DEL PRESENT CONTINUOUS

Using it!

material	materiale
office	ufficio
canteen	mensa
employee	dipendente
delivery	consegna
VERBS	
to turn on	accendere*
to turn off	spegnere*
to know	sapere/conoscere
to look into	informarsi
to deliver	consegnare
to finish	finire

* riferito a qualcosa di elettronico o meccanico (T.V., luce, radio, rubinetto)

Tutti gli esempi che ti invito ora a tradurre sono relativi a una conversazione tra capo (boss) e dipendente (employee).
Boss: Stai facendo il lavoro richiesto? Are you doing the work requested?
Employee: Sì, signore! Yes, Sir!

Ora tocca proprio a te...

ESERCIZIO n. 30

1. B: Quando mandi il materiale? ....

   E: Lo sto mandando ora. ....

2. B: Sei in ufficio? ....

   E: Sì, sto accendendo il PC. ....

3. B: Sei in uffico? ....

   E: Sì, ma sto spegnendo il PC ora. ....

USO DEL PRESENT CONTINUOUS

4. B: Rossi è lì? ....

   E: No, sta mangiando in mensa. ....

   B: E che cosa sta mangiando? ....

   E: Non so cosa stia mangiando Rossi!! ....

5. B: Cosa stai facendo? ....

   E: Sto parlando con Mr. Smith, lo conosci? ....

6. B: A che ora arriva la consegna? ....

   E: Mi sto informando ora. ....

   B: Sto aspettando... ....

   E: Ok, lo stanno consegnando ora. ....

7. B: Franco sta finendo il progetto? ....

   E: No, ma lo sto aiutando. ....

8. B: Cosa sta facendo adesso? ....

   E: Mi sta aspettando. ....

Using it!

ball	palla
client	cliente
motorbike	moto
desk	scrivania
coffee	caffè lungo
espresso	caffè
newspaper	giornale
project	progetto
nobody	nessuno
there	lì

USO DEL PRESENT CONTINUOUS

VERBS

to do	fare
to try to	cercare/provare a
to find	trovare
to look at	guardare qualcosa o qualcuno
to look for	cercare per trovare
to answer	rispondere
to wait	aspettare
to go	andare
to happen	succedere
to eat	mangiare
to cook	cucinare
to wash	lavare
to speak	parlare
to sleep	dormire
to drink	bere
to read	leggere
to help	aiutare
to sell	vendere
to buy	comprare

ESERCIZIO n. 31

1.

Mother: Che cosa sta facendo Timmy? ....

Father: Sta cercando di trovare la sua palla. ....

Mother: Sta guardando sotto il letto? Perché la palla è lì. ....

....

2.

Boss: Cosa stai facendo? ....

Secretary: Sto chiamando il cliente. ....

Boss: Non sta rispondendo? ....

Secretary: No, ma sto aspettando. ....

Boss: Io sto andando via. ....

Secretary: Ciao! ....

3.

Karl: Cosa sta succedendo? ....

Lisa: Il cane sta mangiando, mia mamma sta cucinando, mio padre sta lavando la sua moto e io sto parlando con te. ....

....

4.

Sales Manager: Che state facendo? ....

Lucy: Io sto mandando una e-mail, Tom sta dormendo sulla scrivania, Giovanni sta bevendo un caffè e Umberto sta leggendo il giornale. ....

....

Sales manager: Ah, quindi tutto normale! ....

2. THESE DAYS

Il secondo uso del presente progressivo è uguale anche in italiano e mi riferisco a quando si parla di un'azione che è già cominciata nel presente in cui si parla o si scrive, ma che non è ancora finita, e terminerà in un futuro abbastanza vicino. Si intendono normalmente azioni non permanenti.

Gianni: So, what are you doing these days?
Allora, che stai combinando in questo periodo?
Roberto: Nothing special; I'm studying English.
Niente di speciale, sto studiando inglese.

USO DEL PRESENT CONTINUOUS

Using it!

book	libro
restaurant	ristorante
translation	traduzione
project	progetto
hotel	albergo
colleague	collega
product	prodotto

VERBS

to paint	dipingere
to read	leggere
to go to	andare a
to diet	fare la dieta
to study	studiare
to try	cercare di fare qualcosa/provare
to sell	vendere
to book	prenotare
to cover	coprire
to buy	comprare
to open	aprire
to close	chiudere

USO DEL PRESENT CONTINUOUS

ESERCIZIO n. 32

1. In questo periodo sto dipingendo. ....
2. Sto leggendo un libro. ....
3. Mia moglie sta andando a yoga spesso in questo periodo (almeno lei dice che va a yoga… mah!). ....
....
4. Non sto andando al ristorante perché sto facendo la dieta. ....
....
5. Sto studiando l'inglese. ....
6. Dove stai andando? Sto andando dal dottore, sono malato. ....
....
7. Stiamo studiando, non stiamo giocando!! ....
....
8. State facendo la traduzione di francese? ....
9. Ehi, ciao! Dove state andando? ....
10. Stiamo andando al concerto di George Michael. ....
....
11. Sto lavorando sul progetto Star. ....
12. Sto facendo una conference call. ....
13. Stiamo cercando di vendere alla Russia. ....
....
14. State provando un nuovo software? ....
15. Non sto andando al lavoro alle 7. ....
16. Sta prenotando gli alberghi per il capo. ....

17. Sto coprendo la mia collega che è a casa. ....
18. Stanno comprando i nostri prodotti? ....
19. Non stiamo aprendo un nuovo ufficio. ....
20. Stiamo chiudendo l'ufficio. ....

Using it!

crisis	crisi
idea	idea
for less	a meno
VERBS	
to lose	perdere
to pay	pagare
to save	risparmiare

E dal momento che il precedente esercizio era così semplice, aumentiamo un po' il livello e traduciamo, ancora dall'italiano.

ESERCIZIO n. 33

1. Negoziante: Stiamo perdendo soldi con questa crisi. ....
   ....
2. Assistente: Ho un'idea: vendiamo a meno. ....
   ....
3. Negoziante: No! ....
4. Assistente: Ma tutti stanno vendendo a meno adesso e loro stanno lavorando.
   ....

3. PER ENFASI

Vuoi sottolineare qualcosa con enfasi? Puoi usare il present continuous anche per questo! Devi solo stare attento a una cosa, che i verbi possano essere usati in present continuous:
I'm not washing your car! Non ti lavo la macchina, io!
You're eating your vegetables, young man! Mangerai le verdure sul tuo piatto, giovanotto!

E, per non annoiarti, prima di andare avanti con il quarto e ultimo uso del present continuous, che in realtà sarà impiegato come un futuro, ti propongo un esercizio: prima decidi se si tratta di presente indicativo o presente progressivo e poi coniuga il verbo tra parentesi. Dai, che ce la fai!

Every Monday, Sally walks to school. (presente indicativo)
Ogni lunedì Sally va a scuola a piedi.
Frank is playing football, today. (presente progressivo)
Frank sta giocando a calcio oggi.

USO DEL PRESENT CONTINUOUS

Ora tocca a te! Completa le frasi sotto, please:

ESERCIZIO n. 34

1. Usually I (work) .... with my father, but not this month.
2. Don't shout! Lucy (sleep) ....
3. Stay at home, it (rain) ....
4. Sorry, I can't hear her (sing) .... because everybody (talk) ....
5. I (play) .... football every Friday.
6. Jason (write) .... a book. I want to read it when it is finished.
7. She (work) .... at the school at the moment. She (cook) .... for the children.
8. I never (swim) .... in the sea.
9. She (take) .... the bus every morning.
10. He sometimes (eat) .... with us.
11. He is always (make) .... mistakes!
12. She usually (come) .... with us.
13. My wife never (give) .... me a kiss.
14. We (give) .... all her money to charity.
15. Joseph (work) .... with me.
16. Karl is always (run) .... to work, because he wakes up late.
17. The snow (fall) ...., now.
18. We (love) .... her.
19. I (study) .... English these days.
20. His car is broken at the moment, so he (walk) .... to the stadium.

4. FUTURE

L'ultimo uso del presente progressivo riguarda la possibilità di esprimere il tempo futuro (io l'ho sempre detto che in inglese ci sono delle cavolate mostruose che non fanno altro che confondere incredibilmente!).
Il presente progessivo futuro tecnicamente è un presente, ma in realtà non ha niente a che fare con il presente: è un futuro che si usa per esprimere un'azione che è già stata programmata e non solo... ma una cosa alla volta! Si sa l'ora, il giorno, con chi si svolgerà l'azione... tutto! Solitamente esprime un futuro piuttosto vicino, prossimo e che specialmente riusciamo a controllare. Si usa anche per azioni e per eventi e, di solito, non per stati di essere.

Tom: What are you doing, tomorrow? Cosa fai/farai domani?
Fred: Tomorrow morning, I am taking the dog to the park. Domani mattina porto/porterò il mio cane al parco.

This evening, I am eating pizza with my brother. Questa sera mangio/mangerò la pizza con mio fratello.
Tomorrow morning, I am playing tennis with Paul. Domani mattina gioco/giocherò a tennis con Paul.

At 7.15 in the morning, on Wednesday, we are going to Scotland. Mercoledì alle sette e un quarto di mattina andiamo/andremo in Scozia.
(Scotland? Are you sure? Bleeeur! Why?)
Who's cooking lunch? Chi prepara il pranzo? (Ti interessa tantissimo che qualcuno si dia una mossa, molto meno chi lo fa!)

PROSSIMA APERTURA

Anche noi inglesi ci teniamo a sembrare molto chic. Qualche volta diciamo "ciao!" invece di bye! Usiamo anche molte parole prese in prestito dai francesi. Capisco la brama di darsi un po' di arie, ma...

...per favore! È OPENING SOON e non ~~NEXT OPENING~~!

ESERCIZIO n. 35

1. Domenica mattina dipingo la cucina. ....
2. Questa sera vedo mia madre. ....
3. Questa notte parto per Londra. ....
4. Questa sera dormo a casa di un mio amico. ....
5. Domani lascio la mia ragazza. ....
6. Mi faccio una doccia. ....
7. Questo pomeriggio faccio i miei compiti con Alex. ....
8. Domani mattina lavo la macchina. ....
9. Mercoledì compro un gatto. ....
10. Sabato compro i regali di Natale. ....

USO DEL PRESENT CONTINUOUS

Using it!

meeting	riunione/incontro
fax	fax
supplier	fornitore
lunch	pranzo
bill	conto
invoice	fattura
speech	discorso
kind	gentile

VERBS

to meet	incontrare
to arrive	arrivare
to move	spostare/commuovere
to pay	pagare
to protect	proteggere

ESERCIZIO n. 36

1. Questa sera parto alle 20.00 dall'ufficio. ....
2. Facciamo una riunione alle 16 (to have a meeting). ....
3. Domani incontriamo tutti i colleghi di Londra. ....
4. Alle 12 arriva il nuovo capo. ....
5. Martedì ci spostiamo in un nuovo ufficio? ....
6. Questo pomeriggio il capo farà un discorso commovente. ....
7. Ci pagano lunedì mattina. ....
8. Mando il fax alle 14.00. ....
9. Chiami il fornitore dopo pranzo? ....
10. Non vado in ufficio con loro. ....

USO DEL PRESENT CONTINUOUS

Using it!

everybody	tutti
wedding	matrimonio
so	quindi
mad	pazzo
violent	violento
sensitive	sensibile
birthday	compleanno
present	regalo
hope	speranza

VERBS

to show	far vedere/mostrare
to want	volere
to celebrate	celebrare/festeggiare
to bring	portare (in questo caso)
to protect	proteggere

TRADUCIAMO!

Cinema e regali

Kevin: Che fai questa sera?

Rocco: Guardo un film con Mary, la porto al cinema.

Kevin: Verrò con voi.

Rocco: Sei pazzo? Fanno vedere un film violento, tu sei sensibile.

Kevin: Ok, grazie Rocco. Sei gentile a proteggermi!

Wendy: Questa sera festeggiamo il mio compleanno!

Sarah: Chi viene?

Wendy: Vengono tutti!

Sarah: Portano regali?

Wendy: Spero!

Going to 3.4

Avevo accennato prima a delle "grandi cavolate" presenti nella lingua inglese e, in particolare, tra le regole della lingua inglese! Devo dire che quella che ti sto per presentare raggiunge il top in assoluto.
Going to vuol dire «andare a», ma non solo...
Going to è usato anche per indicare il tempo futuro intenzionale.

I am going to Japan. Vado/Andrò in Giappone.
"going to" è seguito da un LUOGO, perciò è present continuous per indicare un tipo di futuro del verbo to go. (Ricordi? L'abbiamo appena visto, sopra!)

I am going to buy a car. Ho intenzione di comprarmi un'automobile.
"going to" è seguito da un VERBO, quindi è un futuro intenzionale.
Cos'è, quindi, il futuro intenzionale?
Indica l'intenzione di fare qualcosa in futuro, senza essere necessariamente fissato sul calendario come il present continuous usato per indicare il futuro.

Usare going to nella forma interrogativa equivale a chiedere: «Che cosa hai intenzione di fare?».

1. FORMA AFFERMATIVA

La forma della FRASE AFFERMATIVA è:

soggetto + *to be* + *going to* + *infinitive* senza "*to*"

I am going to call my mother, when I have time. Ho intenzione di chiamare mia madre quando ho/avrò tempo.

La FORMA AFFERMATIVA si usa anche per cose aspettate, ma non sicuramente programmabili perché fuori del nostro controllo:
It's going to snow. Nevicherà.
E se ti senti un po' veggente, puoi usarlo anche per fare delle predizioni in base all'evidenza alla tua disposizione:
She's pregnant, and she's going to have a baby. È incinta e darà alla luce un bambino.

2. FORMA NEGATIVA

La forma della FRASE AFFERMATIVA è:

soggetto + *to be* + *not* + *going to* + *infinitive* senza "*to*"

I am not going to buy the new Alfa Romeo. Non ho intenzione di comprare la nuova Alfa Romeo. (Anche se, in realtà, è il mio portafogli che non vuole!?)

3. FORMA INTERROGATIVA

La forma della FRASE INTERROGATIVA è:

to be + soggetto + *going to* + *infinitive* senza "*to*"

Are you going to go out with her?! Esci con lei?!

La FORMA INTERROGATIVA è anche un modo per sollecitare una decisione. Who's going to cook lunch? Chi preparerà il pranzo? (È già un dato di fatto che si fa, ti interessa sapere CHI la farà... insomma bisogna decidere perché non è proprio il caso di tergiversare.)

John ha scoperto che sua moglie non andava a yoga (figurati!), ma andava a ballare con "un tipo muscoloso". Ne parla poi con il suo amico Jimmy...
Jimmy: So, what are you going to do? Allora, cosa hai intenzione di fare?
John: I'm going to find a muscular woman! Ho intenzione di trovare una donna muscolosa!

SHORT ANSWERS

Come per il present continuous, nelle short answers con going to non è necessario ripetere il verbo con -ing.
Are you going to come, or not?! Ma, vieni, o no?!
No, I'm not./Yes, I am. No, non vengo./Sì, vengo.

GONNA/WANNA/GOTTA/HAFTA

Gonna in inglese non è un vestito da donna.
Wanna non è il nome di una donna.
Gotta non è il cognome di una certa famiglia potente.
Hafta non è un dessert fatto di mandorle tritate.

Non c'è verso, stropicciamo le parole (dai, lo fate anche voi in italiano!) e questo può rendere più difficile capirci, ma almeno queste quattro ora le saprai...

GOING TO

gonna = going to	I'm going to go to the Bermuda Triangle.
	I'm going to the Bermuda Triangle.
wanna = want to	I want to go to the Bermuda Triangle.
gotta = have got to	I have got to go to the Bermuda Triangle.
hafta = have to	I have to go to the Bermuda Triangle.

Mentre sarebbe, per esempio, possibile vedere gonna o gotta in una e-mail molto, ma molto informale, è molto improbabile – a meno che non stia scambiando e-mail con lo scemo di turno – vedere scritto wanna e hafta.

E perché i primi due sì e gli ultimi due no? Boh...

Tocca a te completare la frase e poi scegliere tra present continuous o going to.

ESERCIZIO n. 37

1. I guess (suppongo) I .... with you to the party.

   È: ....

2. India is fascinating, I .... dream (sognare) about it a lot.

   È: ....

3. The dog needs to go to the veterinarian. Who .... take her?

   È: ....

4. She .... ride her horse (cavalcare), today (oggi).

   È: ....

5. I .... finish these exercises, some day.

   È: ....

Simple future 3.5

Il futuro indicativo è riconoscibile grazie a WILL, che identifica la forma verbale del simple future, il futuro più importante e più usato!
A differenza del present continuous usato per indicare il futuro e della formula going to, si usa will nel momento in cui si decide di fare una cosa, e la si fa volontariamente.

Will esprime una cosa che si decide in quel momento di fare e che si farà volentieri, come aiutare un'altra persona...
Will è anche usato per chiedere istruzioni e decisioni, per esprimere una promessa o una minaccia, una determinazione, un programma di azione impersonale (pensa, per esempio, alla programmazione di una riunione di lavoro).

SIMPLE FUTURE

1. FORMA AFFERMATIVA

Nella forma affermativa will anticipa l'infinitivo senza to e segue il soggetto.

La FRASE AFFERMATIVA è così strutturata:

soggetto + *will* + verbo + complemento

I will eat an apple. Mangerò una mela. (Decido di mangiare una mela.)
Inter will win on Sunday. L'Inter vincerà domenica (secondo me).
If she sees that film, she will cry. Se vede quel film, piangerà (penso).
He will kiss you, I'm sure! Ti bacerà, ne sono certa. (È molto determinato!)
You will get a spanking, if you're not good! Ti daranno due sberle se non fai il bravo. (È una promessa o una minaccia?)
The meeting will be on Friday. La riunione si terrà venerdì. (roba di ufficio)

2. FORMA NEGATIVA

Per la forma negativa si utilizza sempre will, seguito anche da not, prima dell' infinito senza to.

La FRASE NEGATIVA è così strutturata:

soggetto + *will* + *not* + verbo + complemento

I will not eat an apple. Non mangerò una mela. (Decido di NON mangiare una mela.)
I will not be there. Non ci sarò. (sono molto determinato)

3. FORMA INTERROGATIVA

Nella forma interrogativa will precede il soggetto e l'infinito senza to, e introduce quindi la domanda.

La FRASE INTERROGATIVA e SHORT ANSWERS sono così STRUTTURATE:

will + soggetto + verbo + complemento

Will you eat an apple? Yes, I will./No, I won't. Mangerai una mela? Sì, lo farò./No, non lo farò. (In questo caso ti sto chiedendo di decidere adesso se vuoi mangiare una mela o no!)
Will you let me know? Yes, I will./No, I won't. Mi farai sapere? (chiedo per avere istruzioni)
Will you make up your mind?! Yes, I will./No, I won't. Deciderai, sì o no?! Sì, lo farò./No, non lo farò. (chiedo una decisione)

COURTESY 1.0

WILL può essere usato anche come forma di cortesia, per chiedere appunto un favore, e lasciando sempre una scelta all'altra persona. (Vedremo fra poco una forma ancora più cortese.)
Ecco alcuni esempi (indovina per quale mi sono ispirato a mia moglie?!):

A: Mi passi la penna? Will you pass me the pen?
B: Certamente! Of course!
A: Apri la finestra, per favore? Will you open the window, please?
B: No! Aprila tu! No! You open it!
A: Mi lasci, per favore? Will you leave me, please?
B: No, non ti lascerò mai! (Ah, ah, ah!) No, I will never leave you! (Ah, ah, ah…) Like the devil.

FORMA ABBREVIATA 'LL

Spesso invece di dire I WILL usiamo la forma abbreviata I'LL.

Molte volte si crede che noi inglesi abbreviamo per essere più veloci... MA questo non è sempre vero. In questo caso, I will è pesante, è una promessa importante; quindi, quando si parla di cose più leggere e banali si usa I'll.

Waiter: What will you have, Sir? Che cosa prende, signore?
(Il cameriere mi sta chiedendo di decidere cosa voglio ordinare e mi sta trattando con estrema cortesia… probabilmente sta già pensando alla mancia.)
Me: I'll have the fish, please. Prendo/prenderò il pesce, grazie. (Ho guardato il menu e ho deciso.)

Non mi alzo in piedi, nel mezzo del ristorante, annunciando a tutti: «Listen everybody! I will have the fish!». Sembrerei un pazzo.

Visto che la costruzione con will si usa nel momento in cui si decide di fare una cosa, ovviamente, è la forma più usata perché… se parli con qualcuno non racconti le cose che si sanno già, giusto? Certo, dici cose nuove e, in base a quello che dici, accetterai la decisione del tuo interlocutore.

John: This afternoon, I am cleaning my garage.
Jimmy: I'll help you!
(John aveva programmato di pulire il garage, Jimmy non sapeva che John doveva pulire il garage, ma, quando lo scopre, decide, al momento, di aiutarlo.)

Paul: When are you going to call our mother? Quando hai intenzione di chiamare nostra madre?
John: I'll call her, now. (Decido di chiamarla ora.)

Concettina: I can't find the dog! Non trovo più il cane!
John: I won't***** help you find him******! Io non ti aiuto a trovarlo!

* Will not può essere abbreviato con won't.
** Sento spesso dire che non si usano he o she per gli animali, ma si usa solo it. Non è vero! Se sai di che sesso è l'animale, puoi usare he o she; se non lo sai va bene it (oppure alzi la coda e… lo scopri!).

Using it!

sofa	divano
door	porta
table	tavolo
flight	volo
church	chiesa
secret	segreto

VERBS

to need	avere bisogno di
to lift	alzare
to ask	chiedere
to return	ritornare
to kiss	baciare
to check	controllare/verificare
to marry	sposarsi
to come	venire

La differenza tra il futuro con will e gli altri futuri è fondamentale. Non va bene usare solo e sempre il primo, ma è necessario esercitarsi con will...

ESERCIZIO n. 38

1. Capo: Ho bisogno del file X. ....
   Pina: Te lo mando adesso. ....
2. John: Gianni, mi aiuti ad alzare questo divano? ....
   Gianni: Ci provo! ....
3. Capo: Dove è il signor Jones? ....
   Pina: Chiedo a Marta. ....

4. Conci: Torno alle tre. ....
   John: Io non apro la porta dopo le dodici!! ....
5. Capo: Mi prenoti un tavolo al "Gambero Storto" per questa sera?
   ....
   Pina: Certo, chiamo subito! ....
6. John: Mi baci quando dormo? ....
   Conci: No! Non ti bacerò. ....
   John: Bene! ....
7. Capo: Il volo è prenotato? ....
   Pina: Ora controllo... ....
8. Conci: Vado al Bingo. ....
   John: Io sto qui. ....
9. Tommy: Non mangiare la torta. È per domenica! ....
   Anna: Non lo farò. ....
10. Tommy: Ora prenoto l'albergo. ....
    Anna: Ok, adesso lo dico a mia mamma. ....

Using it!

package	pacco
marvellous	meraviglioso
postman	postino
afternoon	pomeriggio
trouble	guai
promotion	promozione
idea	idea
expenses	spese
discount	sconto
soon	presto

VERBS

to lose	perdere
to take	portare/prendere
to hate	odiare
to think	pensare
to receive	ricevere
to like	piacere
to promise	promettere
to get better	migliorare
to cut	tagliare

ESERCIZIO n. 39

1. Il Milan perderà domenica. ....
2. Lei ti lascerà per questo. ....
3. Porta Julie al cinema e ti amerà. ....
4. John non verrà con noi. ....
5. Susy ti odierà per questo. ....
6. L'e-mail arriverà lunedì. ....
7. Se fai tutti i tuoi esercizi divertenti alla John Peter Sloan – la Scuola, il tuo inglese migliorerà. ....
8. Il pacco arriverà oggi. ....
9. Sì, verrò questo pomeriggio. ....
10. Mi farai sapere entro le 15, per favore? ....
11. Sarà meraviglioso, prometto. ....
12. A lui piacerà la tua idea! ....
13. Odieranno la tua idea. ....
14. Ora sarai nei guai! ....
15. (DIN-DON) Sarà il postino. ....

Simple present per il futuro 3.6

Ti ricordi che prima abbiamo accennato a un altro uso per il simple present? Be', ora ci siamo arrivati! Non crederai ai tuoi occhi, ma in certe situazioni può essere adoperato anche per indicare il futuro. Non ti sto prendendo in giro!

Affine all'uso del simple present per indicare azioni ripetitive, si può usare per indicare una futura istanza di una cosa ripetitiva:
Your train leaves at 3 P.M.

Poi, quando impartisci istruzioni o commenti ci può essere un po' di senso del futuro:
When you make this cake for John, he'll kiss you.
To make John happy, you send Concy shopping (with your money), and you take him for a beer.
I have guests for dinner, tonight.

Infine, quando hai una parte di una frase che dipende dall'altra, che è subordinata a essa per il suo senso, puoi usare il simple present per indicare il futuro nella parte subordinata della frase:
I'll tell you, when I find out (scoprire) if Concy has another boyfriend.
I'll see you, when you come to the John Peter Sloan – la Scuola.

A questo punto, racconto una storiella in cui sono contenuti tutti e quattro i futuri visti fino a qui...

Una sera Simon beve troppo e decide tutto d'un tratto di chiedere alla sua ragazza, Samantha, di sposarlo.
Si: Samantha, vuoi sposarmi?
(ricorda che lui sta chiedendo a lei di decidere)
Si: Samantha, will you marry me?
Sa: Sì, ti sposo.
Sa: Yes, I will marry you.

Poi Simon chiama sua mamma per darle la buona (insomma!?) notizia.
Si: Mamma, mi sposo!
(ricorda che è un'azione già decisa, ma non ancora programmata)
Si: Mum, I'm going to get married!

SIMPLE PRESENT PER IL FUTURO

A questo punto, Simon prenota la chiesa e chiama il padre.
(pensa bene a come lo dirà al padre, visto che oramai il matrimonio è una cosa programmata)
Si: I'm getting married! (presente progressivo futuro)

E ora, propongo una conversazione tra tre amici, pregandoti di notare che ciascun amico utilizza un futuro diverso in ogni fase del dialogo (presente progressivo – intenzionale/going to – futuro indicativo/will – presente/clausola subordinata):
Brad: Questa sera vedo Julie. (azione programmata)
B: This evening I am seeing Julie.
Carl: Vengo con te! (deciso ora)
C: I'll come with you!
David: Quando trovo tempo, la chiamo. (intenzionale, già deciso)
D: When I have time, I'm going to call her.
Brad: La prossima volta che ti vedo ti dirò cosa (lei) mi ha detto. (promessa)
B: The next time that I see you, I'll tell you what she said to me.

Using it!

husband	marito
sister	sorella
supermarket	(dai! È facile!)
maybe	forse
VERBS	
to find	trovare
to eat	mangiare
to call	chiamare
to depend (on)	dipendere (da)

Adesso facciamo un altro esercizio, come l'esempio precedente, usando i diversi futuri appena visti. L'occasione ci è offerta da una conversazione tra tre amiche: Barbara, Concettina e Salvatorina. E per non diventare mosci mosci, perché non decidi anche che tipo di futuro è? Dai, che ce la fai! Decidi il futuro che dovrai usare e poi traduci...

ESERCIZIO n. 40

1. B: Mio marito mi porta a fare shopping sabato. TIPO: ....
   ....
   C: Troverò un marito come il tuo! TIPO: ....
   ....
   S: Ti do il mio, se lo vuoi! TIPO: ....
   ....
2. S: Domani sera mangio con mia sorella a casa sua. Vuoi venire, Concetta?
   TIPO: ....
   ....
   C: Sì! Adesso chiamo mio marito. TIPO: ....
   ....
   B: Farà il tiramisù? TIPO: ....
   ....
   (attenzione con il verbo FARE: qui il tiramisù va creato!)
3. C: Cosa trovate da mangiare nel mio appartamento dipende da mio marito.
   TIPO: ....
   ....
   B: Perché? Non passi al supermercato? TIPO: ....
   ....
4. B: Quando parte il tuo treno? TIPO: ....
   ....
   S: Alle 18. Chi di noi due ci va dipende dal mio incontro di questo pomeriggio
   con John e Concy. TIPO: ....
   ....

Future continuous 3.7

Per spiegare meglio il future continuous, dobbiamo tirare fuori "2 vecchi amici" che hanno in comune con questo nuovo tempo il fatto che qualcosa sta succedendo in un momento specifico...

PRESENT CONTINUOUS	PAST CONTINUOUS	FUTURE CONTINUOUS
I am I am eating a pizza.	I was I was eating a pizza.	I will be I will be eating a pizza.
In quel momento specifico, nel presente, mentre si parla (di solito al telefono).	In quel momento specifico, nel passato.	In quel momento specifico, nel futuro.

PRESENT CONTINUOUS (PER IL FUTURO) O FUTURE CONTINUOUS?

Come vi ho detto tante volte, il present continuous legato al futuro (nel suo terzo uso) serve quando un'azione è superprogrammata. Allora qual è la differenza tra il present continuous e il future continuous? Guardate questi esempi:

1.
Tom: What are you doing tonight?
Tim: At 10.00 I am playing tennis with John.
(la partita comincia alle 10.00)

2.
Tom: Can I call you at 10.30?
Tim: No, I will be playing tennis.
(starò già giocando in quel momento, cioè alle 10.30)

In poche parole, quando si usa il present continuous legato al futuro, questo riguarda l'inizio di un azione programmata, mentre il future continuous riguarda un momento specifico in cui l'azione nel futuro sarà già in corso.

FUTURE CONTINUOUS

1. **FORMA AFFERMATIVA**

La forma della FRASE AFFERMATIVA è così strutturata:

soggetto + *will be* + verbo *-ing*

Tonight at 7, I'll be watching the match. Questa sera alle 7 starò guardando la partita.
Tonight at 11, I will be packing my bags. Questa sera alle 23 starò facendo la valigia.

2. **FORMA NEGATIVA**

La forma della FRASE NEGATIVA è così strutturata:

soggetto + *will* + *not* + *be* + verbo *-ing*

If you arrive at 5 p.m., I won't be working. Se arrivi alle 17.00, non starò lavorando.
At 7 I'll be watching the match, so I won't be available to go out. Alle 19.00 starò guardando la partita, quindi non sarò disponibile per uscire.

3. **FORMA INTERROGATIVA**

La frase INTERROGATIVA e le SHORT ANSWERS sono così strutturate:

will + soggetto + *be* + verbo *-ing*

John: Will you be cooking dinner, if I return at 6 o'clock? Starai cucinando la cena se ritorno alle 18 in punto?
Concy: No, I won't.

FUTURE CONTINUOUS

John: Will you be waiting for me with a smile when I get home? Mi starai aspettando con un sorriso quando torno a casa?
Concy: Yes, I will. (Come no!)

Using it!

go (grocery) shopping	fare le spese
delicacy	delizia (in questo contesto)
whatever	cosa (in questo contesto)

ESERCIZIO n. 41

1. John: Vieni stasera a cena alle 20? ....

   ....

2. Concy: Sì, per quell'ora probabilmente finirò tutto. ....

   ....

3. J: Questo pomeriggio faremo una delizia inglese proprio per te. ....

   ....

4. Stella: Sì, farò le spese stamattina. ....

   ....

5. C: Cosa sarà mai?! (Gulp...) ....

   ....

Adjectives 3.8

Ecco, è arrivato il momento di conoscere nuovi strumenti capaci di aiutarci a descrivere oggetti, posti e persone.
Prima di tutto, in inglese gli aggettivi hanno un ordine ben specifico! Come abbiamo già detto, vengono sempre prima del sostantivo a cui si riferiscono, ma tra di loro come si ordinano?

Size (misura)	Age (età)	Opinion (opinione)	Colour (colore)	Material/ race/ breed (materiale)	Noun (sostantivo)
small	young	ugly	white		man
deep		wonderful			river
long			black		road
long	young	sad	white		face
	young	happy	black		girl
big	old	cute	gray	persian	cat

TIP

Mamma mia, come fai a ricordarti di questa sfilza infinita di aggettivi? Grazie a Starleen, ho un trucchetto per te!

SHORT AUNT ODETTE CAME MONDAY NOON.

Short (size)	Aunt (age)	Odette (opinion)	Came (colour)	Monday (material /race/ breed)	Noon (noun)

Se non hai una vecchia zia francese che si chiama Odette, puoi prendere in prestito la mia...

ADJECTIVES

SIZE (MISURA)

big	grande/grosso
small	piccolo
high	alto (per mobili, edifici ecc.)
low	basso (per mobili, edifici ecc.)
tall	alto (per persone, edifici, mobili ecc.)
short	corto/basso (per le persone)
wide	largo
narrow	stretto
long	lungo
deep	profondo
shallow	superficiale/poco profondo

AGE (ETÀ)

old	vecchio
young	giovane
new	nuovo

RIGHT

Right, come le altre magic words, ha diversi significati.
Noi inglesi capiamo quale usare solamente guardando il contesto del discorso.

GIUSTO

It is the right thing to do. È la cosa giusta da fare.
I am not the right person for you. Non sono la persona giusta per te.
I want to choose the right dress for my wedding. Voglio scegliere il vestito giusto per il mio matrimonio.

DESTRA

He is a right wing leader. È un leader di destra. (politico)
Turn right. Gira a destra. (in auto)
Go right. Vai a destra. (a piedi)

DIRITTO

I have the right to die with dignity. Ho il diritto di morire con dignità.
We must fight for human rights. Dobbiamo lottare per i diritti umani.
I know my rights! Conosco i miei diritti!

AVERE RAGIONE (TO BE RIGHT)

You're right; I'm too slow. Hai ragione, sono troppo lento.
I don't know who is right on this topic. Non so chi abbia ragione su questo argomento.
I am right, and you know I am right! Ho ragione e tu sai che ho ragione!

ADJECTIVES

PROPRIO

Right here, right now. Proprio qui, proprio adesso.
She was on the left, he was on the right, and I was right in the middle. Lei era a sinistra, lui era a destra e io ero proprio nel mezzo.
She hit me right in the face! Mi ha colpito dritto in faccia!

Guardate ora questa frase:

You are RIGHT, I have the RIGHT to live RIGHT where I want, and Birmingham is the RIGHT place for me. Hai ragione, ho il diritto di vivere proprio dove voglio e Birmingham è il posto giusto per me.

OPINION (OPINIONE)
La maggior parte degli aggettivi si trovano in questa vasta categoria: qualsiasi cosa che possa esprimere un'opinione si trova qui!

good	buono
bad	cattivo
happy	felice
sad	triste
rich	ricco
poor	povero
beautiful	bello (per cose e femminucce)
ugly	brutto
thin	magro
fat	grasso
so-so	così così
O.K.	(e dai…)
tired	stanco
annoyed	infastidito
bored	annoiato
upset	turbato
full of energy	sentirsi energico, pieno di energie
nice	buono/carino/simpatico
pleasant	piacevole

ADJECTIVES

fast	veloce
slow	lento
grateful	grato
un*grateful	ingrato
polite	cortese
impolite	scortese
lucky	fortunato
un*lucky	sfortunato
fine	bene
happy	felice
fascinated	affascinato
fascinating	affascinante
depressed	depresso

* Un all'inizio di un aggettivo serve per esprimere il contrario del suo significato, l'esatto opposto.

COLOUR (COLORE)

black	nero (anche per capelli)
blue	blu
green	verde
yellow	giallo
white	bianco
pink	rosa
light	chiaro + colore
dark	scuro + colore
light blue	azzurro
grey	grigio (anche per capelli)
orange	arancione
purple	viola
red	rosso
brown	marrone (anche per capelli)
blonde	biondo
red	rosso (anche per capelli)

FUN VS. FUNNY

In Italia in molti credono che FUNNY voglia dire divertente, quando in realtà si riferisce a qualcosa di buffo, una cosa che fa ridere, mentre divertente è solo FUN.
To have fun significa divertirsi.
Funny si dice di qualcosa che è buffa/fa ridere.

Vi serve qualche esempio?
Ale and Franz are very funny; they make me laugh. Ale e Franz sono molto buffi, mi fanno rider
We have a lot of fun with you. Ci divertiamo molto con te.
Gardaland is fun. Gardaland è divertente.
Charlie Chaplin is funny. Charlie Chaplin fa ridere.

MATERIAL/RACE/BREED (MATERIALE)
Gli aggettivi di questo gruppo sono equivalenti al materiale stesso, ovvero al sesso di una persona o la razza di un animale o il tipo di pianta – insomma, sempre di “essenza di essere” si tratta.

wooden	di legno (legno)
steel	di acciaio (acciaio)
plastic	di plastica (plastica)
glass	di vetro (vetro)

ADJECTIVES

metal	di metallo (metallo)
cotton	di cotone (cotone)
cloth	di stoffa (stoffa)
English	inglese
leather	di pelle (pelle)
paper	di carta (carta)

NOUN (SOSTANTIVO)

newspaper	giornale
cell phone	cellulare
program	programma di pianificazione
play	spettacolo

Ora facciamo un classico esercizio di riorganizzazione di questi aggettivi: per dare l'ordine giusto alle frasi seguenti. Tocca a te metterli in ordine...

ESERCIZIO n. 42

1. John is a .... white – young – beautiful – tall **man**.
2. John's wife is .... ugly – short – old – fat **woman**.
3. He had a .... wooden – long – brown **leg**.
4. She had a .... glass – old – short – nice **table**.
5. They were in a .... blue – new – metal – fast **car**.
6. I have a .... cotton – soft – white – new **t-shirt**.
7. She wears .... pink – plastic – modern **glasses**.
8. She had .... brown – beautiful – big **eyes**.
9. He was a .... thin – old – tall **boy**.
10. She is a .... young – nice – polite **girl**.

Very, so and really 3.9

Ora ti presento altre tre magiche paroline, capaci di dare agli aggettivi delle importanti sfumature e alle tue frasi una marcia in più...

VERY traduce MOLTO ed è seguito da un aggettivo.

SO traduce TALMENTE, TANTO ed è seguito da un aggettivo.

REALLY davanti a un aggettivo lo fa diventare un superlativo assoluto.

I am tired. Io sono stanco.
I am very tired. Io sono molto stanco.
I am so tired. Io sono talmente stanco.
I am really tired! Io sono stanchissimo!

You are beautiful. Tu sei bella.
You are very beautiful. Tu sei molto bella.
You are so beautiful. Tu sei talmente bella.
You are really beautiful! Tu sei bellissima!

It is cold. Fa freddo.
It is very cold. Fa molto freddo.
It is so cold. Fa talmente freddo.
It is really cold! Fa freddissimo!

The road is long. La strada è lunga.
The road is very long. La strada è molto lunga.
The road is so long. La strada è talmente lunga.
The road is really long! La strada è lunghissima!

I am nervous. Sono nervoso.
I am very nervous. Sono molto nervoso.
I am so nervous. Sono talmente nervoso.
I am really nervous. Sono nervosissimo.

They are stupid. Loro sono stupidi.
They are very stupid. Loro sono molto stupidi.
They are so stupid. Loro sono talmente stupidi.
They are really stupid. Loro sono stupidissimi.

Comparative 3.10

Paul is slower than John. Paul è più lento di John.
John is less slow than Paul. John è meno lento di Paul.
John isn't as slow as Paul. John non è così lento come Paul.
In una frase comparativa si mettono in relazione due cose o persone (detti per questo TERMINI DI PARAGONE) attraverso un aggettivo: Paul e John sono i due termini di paragone; "lento" è l'aggettivo che li mette in relazione.

Il comparativo ha tre forme: di MAGGIORANZA (più), di MINORANZA (meno) e di UGUAGLIANZA (tanto quanto).

1. MAGGIORANZA

Per formare il comparativo di maggioranza degli aggettivi si deve considerare quante sillabe ha l'aggettivo.

AGGETTIVI MONOSILLABICI: AGGETTIVO + -ER

tall/taller (alto/più alto)

Casi particolari:

1. Gli aggettivi che terminano per -E aggiungono solo la -R
   nice/nicer (carino/più carino)
2. Gli aggettivi che terminano con una consonante preceduta da una vocale, raddoppiano la consonante e aggiungono -ER
   hot/hotter (caldo/più caldo)
3. Gli aggettivi monosillabici o bisillabici che terminano per -Y cambiano la Y in I e aggiungono -ER
   ugly/uglier (brutto/più brutto)

AGGETTIVI CON + DI 2 SILLABE: MORE + AGGETTIVO*

interesting/more interesting (interessante/più interessante)

* Alcuni aggettivi bisillabici possono avere sia la forma -ER che essere preceduti da MORE. Normalmente: si usa la forma -ER se si vuole dare maggiore importanza all'aggettivo; si usa la forma con MORE se si vuole dare più importanza alla parola MORE.

Il secondo termine** di paragone, invece, è sempre introdotto da THAN:
Paul is taller than John. Paul è più alto di John.
This book is more expensive than that one. Questo libro è più costoso di quello.

** Quando il secondo termine di paragone è un pronome personale, si utilizza il pronome personale soggetto: He is taller than I, you, s/he, they. Paul is taller than she (is).

THAN VS. THEN

Il mondo in una lettera. THAN si usa, come abbiamo appena visto, per paragonare due o più persone, cose, idee...
THEN lo usiamo per mettere eventi in sequenza. Cambia solo la vocale. È facile sbagliare... stai attento!

John is funnier than a dead tuna fish. John è più divertente che un tonno morto.
We're going to go to the John Peter Sloan – la Scuola, now, and then we're going to Birmingham in the summer. Andiamo ora alla John Peter Sloan – la Scuola e poi, in estate, andiamo a Birmingham.

Il comparativo di maggioranza può essere preceduto da uno di questi avverbi per modularne l'intensità:

MUCH/A LOT OF/FAR + COMPARATIVO significano MOLTO PIÙ
We are going to Madrid by car. It's much cheaper! Andremo a Madrid in auto. È molto più economico!
Travelling by plane is far more expensive. Viaggiare in aereo è molto più costoso.

A LITTLE/A BIT/A LITTLE MORE + COMPARATIVO significano POCO PIÙ
Paul is a bit taller than John. Paul è un po' più alto di John.
My suitcase is a little heavier than yours. La mia valigia è un po' più pesante della tua.

COMPARATIVO + AND + COMPARATIVO significa SEMPRE PIÙ
It's getting colder and colder. Sta diventando sempre più freddo.
It's getting more and more difficult to find a car park in the city centre. Sta diventando sempre più difficile trovare un parcheggio nel centro città.

THE + COMPARATIVO + THE significa QUANTO PIÙ/TANTO PIÙ
The sooner you leave, the sooner you will arrive. Quanto prima parti, tanto prima arriverai.
The sooner, the better! Prima è, meglio è.

2. **MINORANZA**

Per formare il comparativo di minoranza degli aggettivi si deve seguire lo schema seguente:

LESS + AGGETTIVO

Anche in questo caso, il secondo termine di paragone è sempre introdotto da THAN:
John is less tall than Paul. John è meno alto di Paul.
Sarah is less beautiful than I (am). Sarah è meno bella di me.

Come per il comparativo di maggioranza, anche il comparativo di minoranza può essere preceduto da un AVVERBIO per modularne l'intensità:
John is a little less tall than Paul. John è un po' meno alto di Paul.
Travelling by train is far less expensive than travelling by plane. Viaggiare in treno è molto meno caro che viaggiare in aereo.

3. UGUAGLIANZA

Per formare il comparativo di uguaglianza degli aggettivi si deve seguire lo schema seguente come un “panino-aggettivo”:

AS + AGGETTIVO + AS

Il secondo termine* di paragone, in questo caso, è introdotto dal secondo AS.

Mary is as tall as Susan. Mary è alta quanto Susan.
Santa’s glance was as icy as the North Pole. Lo sguardo di Santa Claus fu glaciale come il Polo Nord.
This cake is not as good as the cake my grandmother makes. Questa torta non è tanto buona quanto la torta che fa mia nonna.

In inglese si preferisce usare il comparativo di uguaglianza nelle frasi negative, piuttosto che il comparativo di minoranza:
John isn’t as tall as Paul piuttosto che John is less tall than Paul.

* Quando il secondo termine di paragone è un pronome personale, si utilizza il pronome personale soggetto: He is as tall as I, you, s/he, they. Sarah is as beautiful as I (am).

EVEN

Un altro punto importante per il comparativo è EVEN. In italiano equivale ad «ancor più».

Jenny is even more beautiful than Jane! Jenny è ancora più bella di Jane!
Inter is even stronger than Bari! L’Inter è ancora più forte del Bari!
England is even colder than Italy. L’Inghilterra è ancora più fredda dell’Italia.

COMPARATIVE

Using it!

leopard	leopardo
pig	maiale
elephant	elefante
snail	lumaca
bee	ape
lion	leone
horse	cavallo
bat	pipistrello
camel	cammello
feather	piuma
fast	veloce
busy	preso/impegnato
dangerous	pericoloso
blind	cieco
light	leggero

ESERCIZIO n. 43

1. Lui è veloce quanto un leopardo. ....
2. Lui è grasso come un maiale. ....
3. Sono grosso quanto un elefante. ....
4. Lei è lenta quanto una lumaca. ....
5. Lei è presa come un ape. ....
6. Sono pericoloso quanto un leone. ....
7. Lui mangia tanto quanto un cavallo. ....
8. Lui è cieco come un pipistrello. ....
9. Lei è ancora più leggera di una piuma. ....
10. Un leone mangia ancora più di un cammello. ....
....

AS or LIKE

Quante volte gli studenti mi chiedono la differenza tra questi due modi di dire... «Come»!? AS, in effetti, è usato per fare il comparitivo, ma anche LIKE è usato con lo stesso significato.
Confuso? Anch'io! vediamo gli utilizzi diversi...

AS + **SOSTANTIVO** nel ruolo di/con la funzione di
I work as a teacher at the English school. Lavoro come insegnante presso la scuola inglese.
I use my bedroom as a studio. Uso la mia camera come uno studio.

AS + **AGGETTIVO** + AS + **SOSTANTIVO** o **PRONOME** per fare un confronto
John is as messy as a pig. John è disordinato quanto un maiale.
She is as funny as he (is). Lei è divertente quanto lui.

LIKE + **SOSTANTIVO** o **PRONOME** per fare un confronto
He eats like a pig. Mangia come un maiale.
She dances like an elephant. Balla come un elefante.

ESERCIZIO n. 44

1. Mike is working in London .... a policeman.
2. He looks .... a gorilla.
3. .... you know, I have no money.
4. She sees me .... a bank!
5. He drinks .... a fish!
6. I love him .... a friend, only .... a friend!
7. You are .... a brother to me.
8. You are .... stupid .... me.
9. He plays football .... a girl!
10. She's working .... a waitress.

Superlative 3.11

Esistono due forme di superlativo: ASSOLUTO (Marco è altissimo) e RELATIVO (Marco è il più alto della sua classe).

1. ASSOLUTO

Ecco, innanzitutto, come si forma:

VERY, EXTREMELY e REALLY + AGGETTIVO

Mark is very tall. Marco è altissimo (molto alto).
That girl is really beautiful. Quella ragazza è bellissima (molto bella).

Alcuni aggettivi hanno già un significato superlativo e, con questi, si usano gli avverbi very ed extremely, ma anche absolutely e really (che sono meno formali). Vediamone alcuni:

freezing	freddissimo
wonderful	meraviglioso
fantastic	fantastico
marvellous	meraviglioso
perfect	perfetto
essential	essenziale
enormous	enorme
delicious	delizioso
awful	orribile

This cake is absolutely delicious! Questa torta è assolutamente deliziosa!
It's really freezing, today. È davvero freddissimo oggi.

2. RELATIVO

Il superlativo relativo si forma secondo le indicazioni che riassumo di seguito.

AGGETTIVI MONOSILLABICI: AGGETTIVO + -EST

tall/tall**est** (alto/più alto)

Casi particolari:

1. Gli aggettivi che terminano per -E aggiungono solo la -ST
   nice/nicest (carino/il più carino)
2. Gli aggettivi monosillabici o bisillabici che terminano per -Y cambiano la Y in I e aggiungono -EST
   happy/happiest (felice/il più felice)

AGGETTIVI CON + DI 2 SILLABE: MOST + AGGETTIVO*

interesting/most interesting (interessante/il più interessante)

* Gli aggettivi bisillabici possono avere sia la forma -EST che essere preceduti da MOST, normalmente: narrow – narrowest/most narrow.

Aggettivi che formano il comparativo/superlativo in modo IRREGOLARE:

GOOD	BETTER	THE BEST
BAD	WORSE	THE WORST

I am faster than you, but Michael is the fastest in the world! Io sono più veloce di te, ma Michael è il più veloce del mondo!
She is more beautiful than her sister, but her mother is the most beautiful woman in the city! Lei è più bella di sua sorella, ma sua madre è la più bella donna della città!
You are slower than I (am), but David is the slowest in the class. Tu sei più lento di me, ma David è il più lento della classe.

SUPERLATIVE

OLD

Questo aggettivo, che significa «vecchio», ha due forme di comparativo, e quindi ha anche due forme di superlativo.

OLDER si può usare sempre:

My house is older than yours. La mia casa è più vecchia della tua.
He is older than I (am). Lui è più vecchio di me.

ELDER si usa per paragonare l'età di membri della stessa famiglia:

My elder brother is a teacher. Mio fratello maggiore è un insegnante.

OLDEST si può usare sempre:

This is the oldest building in the town. Questo è l'edificio più vecchio della città.
Carl is the oldest sailor on the ship. Carl è il marinaio più vecchio sulla nave.

ELDEST si usa per paragonare l'età di membri della stessa famiglia:

She is the eldest daughter. È la figlia maggiore.

Ora è proprio il momento di un bel quiz. Devi capire quale delle 4 possibilità che ti propongo è quella giusta in questa multiple choice!

ESERCIZIO n. 45

1. Qual è il comparitivo di hot? hoter hotter hotest hottest
2. Qual è il superlativo di deep? deeper deepper deepest deeppest
3. Qual è il comparitivo di lively? livelyer more livelyer livelier more livelier
4. Qual è il comparitivo di sad? sader sadder sadier saddier
5. Qual è il superlativo di ugly? uglier uggliest uglyest ugliest
6. Qual è il superlativo di small? smallier smaller smalliest smallest

7. Qual è il superlativo di unpleasant?
   unpleasant most unpleasant more unpleasant unpleasantest
8. Qual è il comparitivo di destructive?
   destructiver more destructive destructivier more destructivier
9. Qual è il superlativo di soft? softest softiest softtest most soft
10. Qual è il comparitivo di heat? heater heatter heatier hetter
   o nessuno di questi.

Ora vi propongo una lettera che parla del caso del signor Jones, che ha sempre desiderato comprare un cane da guardia per la sua fattoria, ma ogni giorno arrivava un cane che non andava bene e nella sua lettera spiega il perché. Per questo esercizio è importante sapere che se in una frase inglese qualcosa o qualcuno è arrivato (to arrive) questo va messo alla fine, anche se in italiano viene messo all'inizio della frase... perché ti devi sempre ricordare che la struttura della frase inglese è: SOGGETTO + VERBO + COMPLEMENTO.

TRADUCIAMO!

La lettera

Caro Signor Smith,

Lunedi è arrivato un cane bianco, grasso e lento.
Martedi è arrivato un cane più grasso e più lento del primo.
Mercoledi è arrivato il cane più grasso e più lento di tutti.
Giovedi è arrivato un cane magro, nero, lento e stupido.
Venerdi è arrivato un cane più stupido di quello di giovedì e più grasso di quello di mercoledì.
Sabato è arrivato il peggior cane del mondo. Un cane di nome Lucky con una gamba di legno e un occhio di vetro rotto.

Rivoglio i miei soldi! Signor Jones

STEP **4**

4.1 **Simple past**
Regolari e irregolari
Forma affermativa
Forma negativa
Forma interrogativa

4.2 **Past continuous**
Forma affermativa
Forma negativa
Forma interrogativa

4.3 **Present perfect**
Forma affermativa
Forma negativa
Forma interrogativa

4.4 **Preposizioni 2.0**
Place
Time
Motion
Notions
Finali di causa o di scopo

4.5 **Present perfect continuous**
Forma affermativa
Forma negativa
Forma interrogativa

4.6 **Past perfect**
Forma affermativa
Forma negativa
Forma interrogativa

4.7 **Past perfect continuous**
Forma affermativa
Forma negativa
Forma interrogativa

Simple past 4.1

Serve per esprimere un dato di fatto, qualcosa cominciato e finito nel passato, spesso in un giorno o a un'ora che vuoi specificare. È abbastanza importante da menzionare – altrimenti perché sprecare fiato o inchiostro e carta – ma a dire la verità, una certa urgenza in questo momento manca. E cos'è?
Dai! Il simple past.

I saw your mother, yesterday. Ho visto la tua madre, ieri. (comincio già a sbadigliare...)
I broke a leg on Friday, what a bummer. Che delusione, ho rotto (mi sono rotto) una gamba venerdì.

Si può usare per tradurre sia il passato prossimo, sia il passato remoto in italiano, ma stai attento!
Più che in altri casi, per formare il simple past non bisogna tradurre letteralmente dall'italiano! Se in italiano diciamo: «Ieri ti ho visto», utilizzando il passato prossimo piuttosto che il passato remoto, in inglese NON possiamo assolutamente dire «~~Yesterday, I have seen you~~» (vedremo questa forma presto). Per esprimere il passato in inglese se si vuole specificare QUANDO si dice «Yesterday, I saw you». Nel simple past NON c'è have (avere)!

1. **REGOLARI E IRREGOLARI**

Per imparare a coniugare il simple past è necessario conoscere la REGULAR AND IRREGULAR VERBS RULE (regola dei verbi regolari e irregolari).

Qual è la differenza tra un verbo regolare e un verbo irregolare? I verbi regolari sono tutti quei verbi per i quali basta aggiungere -ED per ottenere la forma passata. I verbi irregolari non hanno invece una regola e nemmeno una logica: bisogna, purtroppo, studiarli e memorizzarli! Vediamo i verbi regolari:

presente: I want (io voglio)
passato: I wanted (io volevo/io volli) traduce l'imperfetto, il passato remoto e, in alcuni casi, il passato prossimo.
participio passato: wanted (voluto)

quindi la catena è: TO WANT-WANTED-WANTED

SIMPLE PAST

Ci sono delle REGOLE da seguire quando si aggiunge -ED, esattamente come per la -S del plurale:

Ai verbi che già terminano con -E si aggiunge solo la D:
to love loved
to smoke smoked

I verbi monosillabici che terminano con un'unica consonante seguita da un'unica vocale raddoppiano la consonante prima di -ED:
to stop stopped
MA NON
to clean cleaned (le vocali che precedono la consonante sono due!)

I verbi bisillabici che terminano con un'unica vocale accentata raddoppiano la consonante prima di -ED:
to prefer preferred (l'accento cade sulla seconda E)
to permit permitted (l'accento cade sulla I)
MA NON
to offer offered (l'accento cade sulla O della prima sillaba)

I verbi che terminano con -L preceduta da un'unica vocale raddoppiano la consonante prima di -ED:
to travel travelled (ma non in americano, ti ricordi?)
MA NON
to boil boiled

I verbi che terminano con -Y la mantengono se questa è preceduta da una vocale; la modificano in -I se preceduta da consonante:
to play played
to study studied

ATTENZIONE! Come per il simple present, la formazione della frase in inglese non cambia e usiamo anche qui il verbo ausiliare to do, chiaramente al passato, per le frasi affermative enfatiche, le frasi negative e le frasi interrogative positive e negative. Si coniuga quindi sempre l'ausiliare do al passato, ma non il verbo che indica l'azione, che è un infinito: ne basta uno di passato!
La catena è: TO DO–DID-DONE.

-ED

Più che una trappola, lo chiamerei una pozzanghera... lo notiamo quando lo sbagli, ma non ci impedisce di capirti.
Ma non sarebbe meglio evitare di bagnarti i piedi?

Quando devi pronunciare le lettere -ED come una sillaba a se stante e quando no? Anche qui... è semplice!
Devi prestare attenzione all'ultimo SUONO (non necessariamente l'ultima lettera) prima di -ED.

Se l'ultimo suono è una "D" o una "T", devi pronunciare le lettere -ED come una sillaba a se stante. La "D" finale si pronuncia come una... "D". Inserirò un trattino – solo qui, non farlo anche tu quando scrivi! – per aiutarti a ricordare.

start started started
I start-ed my new class at the John Peter Sloan – la Scuola. Ho cominciato il mio nuovo corso alla John Peter Sloan – la Scuola.

rate rated rated
He even rate-ed* my kiss! Ha anche dato un voto al mio bacio!

bread breaded breaded
I bread-ed the fish for dinner. Ho impanato il pesce per cena.

Per tutti gli altri suoni finali, non devi MAI pronunciare le lettere -ED come una sillaba a se stante, devi semplicemente glissare la "E" e correre subito alla "D". Che si pronuncia talvolta come una "D" e talvolta come una "T"... ma vai avanti per ora con la "D"... e poi cerca il mio *Instant English 2* per migliorare la tua pronuncia.

fine fined fined
I was fined for speeding. Sono stato multato per eccesso di velocità.

E prima di dimenticarmi... quando usiamo un participio passato come un aggettivo anche qui talvolta si possono pronunciare le lettere -ED come una sillaba a se stante:

naked (nudo)
I just got out of the shower. I'm nake-ed*! Sono appena uscito dalla doccia. Sono nudo!

learned (istruito)
Gosh, but John is so learn-ed! Diamine, ma John è così istruito!

Essendo inglese, certo che ci sono eccezioni. Ci sono alcuni di questi aggettivi che ti danno la scelta: se vuoi sembrare Shakespeare, pronuncia anche le lettere -ED come una sillaba a se stante. Se vuoi parlare come tutti noi... non farlo. Come puoi sapere quando devi farlo? Il dizionario è il tuo migliore amico...

blessed (benedetto)
I have all I really need, I am so blessed. Ho tutto quello che mi occorre, sono proprio benedetto.

aged (vecchio)
My aged aunt is still sharp! La mia vecchia zia è ancora arzilla!

* Sì, OK, si scrive "rated" e "naked", ma come altro potevo farti ricordare di pronunciare la "A" lunga e non corta? Non capisci? Forse sarebbe ora di tornare alla pagina dedicata alla pronuncia all'inizio del libro... vedi pag. 21.

2. FORMA AFFERMATIVA

Cominciamo, ora che abbiamo visto i suoi principali usi, a vedere nel dettaglio come si costruisce una frase con il simple past, a partire dalla forma affermativa.

La FRASE AFFERMATIVA è così strutturata:

soggetto + verbo + complemento

I saw a film yesterday. Ho visto un film ieri. (irregolare)
She washed her car. Lei ha lavato la sua macchina. (regolare)
John did that T.V. show, yesterday. John ha fatto/è apparso su quel programma T.V., ieri. (Qui, to do è il verbo principale, l'hai riconosciuto?)

3. FORMA NEGATIVA

Per la frase negativa, a partire dalla formula affermativa, si aggiunge la formula negativa del passato di did (did not); non del verbo principale, ricordalo, che resta all'infinito presente!

La FRASE NEGATIVA è così strutturata:

soggetto + *did* + *not* + verbo + complemento

I didn't see the film, today. (NON ~~I didn't saw the film, today.~~)
Non ho visto il film, oggi.

Last year, I didn't go to Japan. L'anno scorso, non sono andato in Giappone.
Granny didn't do the wash before it rained. Nonna non ha fatto il bucato prima che piovesse.

4. FORMA INTERROGATIVA

Per la frase interrogativa, a partire dalla formula affermativa, è sufficiente aggiungere did (past di to do) all'inizio della frase, portando il verbo principale all'infinito presente.

La FRASE INTERROGATIVA è così strutturata:

did + soggetto + verbo + complemento

Did you see the film, today? (NON ~~Did you saw the film, today?~~)
Hai visto il film oggi?

Did you have dinner last night? Hai cenato ieri sera?
Did you do your homework, Tuesday? Martedì hai fatto i compiti?

La FRASE INTERROGATIVA NEGATIVA e le SHORT ANSWERS sono così strutturate:

did + *not* + soggetto + verbo + complemento

Didn't you see the film, today? Yes, I did./No, I didn't. (NON ~~Didn't you saw the film, today?~~)
Non hai visto il film oggi? Sì, l'ho visto./No, non l'ho visto.

Didn't you do your homework, Tuesday? Yes, I did./No, I didn't. Martedì non hai fatto i compiti? Sì, l'ho fatto./No, non l'ho fatto.

USED TO

Queste belle e utilissime paroline possiamo usarle in due modi.

1. Per indicare una cosa che "in questo periodo" sei abituato a fare o provare devi mettere used to con il verbo be e fare tutte le frasi affermative e negative (e le domande, se sei smemorato) che ti vengono in testa. Oh, e quasi quasi mi dimenticavo... devi mettere dopo la forma del verbo -ing. E anche qui puoi usare le short answers.
I am used to having cappuccino for breakfast. Sono abituato a bere un cappuccino per colazione.
I'm not used to eating so much for breakfast. Non sono abituato a mangiare così tanto per colazione.
Am I used to kissing you in the morning, really? Yes, you are./No, you're not. Sono davvero abituato a baciarti di prima mattina? Sì, lo sei./No, non lo sei.

2. Con used to puoi anche indicare una cosa che facevi regolarmente nel passato, ma che non fai più. Idem come prima, prova con le frasi affermative e negative, le domande e le short answers.

... E prima di dimenticarmi, guarda bene come si costruisce la frase. Used to diventa il verbo principale al passato e devi solo aggiungere l'infinito (attenzione, non mettere due volte to!).
I used to have cappucino for breakfast, but I don't anymore. Prendevo un cappuccino una volta per colazione, ma non lo faccio più.
I used to eat a lot for breakfast, but not anymore.
Mangiavo molto una volta per colazione, ma non lo faccio più.
Did I used to kiss you in the morning, really? Yes, you did./No, you didn't. Davvero ti baciavo di prima mattina? Sì, lo facevi./No, non lo facevi.

EXCUSE ME, I'M AN ITALIAN...

Excuse me, I'm an italian, and I was wondering...

Ora ti insegno qualcosa che non insegna nessuno in Italia. Ti faccio vedere come parlare come un inglese e non come un turista. Spesso sento le persone che dicono: «Se non parli perfettamente l'inglese, a Londra fanno finta di non capirti!». No, non è così! Alcune volte l'inglese ignora lo straniero perché... è inutilmente troppo lungo! È sbagliato, ma è così!

Immagina di abitare a Londra e ogni volta che vai in farmacia ti fermano due o tre volte con la mappa in mano e cominciano:
«Excuse me, Sir, I hope not to disturb you, but I am Italian and I want to know maybe if it's O.K....».
Essere esageratamente prolissi in inglese è un errore: un buon inglese è economico, conciso... e forse questa regola non è male nemmeno per un italiano! Se dovessi chiedere io le indicazioni stradali direi:
«Excuse me? Piccadilly?»... e, credo che mi aiuterebbero!

Ci sono i vecchi libri di grammatica inglese che dicono che noi ripetiamo sempre il soggetto. Non è vero! Forse anche per questo sono diventati vecchi...

AND/THEN

I protagonisti di questo box, AND (e) e THEN (poi) sono più o meno intercambiabili. L'unica differenza è che THEN è più adatto a introdurre la parte finale, a indicare, nella frase, che la sequenza di azioni ha un termine. Certo, se anche in questo caso si usa AND non muore nessuno.

È importante ricordare che ogni azione espressa in un periodo avviene secondo un ordine cronologico; le azioni non si svolgono mai nello stesso momento e costruire una frase significa ricreare una sorta di catena di azioni. Questa catena può coprire la durata di una sera, ma anche periodi di tempo molto più lunghi, anni. E, di norma, puoi ricordarti di utilizzare AND o la virgola per separare le azioni, fino all'ultima, anticipata da THEN.

Boss/Capo: What did you do in the last five minutes? Che cosa hai fatto negli ultimi cinque minuti?
Robert: I called my mother, ate a sandwich, drank a coffee then you arrived! Ho chiamato mia madre, mangiato un panino, bevuto un caffè e poi sei arrivato tu!

Using it!

until	fino a
late	tardi/in ritardo
bed	letto
school	scuola
milk	latte
last year	lo scorso anno
lake	lago
full	pieno
bread	pane
playboy	marpione
neighbour	vicino/a di casa

VERBS

to cook	cucinare
to clean	pulire
to work	lavorare
to return	ritornare

to watch	guardare
to ask	chiedere
to kiss	baciare
to eat	mangiare
to go	andare
to go out	uscire
to take	portare
to sleep	dormire
to buy	comprare
to see	vedere

ESERCIZIO n. 46

1. Ieri sera ho cucinato, mangiato, pulito la casa, poi sono andato a letto.

   ....

2. Oggi ho lavorato, visto un film, portato mio figlio a scuola, poi ho dormito.

   ....

3. Questa mattina ho comprato il latte, sono andata a casa e poi sono tornata a letto. ....

4. Ieri abbiamo finito il progetto, poi siamo andati a festeggiare. ....

   ....

5. Ho scritto una lettera, poi ho dormito tre ore. ....

   ....

6. Dormivo fino a tardi, ma non lo faccio più. ....

   ....

7. Sono abituato a pulire la casa del vicino. (Ehi… vieni un po' da me!).

   ....

8. Compravo io il pane, ma non lo faccio più. ....

   ....

Sei un tipo molto nosy (curioso)? Ora che ti sei riscaldato traducendo queste brevi frasi, puoi sbirciare un po' nel diario di Suzy... e tradurre i suoi segreti!

TRADUCIAMO!

Il diario di Suzy

Lunedì ho visto un uomo bello. Gli ho chiesto di uscire con me.
Siamo andati al lago e poi abbiamo mangiato.
Mentre mangiavamo mi ha chiesto di baciarlo, ma la mia bocca era piena di pane.
Quando la mia bocca era vuota, lui stava baciando un'altra.
«Sei un marpione!» ho urlato.
«Ma lei è mia sorella» mi ha detto.
Ho visto nello specchio che avevo la faccia rossa. Mentre finivamo di mangiare è arrivato il conto.
Lui ha pagato tutto e dopo siamo andati al bar e abbiamo preso una bottiglia di vino.
Mentre bevevamo, mi ha chiesto un bacio, ma la mia bocca era piena di vino.
Quando la mia bocca era vuota, lui stava baciando un'altra.
«È tua sorella anche lei?» ho chiesto.
«No, sono un marpione» ha detto.
Sono uscita, ho preso un taxi e sono andata a casa.
Quando sono arrivata a casa, ho visto dei fiori sul tavolo con un messaggio.
Il messaggio era "ti amo".
Mentre sorridevo per il messaggio è entrata la mia vicina di casa.
«Suzy!» ha detto «Sei in casa mia! Hai bevuto ancora il vino?!».

Past continuous 4.2

Il passato progressivo, come in italiano, si usa quando un'azione continuata (pensiamo a un fiume) nel passato viene interrotta dal succedere di un fatto compiuto (pensiamo a un fulmine). E ancora, esattamente come in italiano, per introdurre le frasi con il past continuous si utilizzano when (quando) per introdurre la parte con il passato semplice e while (mentre) per introdurre la parte con il past continuous... ma non nella stessa frase!

I was watching T.V., when you called me. Stavo guardando la T.V. quando mi hai chiamato.
While I was writing, the light went out. Mentre stavo scrivendo, la luce si è spenta.
When the phone rang, she was writing a letter. Quando è suonato il telefono, lei stava scrivendo una lettera.
While we were having the picnic, it started to rain. Mentre facevamo il picnic, incominciò a piovere.
What were you doing, when the storm started? Che cosa stavi facendo quando la tempesta è cominciata?
Later, while she was helping me at John Peter Sloan – la Scuola, John came. Più tardi mentre lei mi aiutava a John Peter Sloan – la Scuola, è arrivato John.
I wasn't feeling good before I saw Concy naked, but now I really don't feel good. Non mi sentivo tanto bene prima di vedere Concy nuda, ma ora non mi sento bene affatto.
While John was sleeping last night, someone took his car. Mentre John dormiva la notte scorsa, qualcuno prese la sua macchina.
Sammy was waiting for us, when we arrived. Sammy ci stava aspettando quando noi arrivammo.
While I was writing the e-mail, the computer died. Mentre scrivevo la e-mail, il computer se ne andò!
What were you doing, when you broke your leg? Che cosa stavi facendo quando ti sei rotto la gamba?

Questo tempo, come rivela anche il nome, è molto simile al presente progressivo come forma, ovvero è l'equivalente, ma nel passato.
Come per il present continuous per costruire il past continuous c'è bisogno del verbo ESSERE che, naturalmente, verrà coniugato al passato secondo la catena TO BE-WAS-BEEN.

Non c'è assolutamente nulla di diverso nella struttura della frase rispetto al presente progressivo, sia nella forma affermativa che in quella interrogativa o negativa: soltanto, il verbo to be va coniugato al passato.

1. FORMA AFFERMATIVA

La FRASE AFFERMATIVA è così strutturata:

soggetto + to be + verbo *-ing*

PRESENT: I am making a cake. Sto facendo una torta.
PAST: I was making a cake. Stavo facendo una torta.

PRESENT: I am drinking a coffee. Sto bevendo un caffè.
PAST: I was drinking a coffee. Stavo bevendo un caffè.

PRESENT: I am cutting the grass. Sto tagliando l'erba.
PAST: I was cutting the grass. Stavo tagliando l'erba.

2. FORMA NEGATIVA

Per la forma negativa si utilizza sempre l'ausiliare to be, che "torna al suo posto" tra soggetto e verbo, ma facendo attenzione a far precedere il verbo -ing dal not.

La FRASE NEGATIVA è così strutturata:

soggetto + *to be* + *not* + verbo *-ing*

I wasn't making a cake. Non stavo facendo una torta.
I wasn't drinking a coffee. Non stavo bevendo un caffè.
I wasn't cutting the grass. Non stavo tagliando l'erba.

3. FORMA INTERROGATIVA E SHORT ANSWERS

Vediamo come si modifica la frase interrogativa con il present continuous; nella forma interrogativa è prevista l'inversione del soggetto e del verbo ausiliare to be.

La FRASE INTERROGATIVA e le SHORT ANSWERS sono così strutturate:

to be + soggetto + verbo *-ing*

Was I making a cake. Yes, you were./No, you weren't. Stavo facendo una torta? Sì, lo facevi./No, non lo facevi.
Was I drinking a coffee? Yes, you were./No, you weren't. Stavo bevendo un caffè? Sì, lo facevi./No, non lo facevi.
Was I cutting the grass. Yes, you were./No, you weren't. Stavo tagliando l'erba? Sì, lo facevi./No, non lo facevi.

Questo non è così scemo come può sembrare... Quante volte ti sei chiesto: What was I doing when my boss interrupted me? Cosa facevo quando il mio capo mi ha interrotto?

Semplice, no? L'importante, a questo punto, è imparare pian piano i verbi irregolari. Per farlo in maniera semplice, ma efficace, il mio consiglio è di memorizzarli gradualmente, tre al giorno per esempio; altrettanto importante è ripassarli mentre si fanno le quotidiane azioni, mentre ci si veste, sotto la doccia... anziché cantare!

BEFORE/AFTER/LATER

Dai, veloce veloce altre tre parole che ti faranno fare le frasi più sofisticate presto presto. Si adoperano per avvertire il tuo interlocutore che le cose che stai dicendo hanno un certo rapporto temporale tra di loro. Come in italiano, inserisci before e after prima del soggetto.

Before you came, I was watching T.V. Prima che tu venissi, guardavo la T.V.
After you came, we were drinking a beer when the phone rang, but we didn't answer. Dopo che tu sei venuto, stavamo bevendo una birra quando il telefono suonò, ma non abbiamo risposto.

Later puoi inserirlo nella frase in base all'enfasi che vuoi dare alla parola. ATTENZIONE! Facciamo qualche esempio:
Abbiamo capito solo dopo che fu John a voler venire da noi.
Only later we found out that it was John wanting to come over. (Sottoliniamo il fatto che scoprimmo tutto solo dopo il fattaccio.)
We found out only later that it was John wanting to come over. (Qui c'è la posizione normale di un avverbio, vi ricordate? Subito dopo il verbo; è una posizione "neutrale" che descrive senza mettere particolare enfasi.)
We found out that it was John wanting to come over, only, later. (Sorpresa! Qui later non appartiene più a noi, ma al soggetto che segue... John... è John che voleva venire da noi... ma solo più tardi.)

Using it!

photo	foto
match	partita
leg	gamba
question	domanda
name	nome
scream	urlo
kick	calcio

PAST CONTINUOUS

VERBS

to start	cominciare
to cry	piangere
to fall	cadere
to run	correre
to forget	dimenticare
to undress	spogliarsi
to sort out	mettere a posto

Se pensi al past continuous come un fiume che viene colpito da un fulmine che è il past simple credo che non avrai problemi ad esprimerti bene. Vediamo?

ESERCIZIO n. 47

1. Mentre stavo pulendo, Simon mi ha chiamato. ....

   ....

2. Stavo parlando quando ha cominciato a piangere. ....

   ....

3. Mentre stavo guardando la partita, sono caduto. ....

   ....

4. Lui non stava correndo, quando si è rotto la gamba. ....

   ....

5. Mentre mi faceva una domanda, ho dimenticato il suo nome. ....

   ....

6. Stavo mettendo a posto la camera da letto quando ho trovato una sterlina!

    ....

    ....

7. Mi stavo spogliando quando è arrivata tua moglie? ....

    ....

8. Mentre giocavamo abbiamo sentito un urlo. ....

    ....

9. Stavo dormendo quando mi ha dato un calcio. ....

    ....

10. Cantavo quando John entrò nell'aula alla John Peter Sloan – la Scuola.

    ....

Ora guarda questi esempi di frasi al presente, al passato e al futuro... useremo anche il future continuous, che è intercambiabile con il future simple.

present continuous: I am waiting for a bus. Sto aspettando l'autobus.
past continuous: I was waiting for a bus. Stavo aspettando l'autobus.
future continuous: I will be waiting for a bus. Aspetterò l'autobus.

simple present: I walk to school. Vado a scuola a piedi.
past simple: I walked to school. Sono andato a scuola a piedi.
future simple: I will walk to school. Andrò a scuola a piedi.

Adesso tocca a te!
Ora componi tu le frasi giuste! E fai attenzione: ti ho anche dato un aiuto, tutti i verbi sono regolari, cioè al passato finiscono sempre con -ED.

"Ma", ti sento... "QUALE passato? QUALE futuro?" Guarda lo schema precedente e segui il modello suggerito dalla forma del presente nell'esercizio, no?

ESERCIZIO n. 48

1. presente: I am begging her to go out with me. (to beg è supplicare)
   passato: ....
   futuro: ....
2. presente: She is counting her money to see if she can buy a new dress. (to count è contare)
   passato: ....
   futuro: ....
3. presente: I complain to the father, when the child behaves badly at school. (to complain è lamentarsi)
   passato: ....
   futuro: ....
4. presente: I am cleaning my garage. (to clean è pulire)
   passato: ....
   futuro: ....
5. presente: I am concentrating on my work. (to concentrate è concentrarsi)
   passato: ....
   futuro: ....
6. presente: The postman doesn't deliver letters to my house, sometimes. (to deliver è consegnare)
   passato: ....
   futuro: ....
7. presente: I dislike everything he says. (to dislike è non piacere)
   passato: ....
   futuro: ....

8. presente: I am describing the party to Simon. (to describe è descrivere)
   passato: ....
   futuro: ....
9. presente: She develops projects for big companies. (to develop è sviluppare)
   passato: ....
   futuro: ....
10. presente: She isn't forcing her son to study. (to force è costringere)
   passato: ....
   futuro: ....
11. presente: They are improving conditions, finally. (to improve è migliorare)
   passato: ....
   futuro: ....
12. presente: They live in a big house. (to live è vivere/abitare)
   passato: ....
   futuro: ....
13. presente: We are launching the new product in January. (to launch è lanciare)
   passato: ....
   futuro: ....
14. presente: I am watching T.V. and opening my mail, while Tina is cleaning the room. (to watch è guardare, to open è aprire)
   passato: ....
   futuro: ....
15. presente: They shout, scream and complain about everything. (to shout è gridare, to scream è urlare)
   passato: ....
   futuro: ....ù

Present perfect 4.3

Riprendiamo il filo della matassa dei tempi passati. Ascoltando gli italiani ho notato che "io ho mangiato" viene usato anche come passato prossimo o remoto, riferito ad azioni già concluse:
Pino: Cosa hai fatto questa mattina?
Gianni: Ho mangiato a casa poi ho preso la macchina. (azioni concluse)

In inglese usiamo, però, il present perfect non per dire quando è successo l'evento nel passato, ma per comunicarti quanto sia importante per noi in questo momento, anche se l'azione è già finita da un bel po'.
I have seen your mother; she is beautiful! (Voglio sottolineare cosa penso di tua madre... hmmmm, forse è meglio lasciar stare le madri...)

I have broken my leg; I can't come to play football. (Voglio sottolineare ora la ragione, anche se è relativa a qualcosa che è successo nel passato, per cui non posso giocare con te, ora.)
In questo secondo esempio, il fatto che chi parla si sia rotto la gamba nel passato non è la cosa più importante; la cosa più importante è che non può giocare adesso.

È una questione di panza, di emotività... per gli inglesi? Chi l'avrebbe detto... Cominciamo, ora che abbiamo visto i suoi principali usi, a vedere nel dettaglio come si costruisce una frase con il present perfect, considerando che lo si fa utilizzando l'ausiliare to have seguito dal participio passato del verbo (nella "catena" è la terza forma del verbo!).

1. FORMA AFFERMATIVA

La FRASE AFFERMATIVA è così strutturata:

soggetto + *to have* + participio passato del verbo + complemento

I have eaten an apple. Ho mangiato una mela. (e me ne vanto adesso)

simple past: I ate an apple. (be', vagamente interessante... yawn...)

2. FORMA NEGATIVA

LA FRASE NEGATIVA è così strutturata:

soggetto + *to have* + *not* + participio passato del verbo + complemento

I haven't eaten an apple. Non ho mangiato una mela. (almeno non ancora)

simple past: I didn't eat an apple. (ma forse ho mangiato qualcos'altro)

3. FORMA INTERROGATIVA

La FRASE INTERROGATIVA e le SHORT ANSWERS sono così strutturate:

to have + soggetto + participio passato del verbo + complemento

Have you eaten an apple? Yes, I have./No, I haven't.
Hai mangiato una mela? Sì, l'ho fatto./No, non l'ho fatto. (Ho bisogno di una mela per completare una ricetta che sto facendo in questo momento e ricordo che ce n'era ancora solo una!)

simple past: Did you eat an apple? Yes, I did./No, I didn't. Hai mangiato una mela? Sì, l'ho fatto./No, non l'ho fatto. (o, se no, forse non avevi fame)

Avrai notato la differenza nel modo di rispondere a queste due domande con le short answers, vero? È una regola utile, comunque, e qui è fondamentale:

...prendi spunto da quello che ti viene detto.

SE USANO IL PRESENT PERFECT, LO USI ANCHE TU. SE USANO IL SIMPLE PAST, LO USI ANCHE TU. SIMPLE, NO?

La FRASE INTERROGATIVA NEGATIVA è così strutturata:

to have + *not* + soggetto + participio passato del verbo + complemento

Haven't you eaten an apple? Non hai mangiato una mela? (Vergognati! Il medico ti ha detto di mangiarne una ogni mattina.)

simple past: Didn't you eat an apple? (o mangiasti una pesca?)

Vediamo qualche esempio, per chiarirti un po' le idee...
This morning, I bought (simple past) a watch. Questa mattina ho comprato un orologio.
I have bought (present perfect) a watch; do you like it? Ho comprato un orologio, ti piace? (In questo caso, si usa il present perfect perché non importa quando è stato acquistato l'orologio, ma importa l'opinione della persona con cui si sta parlando, che deve dichiarare se l'orologio le piace adesso!)
I broke (simple past) Jake's PC last week. Ho rotto il PC di Jake la settimana scorsa.
I have broken (present perfect) Jake's PC! Ho rotto il PC di Jake! (Sottointesa a questa frase realizzata utilizzando il present perfect c'è un'altra domanda: «Cosa faccio, adesso?»)

Ora ti ricordi "I have got"? Non è nient'altro che il present perfect di "to have" e, guarda il caso, mette enfasi sul fatto che qualunque cosa io abbia avuto nel passato (anche di 2 attimi fa), è importante in questo momento quello che è in mio possesso ora...

Io che sono inglese ho un cervello che decide automaticamente se una cosa accaduta in passato è importante solo "prima", quando è successa, o se è più importante la conseguenza di quell'azione ora, nel presente. Il cervello italiano non decide automaticamente come il mio ed è per questo che gli italiani fanno una gran fatica a comprendere e utilizzare questo tempo in inglese. Purtroppo l'unico modo per impararlo bene è usarlo il più possibile finchè non ti sarai abituato!

Using it!

thanks to	a causa di (negativo)
	grazie a (positivo)
global warming	riscaldamento globale
VERBI	
to dream	sognare
to give	procurare (in questo contesto)
to give up	rinunciare*

* È vero, potresti dire renounce anziché give up… ma resistere, resistere, resistere! Quando sei tentato di usare un verbo simile a quello in italiano vuol dire che le parole condividono un'origine latina e 95 volte su 100… non lo usiamo più nel parlato di ogni giorno. In fondo siamo rimasti Anglo-Sassoni fino al midollo, alla faccia dell'invasione francese del 1066, e vogliamo i nostri verbi!

ARE YOU NUDE or NAKED?

Entrambe queste parole traducono «nudo»: come scegliere tra i 2? Quando vuoi esprimere il mero fatto di essere senza vestiti, o vuoi parlare di figure in espressioni artistiche, usi NUDE.
They were nude in the nudist colony. Erano nudi nella colonia nudista.
I walk around my house nude all the time. Vado sempre in giro nudo in casa.
The figure of Profane Love in Titian's painting is almost nude. Nel quadro di Tiziano la figure dell'Amore Profano è quasi nuda.

Quando, invece, vuoi sottolineare il fatto di essere esposto nudo agli occhi di altri, usi NAKED.
In the depictions of Susanna and the Elders, the female figure is naked and exposed to the lascivious glances of the male figures. Nelle rappresentazioni di Susanna e i Vecchioni, la figura femminile è nuda ed esposta allo sguardo lascivo delle figure maschili.
I dream of being naked in public. Sogno di essere nudo in pubblico.

PRESENT PERFECT

Scegli tra il past simple e il present perfect.

ESERCIZIO n. 49

1. Ho parlato con tua zia e vuole che veniamo, domani. ....
   ....
2. Ho visto una bellissimissima macchina, ieri. ....
   ....
3. John ha scritto *Instant English* proprio per te! ....
   ....
4. Concy ha visto delle bellissime scarpe rosse e vuole comprarle. ....
   ....
5. John si è chiesto con quale portafoglio Concy fa shopping. ....
   ....
6. Nell'inverno del 2045, il sole splendeva e faceva un caldo bestiale, colpa del riscaldamento globale. ....
7. Fa così caldo che devo girare nudo per Milano. ....
8. Ho visto il film dell'orrore *Verbi frasali nello spazio*... brrrrr! E tu? Cosa pensi?
   ....
9. Ho visto il film dell'orrore *Verbi frasali nello spazio*... brrrr! ....
   ....
10. Hai visto il medico? – Sì, ieri. – E allora? Cosa ti ha detto? ....
    ....
11. Mi ha detto di rinunciare a bere la birra... è pazzo! ....
    ....
12. Mi ha detto così tante cose che (l'azione dire, non il medico) mi ha procurato un mal di testa. Ho bisogno di una birra! ....
    ....

Preposizioni 2.0 4.4

C'è una regola molto semplice in inglese, the English preposition rule, che riguarda le preposizioni e, al contrario di molte altre regole, NON ha eccezioni!

Una preposizione è sempre seguita da un sostantivo, mai da un verbo, intendendo con "sostantivo":

- i sostantivi semplici (dog, money, love), che possono essere accompagnati da uno o più aggettivi (big bad dog, dirty money, wonderful love)
- i nomi propri (Bangkok, Maria)
- i pronomi (you, him, us)
- il gerundio (swimming, acting, playing), perchè in questi casi il verbo nella forma -ing viene inteso come un sostantivo: nuotare, recitare, giocare.

The food is on the table.
She lives in Japan.
Tara thinks swimming to Birmingham is possible.
The letter is under your blue book.

Ora ti serve conoscere meglio quelle che potrei definire come "la colla della lingua inglese", cioè le preposizioni. Sono fondamentali perché un discorso è come un treno, ha una destinazione, una meta... se sbagli preposizione, in inglese rischi di cambiare binario e arrivare da tutt'altra parte!

Abbiamo già visto alcune preposizioni fondamentali come on, at e to per descrivere il luogo, l'ora e il movimento. Ora approfondiamo un po'.

TO WAIT

Bisogna fare molta attenzione con il verbo aspettare in inglese!

to wait on significa «servire» (preparati per i verbi frasali, stanno arrivando...); infatti, waiter, in inglese, è «cameriere», che serve ai tavoli di un ristorante, generalmente.

to wait for significa, invece, «aspettare»

PREPOSIZIONI 2.0

Questo verbo è stato la causa di un terribile malinteso tra me e mia moglie, all'inizio del nostro rapporto.

Lei mi aveva detto: «Tonight, I will wait on you.» (Questa sera sarò la tua serva.) E io le ho risposto: «Bene, perché mi fanno male i piedi!». ... Ed è proprio lì che i problemi sono cominciati...
Anche qui vedremmo le preposizioni organizzate ben bene perché tu possa tuffarti al meglio.

A TRAP

Perché nelle frasi d'esempio che ti propongo la preposizione to è seguita da un verbo? Secondo la regola questo non sarebbe possibile: I would like to go, now. She used to smoke.

ATTENZIONE! La risposta è molto semplice: in questi due esempi to non è una preposizione, ma fa parte dell'infinito del verbo (to go, to smoke).

1. PLACE

aboard	a bordo
about	intorno a
against	contro
among	tra (fra più di 2 cose)
around	attorno, intorno
away from	via da
behind	dietro
beneath	sotto
beside	accanto a
between	(fra 2 cose)
beyond	oltre

close to	vicino
far (adverb!)	lontano da
in front of	davanti a
inside	all'interno di
opposite	di fronte a
outside of	a parte, all'esterno di
up	su
within	entro, all'interno
without	all'esterno di

Hai visto l'intruso? Con tutte le preposizioni che indicano posti vicini non poteva mancare l'opposto che indica posti lontani… anche se è un avverbio.

Using it!

available	disponibile
taste	gusto
don't I wish	magari
play	recitare
adorable	adorabile

ESERCIZIO n. 50

1. Detto tra me e te, penso che John sia carino. ....

   ....

2. Avrai da scegliere tra i quattordici gusti disponibili. ....

   ....

3. Di fronte alla John Peter Sloan – la Scuola c'è un bellissimo parco (magari).

   ....

4. John recita un personaggio adorabile nel suo ultimo film. ....

   ....

5. È uno contro cinque. ....

PREPOSIZIONI 2.0

2. **TIME**

after	dopo
before	prima
during	durante
since	da allora
until	fino a

ESERCIZIO n. 51

1. Prima di arrivare da te, passerò dalla casa di Concy. ....
   ....
2. Durante la prossima estate, sarò a Birmingham. ....
   ....
3. Ho troppe cose da fare fino al prossimo ponte (long weekend). ....
   ....

3. **MOTION**

along	lungo
down	lungo/scendere dal
through	attraverso
towards	verso

Using it!

river	fiume
intersection	incrocio
mountain	montagna

ESERCIZIO n. 52

1. Corro lungo il fiume ogni giovedì. ....

   ....

2. Le macchine attraversano l'incrocio a mezzogiorno. ....

   ....

3. Vado verso la seconda montagna. ....

   ....

4. NOTIONS

about	di, circa, riguardo a
against	contro
despite	nonostante
except	tranne, eccetto
for	per
from	da
like	come, simile a
of	di
plus	più, in aggiunta, oltre a, sopra (per es., le temperature)
regarding	riguardante
than	che, di quanto
unlike	a differenza di
with	con
without	senza

Using it!

painting	quadro
moth	falene
flame	fiamma

Hai quasi finito! Dopo le preposizioni di time e motion... ora tocca a questi...

ESERCIZI n. 53

1. Riguardo al libro che mi comprerai domani… voglio John Peter Sloan. ....
   ....
2. Avrò il quadro da Dalì stesso. ....
   ....
3. Come falene dalla fiamma, Concy è attratta da John. ....
   ....

5. FINALI DI CAUSA O DI SCOPO

to per, onde
for per, allo scopo di

Entrambe (to e for) in italiano possono tradursi con «PER», ma impariamo a distinguerne gli utilizzi.

TO + verbo = SCOPO

He goes to the park to walk. Lui va al parco per camminare.
(va al parco con lo scopo di camminare)

I go to the pub to drink. Vado al pub per bere.
I go to the park to think. Vado al parco per pensare.
I go to the centre to work. Vado in centro per lavorare.
I go to school to learn. Vado a scuola per imparare.

FOR + sostantivo = SCOPO

I go to the pub for tranquillity. Vado al pub per tranquillità.
(vado al pub allo scopo di trovare tranquillità)

I go to the park for lunch. Vado al parco per pranzo.
I go to the shop for food. Vado al negozio per cibo.
I go to London for a holiday. Vado a Londra per una vacanza.

I PRIMI SARANNO GLI ULTIMI

C'era un tempo in cui non si poteva lasciare una preposizione libera alla fine di una frase. Ci sembrava di sventolare in una brezza un po' malsana. Ora, le cose sono cambiate... almeno per discorsi e scritti meno formali.

I'm coming with. Vengo con voi. (informale)
I'm coming with you. Vengo con voi. (formale)

Where are you going to? Dove vai? (informale)
To where are you going? Dove vai? (formale)

Who are you speaking with? Con chi parli (informale)
With whom are you speaking? Con chi parli? (formale)

Adesso completa le frasi che trovi nell'esercizio seguente, mettendo for o to.

ESERCIZIO n. 54

1. He goes to the church .... peace.
2. She goes to the cinema .... watch films.
3. He goes to art school .... paint.
4. They go shopping .... clothes.
5. I go to the mountains .... relax.
6. I go to the mountains .... my holiday.
7. She washes .... be clean.
8. We need the bank .... money.
9. I go to school .... learn.
10. We went to the jungle .... explore.

Present perfect continuous 4.5

Questo tempo verbale è usato per esprimere un'azione che è cominciata in passato, ma che continua anche nel presente.

1. FORMA AFFERMATIVA

La FRASE AFFERMATIVA è così strutturata:

soggetto + *has/have* + *been* + verbo *-ing*

You have/You've been working here for two years.
(Cioè, hai cominciato a lavorare qui due anni fa e qui lavori ancora.)

2. FORMA NEGATIVA

La FRASE NEGATIVA è così strutturata:

soggetto + *has/have* + *not* + *been* + verbo *-ing*

You have not/haven't been working here for two years.
(Cioè, hai cominciato a lavorare qui e ci lavori ancora, ma non da due anni.)

FOR and SINCE

Per esprimere con il present perfect continuous da quanto tempo si sta facendo o si fa una cosa, e quindi per esprimere la durata dell'azione, si ha una scelta:

SINCE + data/stagione/ora ecc. si usa quando è espresso il momento di inizio di un'azione.

FOR + numero di anni/settimane/mesi/minuti ecc. si usa quando è espressa la durata dell'azione.

Supponiamo che lavori per la tua ditta da vent'anni, guardiamo i due modi per dirlo:
Q: How long* have you been working for Teleboh?
A: I have been working for Teleboh for 20 years. (Ci sto lavorando da vent'anni.)
oppure
A: I have been working for Teleboh since 1989. (Ci sto lavorando dal 1989.)

* La frase interrogativa è sempre introdotta da How long? (Da quanto tempo?)

3. FORMA INTERROGATIVA

La FRASE INTERROGATIVA e le SHORT ANSWERS sono così strutturate:

has/have + soggetto + *been* + verbo *-ing*

Have you been working here for two years? (Cioè, hai cominciato a lavorare qui e qui lavori ancora, ma da quanto tempo, due anni?)
Yes, I've been working here for two years. = Yes, I have.
No, I've not been working here for two years. = No, I haven't.
No, I haven't been working here for two years, I've been working here for five years. = No, I haven't, … five.

Ultimamente io e mia moglie siamo andati da un "professionista" per sistemare un po' le cose...
Doctor: So, you have been having problems lately, right? Quindi, ultimamente avete dei problemi, è corretto?
Wife: Yes, we both have the same problem, I and he. Sì, abbiamo lo stesso problema, io e lui.
D: What is it? Di che cosa si tratta?
W: He! Lui!
John: See? I have been tolerating these things for ten years! I have been waiting for a little respect since I met her, but nothing! Vede? Tollero queste cose da dieci anni! Ho aspettato di avere un po' di rispetto da quando la conosco, ma niente!
D: What is the problem, madam? Qual è il problema, signora?
W: The problem is that he always puts me in his stupid tales for his students, what a bad impression! Il problema è che lui mi mette sempre nelle sue storielle stupide per i suoi studenti, che brutta figura!
D: I have been seeing couples since 1977, but I have never seen a couple like you! Io vedo le coppie dal 1977, ma non ho mai visto (present perfect) una coppia come voi!

LATELY and RECENTLY

Un altro caso in cui si ricorre al present perfect continuous per esprimere azioni più generali è quello in cui si usa questo tempo verbale accompagnandolo con lately (ultimamente) o recently (recentemente).

I haven't been feeling well, lately. Non mi sento bene ultimamente.
She hasn't been working, lately. Non ha lavorato ultimamente.
She hasn't been studying, recently. Non ha studiato recentemente.
He hasn't been calling, recently. Non ha chiamato recentemente.

Using it!

tired	stanco
all day	tutto il giorno
builders	muratori
VERBS	
to clean	pulire
to watch	guardare
to want	volere
to disturb	disturbare
to think	pensare
to build	costruire

Adesso traduciamo qualche discorso.

ESERCIZIO n. 55

1. John: Amore, sei stanca, come mai? ....
   Wife: Perché ho pulito tutto il giorno. ....
   John: Lo so, ti ho guardato tutto il giorno. ....
   Wife: Mi stai guardando da tutto il giorno? Perché non mi hai aiutato?
   ....
   John: Perché non volevo disturbarti! ....

2. John: Da quando stanno costruendo quella casa? ....
   ....
   Liam: Stanno lavorando da due anni. ....
   John: Ma ha piovuto fino a ora? ....
   Liam: No, il problema è che ci sono solo due muratori! ....
   ....

Past perfect 4.6

Anche il present perfect ha il suo passato, che in italiano traduce il trapassato prossimo (avevo mangiato, bevuto, dormito...): per te che sei italiano questo tempo è facile, perché è identico a quello che usi. Io lo chiamo "il passato nel passato" perché indica qualcosa che è successo nel passato prima di qualcos'altro, sempre nel passato. Segue le stesse regole spiegate per il present perfect, ma essendo passato, il verbo to have sarà semplicemente al passato.

1. FORMA AFFERMATIVA

La FORMA AFFERMATIVA è così strutturata:

soggetto + *had* + participio passato + complemento

You had already seen the film before you came to see me. Avevi già visto il film prima che tu fossi venuto a vedermi.
She was tired because she had worked a lot that week. Era stanca perché aveva lavorato molto quella settimana.
They left the restaurant because they had eaten enough. Sono andati via dal ristorante perché avevano mangiato abbastanza.

LAST NIGHT vs. TONIGHT

Potrebbe essere molto importante capire l'uso corretto di queste due espressioni. Magari, stai parlando con uno/una che ti piace davvero tanto. Se fa l'occhiolino e dice...

Last night... sta parlando delle sue "esperienze" con qualcun altro la notte scorsa ed è l'ora per te di guardare altrove.
Last night, I had had so much to drink that, when I went home I had trouble putting the key into the lock. Ieri sera, ho bevuto così tanto che, quando sono andato/a a casa, ho avuto un problema a inserire la chiave nella toppa.

Se, invece, dice...

Tonight,... se fossi in te presterei più attenzione al seguito...
Tonight, you can come to my house, if you want. Stasera, puoi venire a casa mia, se vuoi.

2. FORMA NEGATIVA

La FORMA NEGATIVA è così strutturata:

soggetto + *had* + *n't* + participio passato + complemento

You hadn't already seen the film before you came to see me.
She was tired even if (anche se) she hadn't worked a lot that week.
They left the restaurant even if they hadn't eaten enough.

3. FORMA INTERROGATIVA

La FORMA INTERROGATIVA e le SHORT ANSWERS sono così strutturate:

had + soggetto + participio passato + complemento

Had you already seen the film before you came to see me?
Yes, I had./No, I hadn't.
Was she tired because she had worked a lot that week?
Yes, she was./No, she wasn't.
Did they leave the restaurant because they had eaten enough?
Yes, they did./No, they didn't.

ESERCIZIO n. 56

1. Before I saw you, I already (andare al supermercato) ....

   ....

2. Before you left, she (finire il libro) ....
3. By the time she arrived, I already (fare una torta) ....

   ....

4. When John arrived at his school on Saturday morning, Sara already

   (aprire le porte) ....

5. When I did my English exercises, yesterday, I already (studiare) ....

   .... the day before.

ANCORA

Per tradurre "ancora" in inglese ci sono tre differenti espressioni: AGAIN, STILL e YET. Vediamole una per una, per comprendere le caratteristiche di ciascuna.

AGAIN
Significa «ancora/di nuovo» e sta a indicare un'azione ripetuta.

I called her at 10. Then I called her again at 11. Then again at 12.
L'ho chiamata alle 10, poi di nuovo alle 11, poi di nuovo alle 12.
(Chi parla ha chiamato 3 volte e ogni volta c'è stata un'interruzione tra un'azione e l'altra.)
I had called her already, but I decided to call her, again. Le avevo già telefonato e ho deciso di telefonarle ancora.

STILL

Significa «ancora», ma si riferisce ad azioni senza interruzione.

Supponiamo che lasci il tuo amico al pub alle 20. Torni di nuovo alle 24 (You come back again at 12 P.M.) e lui è ancora lì. Lui è rimasto lì, quindi non c'è nessuna ripetizione. Non c'è nessuna interruzione e per questo si usa still.
Are you still here? Sei ancora qui?
After 40 years, Franco Baresi was still playing! Dopo 40 anni Franco Baresi giocava ancora!

YET

Significa «non ancora»... e ora, prima di spiegarti quanto c'entra con il present perfect, fai attenzione alla posizione di yet, che va quasi sempre alla fine della frase, esclusivamente nelle negative.

I have seen your new car. Ho visto la tua macchina nuova.
I have not seen your new car, yet. Non ho ancora visto la tua macchina nuova.
I had not seen your new car, yet, before it was confiscated by the police. Non avevo ancora visto la tua nuova macchina prima che fosse confiscata dalla polizia.
Has Mike arrived? È arrivato Mike? Not yet. Non ancora.
Had not Mike already arrived by the time John started singing?
Non era già arrivato Mike quando John ha cominciato a cantare?
Have they paid you? Ti hanno pagato?
No, they haven't paid me, yet. No, non mi hanno ancora pagato.
Had they not paid you before the office closed for the summer?
Non ti avevano pagato prima che l'ufficio si chiudesse per l'estate?
I haven't cleaned the room, yet! Non ho ancora pulito la camera!
I hadn't cleaned my room, yet, when my grandmother saw it. Non avevo ancora pulito la mia stanza quando la mia nonna l'ha vista.

Ora completa le frasi sotto utilizzando again, still o yet!

ESERCIZIO n. 57

1. I will read the book, but I haven't had time, ...
2. Do you want to go out with me, ...?
3. He is .... watching T.V.!
4. They are........................ winning! In 20 minutes, the game will be finished.
5. You broke your leg, ...?!
6. I loved Paris; I want to go, ...
7. Do you .... love me?
8. I don't know what I want to do, ...
9. Sorry! The book hasn't arrived, ...
10. Can you take me to work, ...? I am on foot.
11. You .... don't know who I am, do you?
12. I .... love you.
13. You're in love? but you haven't seen her, ...!
14. Oh my God! Birmingham City won the Champions, ...!

Past perfect continuous 4.7

Past perfect continuous. Suona male, ma razzola bene... e ti serve, davvero! Usiamo questo tempo verbale per raccontare ad amici, parenti vicini e lontani, al capo e al criceto del vicino cosa stavamo facendo prima che succedesse qualcos'altro, perché quello che noi abbiamo da dire è talmente importante che spaccare il capello tempistico è un dovere...
Ti ricordi il fiume e il lampo di prima? È lo stesso "paesaggio" e lo stesso "temporale" (attenti anche qui ai verbi che non reggono il tempo verbale continuous)... solo più indietro nel tempo, prima di qualcos'altro.

1. **FORMA AFFERMATIVA**

La FORMA AFFERMATIVA è così strutturata:

soggetto + *had* + *been* + verbo *-ing* + complemento

You had already been watching the film for an hour when I came to see you.
Guardavi già il film da un'ora prima che io fossi venuto a vederti.
They already had been waiting for a restaurant table for an hour, when someone else was given a table before them. Aspettavano già da un'ora per un tavolo al ristorante quando qualcun'altro è stato fatto accomodare prima di loro.

2. **FORMA NEGATIVA**

La FORMA NEGATIVA è così strutturata:

soggetto + *had* + *n't* + *been* + verbo *-ing* + complemento

You hadn't already been watching the film for an hour before I came to see you. They hadn't already been waiting for a restaurant table for an hour, when someone else was given a table before them.

3. FORMA INTERROGATIVA

La FORMA INTERROGATIVA e le SHORT ANSWERS sono così strutturate:

had + soggetto + *been* + verbo *-ing* + complemento

Hadn't you already been watching the film for an hour before I came to see you? Yes, I had./No, I hadn't.
Hadn't they already been waiting for a restaurant table for an hour, when someone else was given a table before them? Yes, they had./No, they hadn't.

Using it!

so	perciò (in questo contesto)
instead	invece
hamster	criceto
finally	finalmente
VERBI	
to act	recitare

"e... STOP!"

Nonostante il fatto che stop sia una parola inglese, noi non usiamo "e... STOP!" per mettere una fine a un discorso come fate voi. Noi diciamo, invece: And that's all!/And that's it!"

He told me about his job and that's it. Mi ha raccontato del suo lavoro e basta/stop.
She told me about the new boy and that's all. Mi ha raccontato del ragazzo nuovo e basta/stop.

Traduciamooo usando il past perfect continuous e il past simple insieme, please...

ESERCIZIO n. 58

1. John lavorava già per Teleboh da due anni quando BohTel lo ha chiamato per offrirgli un lavoro. ....

....

....

2. Concy ha detto: «Aspettavo il principe azzurro da anni e poi ho conosciuto John... e stop». (Secondo te, è un complimento...?) ....

....

....

3. I cugini Jack e John avevano già parlato dal 1994 di andare a Cesano Maderno e perciò ci sono finalmente andati l'estate scorsa. ....

....

....

4. Il mio vicino si era addormentato già da due ore quando ho cominciato a parlare invece con il suo criceto della mia vacanza a Cesano Maderno.

....

....

5. John insegnava inglese, cantava e recitava già da molti anni in Italia quando ha aperto la John Peter Sloan – la Scuola. ....

....

....

STEP **5**

5.1 **Future perfect**
Forma affermativa
Forma negativa
Forma interrogativa

5.2 **Future perfect continuous**
Forma affermativa
Forma negativa
Forma interrogativa

5.3 **The human body and the five senses**
The head
The eyes
The ears
The nose
The mouth
"The voice"
The fifth sense

Future perfect 5.1

Ti fai mai un film... nel quale certe cose devono essere completate entro un certo periodo futuro? "Quando avrò consegnato la tesi di laurea potrò cominciare a vivere." "Continuando così avrò perso trenta chili prima della prossima estate." Be', ora puoi sognare anche in inglese.

1. FORMA AFFERMATIVA

La FORMA AFFERMATIVA è così strutturata:

soggetto + *will** + *have* + participio passato + complemento

I will have spent all my money by the end of my vacation. Avrò speso tutti i miei soldi entro la fine della mia vacanza.

2. FORMA NEGATIVA

La FORMA NEGATIVA è così strutturata:

soggetto + *will** + *not* + *have* + participio passato + complemento

Unfortunately, I will not have finished the report by tonight. Purtroppo, non avrò completato il rapporto entro stasera.

3. FORMA INTERROGATIVA E SHORT ANSWERS

La FORMA INTERROGATIVA e le SHORT ANSWERS sono così strutturate:

*will** + soggetto + *have* + participio passato + complemento

FUTURE PERFECT

Will you have finished the report by tonight? Yes, I will have./No, I won't have. Avrai completato il rapporto entro stasera?
Will they have finished all their money by the end of their vacation? Yes, they will have./No, they won't have. Avranno finito tutti i loro soldi entro la fine della loro vacanza?

Facile, no? Perché il future perfect assomiglia tanto all'equivalente forma in italiano: il futuro del verbo avere (will have) + participio passato.

Using it!

degree	laurea
physics	fisica
VERBS	
to be financially successful	sbancare
to travel around the world	girare il mondo

TRADUCIAMO!

GRANDI SOGNI

Quando avevo dieci anni sognavo di diventare un astronauta. "Quando sarò grande, avrò finito la scuola di astronauti, e potrò andare nello spazio."
Quando avevo quindici anni sognavo di avere una bella ragazza. "Quando avrò vent'anni, avrò trovato una bella, no bellissima, ragazza come mia fidanzata."
Quando avevo vent'anni sognavo ancora di diventare un astronauta. "Quando avrò completato l'università con una laurea in fisica potrò volare nello spazio e vedere la Terra da migliaia e migliaia di chilometri in alto."
Quando avevo trent'anni sognavo ancora di avere una bella ragazza. "Quando avrò sbancato, potrò trovarmi una bella ragazza (o due, o tre...) per girare il mondo insieme."
Quando avevo trentacinque anni sognavo un lavoro.

Future perfect continuous 5.2

Ti ricordi il future continuous che usiamo per mettere enfasi su un'attività che continua nel futuro...
John will be talking for two hours at the civic auditorium in Cesano Maderno next fall. John parlerà per due ore all'auditorio civico di Cesano Maderno il prossimo autunno.

... o che aspettiamo che succederà.
Right after the office closes for the holidays, I will be sitting on the first plane to the Maldives. Subito dopo la chiusura festiva dell'ufficio, sarò seduto sul primo aereo per le Maldive.

Quando vogliamo sottolineare non l'attività stessa, ma la QUANTITÀ DI TEMPO che l'attività avrà impiegato in un certo punto nel futuro, usiamo il future perfect continuous. E poiché è un tempo continuous vuol dire solo che scegliamo quel momento per misurare il tempo passato da quando abbiamo cominciato l'attività, non che l'attività stessa finirà!

Qui, al contrario del future perfect, l'abitudine inglese è inversa all'abitudine italiana. Dove tu metteresti le cose al passato, le mettiamo al futuro e dove mettiamo noi le cose nel future perfect continuous mi sa che tu useresti il simple present o il future perfect italiano. Guarda questi due esempi prima di andare avanti:
In July, it will be five months that I will have been studying English. A luglio, saranno (stati) cinque mesi che studio inglese.
In the summer, I will have been taking skiing lessons for seven years. In estate, avrò seguito/preso lezioni di sci da sette anni.

Basta ricordarsi di fare il contrario di quello che ti viene in italiano e il gioco è fatto!

1. **FORMA AFFERMATIVA**

La FORMA AFFERMATIVA è così strutturata:

soggetto + *will** + *have* + *been* + verbo *-ing* + complemento

In June, I will have been working at Teleboh for twenty years. In giugno, avrò lavorato a Teleboh per vent'anni./In giugno saranno vent'anni che lavoro per Teleboh.
As of this summer, I will have been going to Cesano Maderno for vacation every year since 1996. Così quest'estate andrò a Cesano Maderno per vacanza come ogni anno dal 1996.
John will have been dating Concy for two years in June. A giugno, John esce con la Concy da due anni./A giugno saranno due anni che John esce con la Concy.

2. FORMA NEGATIVA

La FORMA NEGATIVA è così strutturata:

soggetto + *will** + *not* + *have* + *been* + verbo *-ing* + complemento

In June, I will not have been working at Teleboh for twenty years, it will be thirty! In giugno, non avrò lavorato a Teleboh per vent'anni, saranno stati trenta!
Because I am going to Trezzano sul Naviglio this year for vacation, I will not have been going to Cesano Maderno every year. Poiché quest'anno vado a Trezzano sul Naviglio in vacanza, non sarò andato a Cesano Maderno ogni anno. (Suona un po' complicate, ma il concetto è chiaro…)
John will not have been dating Concy for two years in June, it will be three. In giugno John non esce con la Concy da due anni, saranno tre./In giugno non saranno due anni che John esce con la Concy, saranno tre.

3. FORMA INTERROGATIVA E SHORT ANSWERS

La FORMA INTERROGATIVA e le SHORT ANSWERS sono così strutturate:

*will** + soggetto + *have* + *been* + verbo *-ing* + complemento

FUTURE PERFECT CONTINUOUS

Will he have been working at Teleboh for twenty years this June? Yes, he will have./No, he won't have. Avrà lavorato a Teleboh da vent'anni in giugno?/Saranno vent'anni che lavora a Teleboh a giugno? Sì, sarà così./No, non sarà così. This year, will he have been coming to Cesano Maderno for vacation for twenty years? Yes, he will have./No, he will not have. Quest'anno, sarà venuto a Cesano Maderno per vacanza da vent'anni?/Quest'anno saranno vent'anni che viene in vacanza a Cesano Maderno? Sì, sarà così./No, non sarà così.

* Dopo i soggetti personali I e we nell'inglese della Regina tecnicamente si dovrebbe usare shall, ma vai con will che oramai lo usiamo (quasi) tutti.

Using it!

VERBS

to try	cercare di, provare di
to get pregnant	rimanere incinta

ESERCIZIO n. 59

1. In maggio saranno (stati) dieci anni che John e Concy vanno a Cesano Maderno in vacanza. ....
2. La prossima settimana saranno tre mesi che sto leggendo questo libro. ....
   ....
3. In giugno saranno cinque anni che cerco di perdere cinque chili. ....
   ....
4. In novembre saranno (stati) sette mesi che cerco di rimanere incinta. ....
   ....
5. In settembre saranno (stati) vent'anni che John vive in Italia. ....
   ....

The human body and the five senses 5.3

Per cominciare cercherò di fare una carrellata di tutte le parti del corpo: conoscerle si rivelerà certamente fondamentale, prima o poi...

Non posso completamente ignorare le parti intime: se dovesse succedere qualcosa all'estero (tieh! tieh!) certamente chiunque preferirebbe sapere come indicarlo al farmacista o al medico.
Ho trovato un modo più carino, e comunque molto usato da noi inglesi, per indicarle:

private parts	parti private	buttocks	chiappe
bottom	sedere	intestines	intestini
period	ciclo		
genitals	genitali	bladder	vescica

KNOCK ON WOOD!

Per evitare una brutta sorte, noi non tocchiamo… ferro, né diciamo: «Tieh! Tieh!». Noi, invece, battiamo sul legno, we knock on wood, e per farlo in maniera proprio soddisfacente e propiziatoria si deve battere tre volte. Anche le persone non religiose lo fanno. Perché? Fa parte della cultura giudeo-cristiana occidentale: si batte una volta per il Padre, una per il Figlio e una per lo Spirito Santo.

Ripeto: oramai non è più una cosa religiosa, ma almeno sai il perché e questo è un modo efficace per ricordarti di farlo.

… PAIN

È altrettanto importante sapere come esprimere il dolore. Quando una parte del corpo fa male, in inglese si costruisce la frase indicando prima "la parte" e aggiungendo poi il verbo to hurt (fare male):
My eyes hurt. Mi fanno male gli occhi.
My legs hurt. Mi fanno male le gambe.
My head hurts. Mi fa male la testa.
His back hurts. A lui fa male la schiena.
Her belly hurts. A lei fa male la pancia.

THE PAIN IS (IL DOLORE È)

dull sordo
sharp pungente
throbbing/twinging lancinante
steady costante

E ora qualche domanda che un medico in un pronto soccorso potrebbe farti:
On a scale of one to ten with one being the least and ten the most, where would you put your pain? Su una scala da uno a dieci con uno al minimo e dieci al massimo, a che punto diresti che sia il dolore/dove metteresti il tuo dolore?
Does it hurt (here) when I do this? Ti fa male (qui) se faccio questo?

Quando vuoi dare ENFASI ALL'AGENTE CHE HA CAUSATO IL MALE, metti prima l'agente del danno, poi subito il verbo, poi l'oggetto indiretto:
The rock hit him on the head. La pietra l'ha colpito in testa.

Quando siamo NOI STESSI CHE CI FACCIAMO DEL MALE:
She scratched herself in the face by accident. Lei si è graffiata la faccia per sbaglio.
He hit his head on that tree branch. Lui ha colpito la testa su quel ramo dell'albero.
I twisted my knee. Ho preso una storta al ginocchio.

I am nausated. Ho la nausea.
I have to/need to vomit. Devo vomitare.
I have diarrhea. Ho la diarrea.
I'm pregnant. Sono incinta.
I am constipated. Sono stitico.
I have a fever. Ho la febbre.
I have an infection in my... Ho un'infezione nel...
I have phlegm. Ho il catarro.
I have discharge from my... Ho un'esalazione dal...

Adesso facciamo una bella cosa: abbiniamo le parti più importanti del corpo (è fondamentale capire come sei fatto, se ti trovi a dover parlare di te!) con i verbi importantissimi connessi a ciascuna di esse. Propongo questo abbinamento in quanto molti dei principali verbi utilizzati in inglese sono collegati a una parte del corpo, e visualizzare questi legami aiuta a ricordare.
È più facile per il cervello avere delle immagini da memorizzare.

1. THE HEAD

Partiamo, dall'alto, dalla TESTA. Innanzitutto, ci sono i capelli. (Se ci sono! Altrimente si dice bald che vuol dire «calvo» o balding, cioè "essere in piazza") A differenza dell'italiano, i capelli non sono numerabili quindi che tu ne abbia tanti o pochi sono sempre hair.
(Attenzione a pronunciare l'"H", perché se non la pronunci e dici "air" stai dicendo «aria», quindi se chiedi: «Please, cut my (h)air!» (tagliami l'aria)... rischi parecchio, direi!).
Hair è una parola molto usata in inglese. Noi la usiamo per tutti i peli, aggiungendo poi la parte del corpo in questione (arm hair, chest hair, leg hair, underarm hair).

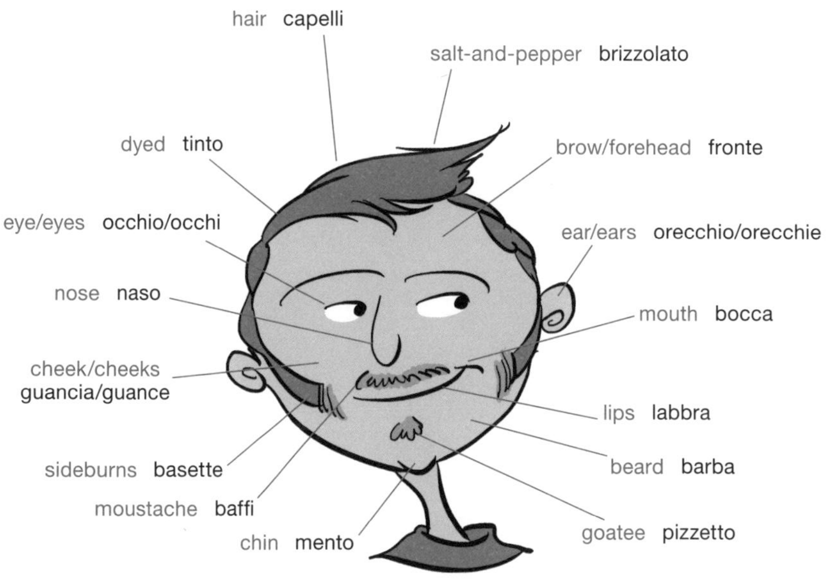

2. THE EYES

E adesso tocca agli OCCHI. Quante cose possono fare gli occhi? Beh, prima di tutto, collegato agli occhi c'è uno dei 5 sensi.

The sense of sight (la vista) vedere to see-saw-seen

eye lid	palpebra		
eye brow	sopracciglio		
eye lash	ciglia		
iris	iride		
pupil	pupilla		
white of the eye	bianco dell'occhio		
vision	visione/vista	double vision	vedere doppio
blurry vision	vedere tutto sfocato		
glasses	occhiali	contact lenses	lenti a contatto

Ricorda che in inglese, quando si usa il verbo vedere, si preferisce dire «I can see» piuttosto che «I see» (che, in effetti, si usa, ma per dire «capisco»):
I can see you! Can you see me? Can't you see me? I can't see you!

LOOK AT vs. WATCH

Per tradurre "guardare" abbiamo due modi completamente differenti che, ahimè, si sbagliano sempre, perciò presta attenzione, per favore.

Si usa to look at quando si guarda a cose fisse e/o si esprime il vedere involontario, spontaneo, con enfasi sull'atto proprio del vedere; mentre si usa to watch quando si sceglie di guardare qualcosa in movimento.

Tim: What are you looking at?
Tom: I am looking at the photo.
Julie: What are you watching?
Sarah: I am watching a sad film.

3. THE EARS

E adesso le ORECCHIE, anch'esse collegate a uno dei 5 sensi.

The sense of hearing (l'udito) sentire/udire to hear-heard-heard

ringing	tintinnio
to be stopped up	avere chiuso

I can hear the traffic.
Can you hear the traffic?
Can't you hear the traffic?
I can't hear the traffic.

Se sentire/udire to hear-heard-heard, ascoltare è to listen-listened-listened.

HEAR vs. LISTEN TO

Come con to see e to look, anche tra sentire e ascoltare la differenza è che to hear è involontario, ha più a che fare con il senso dell'udito, mentre to listen è volontario, qualcosa che facciamo con attenzione.

Se sento il cantante che più odio alla radio, per quei tre secondi in cui riesco a cambiare frequenza, io lo devo sentire per forza. Se invece sento il mio preferito io lo ascolto volentieri... uso to listen.

Ancora, esattamente come nel caso di look at, listen to ha una freccia. Quando si vuole o deve indicare che cosa si ascolta: to.

Don't listen to him, listen to me! Non ascoltare lui, ascolta me!
Can you hear that noise? Riesci a sentire quel rumore?
Do you like to listen to music? Ti piace ascoltare la musica?

4. THE NOSE

E adesso il NASO, che come gli occhi, è collegato a uno dei 5 sensi.

The sense of smell (l'olfatto) odorare/annusare to smell-smelled-smelled

bleed	sanguinare
to be stopped up	avere il naso chiuso
bleeding	sta sanguinando

I can smell coffee. Can you smell coffee?
Can't you smell coffee? I can't smell coffee.

Ora, ecco un altro gioiello della nostra lingua: to smell (verbo) è «annusare», ma smell (sostantivo) vuol dire «odore». Come sostantivo è neutro finché non aggiungi un aggettivo, quindi potrai avere un buon profumo, a good smell oppure una puzza, a bad smell.

5. THE MOUTH

E adesso la BOCCA, che prende parte a un'attività davvero fondamentale...

respirare to breathe-breathed-breathed
sbadigliare to yawn-yawned-yawned

tooth (teeth)	denti
gums	gengive
cap	corona
filling	otturazione
bridge	ponte
denture	dentiera
braces	apparecchio ortodontico

John was so tired, he yawned in Concy's face so widely that he even showed all of his teeth! I think he's in trouble, now. John era così stanco che ha sbadigliato in faccia a Concy così esageratamente che ha persino fatto vedere tutti i suoi denti. Penso che sia nei guai, ora.

E anche la bocca, grazie alla lingua, è collegata a uno dei 5 sensi.

The sense of taste (il gusto) assaporare/sentire/gustare to taste-tasted-tasted

I can taste salt in this soup. Can you taste salt in this soup?
Can't you taste salt in this soup? I can't taste salt in this soup.

6. **"THE VOICE"**

Ancora, collegata alla bocca c'è la VOCE, che non è una vera e propria parte del corpo, ma ha delle funzioni talmente fondamentali da meritare proprio un paragrafetto tutto dedicato a sé. Vediamo cosa si può fare con la voce:

parlare	to talk-talked-talked/to speak-spoke-spoken
avere la voce rauca	to be hoarse
perdere la voce	to lose one's voice

gridare (USANDO PAROLE) to shout-shouted-shouted/to yell-yelled-yelled
"STOP SHOUTING those curses at me!" I shouted.
"STOP YELLING INSTRUCTIONS at me!" I yelled.

urlare (SENZA PAROLE) to scream-screamed-screamed
All the girls were screaming, when they saw John Peter Sloan (in my dreams!).

canticchiare to hum-hummed-hummed
After hearing John sing "With or Without You", I have been humming it all day.
Dopo aver ascoltato John che cantava *With or Without You*, è tutto il giorno che la canticchio.

sussurrare to whisper-whispered-whispered
«I love you!» the postman whispered into my wife's ear.

cantare to sing-sang-sung
«I only sing in the shower» said Tommy. «So you don't sing very often!» I said.

7. THE FIFTH SENSE

Ora manca proprio solo il quinto senso!

The sense of touch (il tatto) toccare to touch-touched-touched

I can touch the sky. Can you touch the sky? (In realtà solo gente che fuma speciali sigarette può fare questo!)
Can't you touch the sky? I can't touch the sky.

Come in italiano, to be touched (essere toccato) SI RIFERISCE ANCHE ALLA SFERA EMOTIVA, e quindi si può «essere toccati sentimentalmente»:
You remembered my birthday! (ma quando mai?!) I am touched!
I heard Moggi on the radio defending his actions and I was touched. Your book is very touching.

spingere to push-pushed-pushed

tirare to pull-pulled-pulled

sentire to feel-felt-felt

sentire con le mani: to feel
sentire sentimentalmente: to feel
sentire col naso/annusare: to smell
sentire con le orecchie: to hear

I can feel something on my chest! Is it a spider? Aaaghhrr!
I feel love for you.
I feel loved/bad/cold/good.
Can you feel this?
I sometimes feel like an idiot.

O.K.! Ora c'è da prendere un bel caffè e fare respiri profondi, perché si comincia con degli esercizi più seri: la storiella da tradurre ora contiene (soprattutto) verbi legati al corpo e preposizioni. Attenzione: la storia fa molta paura, quindi, se hai problemi di cuore non rischiare! Let's go!

Using it!

driver	guidatore
suddenly	improvvisamente
dark	buio
high volume	volume alto
back door	la porta sul retro
turned on	acceso
turned off	spento

VERBS

to want	volere
to happen	succedere
to decide	decidere
to die	morire
to turn on	accendere
to turn off	spegnere

TRADUCIAMO!

Un urlo e poi...

Ieri sera alle 7.30 ero in un taxi con mia moglie.
Io ero seduto dietro al guidatore e stavo guardando le foto della casa nuova mentre mia moglie ascoltava la radio. Il guidatore parlava con noi ma non sentivo cosa diceva. Da dietro ho visto che il guidatore aveva capelli lunghi e neri e orecchie grosse. Improvvisamente ho sentito un urlo e ho toccato il braccio di mia moglie. Volevo vedere cosa era successo quindi ho detto (istruzione) al taxista di fermarsi. Sono andato verso la casa, ma mia moglie non ha voluto venire con me. Quando ero fuori della casa non vedevo niente, quindi sono andato dentro il giardino per vedere meglio. Attraverso la finestra non vedevo niente perché era tutto buio, quindi ho deciso di andare dietro la casa. Sono entrato attraverso la porta sul retro. Dentro la casa ho sentito qualcuno sussurrare. Volevo correre via ma ero troppo curioso. Dopo 5 minuti ho sentito qualcuno gridare: «via! via di qua!» Volevo morire. Lentamente, ho camminato dentro il soggiorno e ho visto tutto. Era una televisione accesa con il volume al massimo con una donna vecchia che dormiva davanti!

STEP **6**

6.1 **Anglo-Saxon family**

To get
To set
To let
To keep
To put

6.2 **False friends**

Anglo-Saxon family 6.1

Come dico sempre, secondo la mia modesta opinione, l'inglese in Italia è insegnato male per diversi motivi; gli insegnanti sono costretti a spiegare le regole e i concetti in inglese, buttando via un sacco di tempo e provocando frustrazione e sconforto agli studenti. I verbi fondamentali non vengono insegnati proprio per questo motivo: semplicemente perché alcuni verbi e concetti, in inglese, non possono essere compresi appieno da un italiano, se non se ne conoscono i meccanismi. Lo sapevi che i verbi più importanti, usati in inglese come il prezzemolo, sono to get, to set, to let, to keep, to put? Questi sono verbi fraseologici, appartenenti alla Anglo-Saxon family che preferiamo ai verbi altisonanti che ci pervengono dal latino e che di conseguenza suonano più come i verbi in italiano. Devi dire "ottenere" e sei tentato di usare il verbo to obtain? Non ci indurre in tentazione.... Ricordati, invece, dei nostri Anglo-Saxon verbs. Sono fondamentali, ma se non te li insegno con qualche trucchetto, avrai certamente molta difficoltà a capirli. Mi raccomando:
I will arrive at 10 P.M.
She will obtain the permit next week.
They always receive gifts from the boss.
We permit him to kiss us.
He maintains his calm.
It continues to rain every day.
The boss insists on controlling our departures.

Tutti corretti, ma se usi i verbi familiari a te perché suonano come i verbi in italiano sembrerai Shakespeare... e non è sempre un complimento... Dai, buttati. Gli Anglo-Saxon verbs sono meravigliosi.

1. TO GET

Per esempio, ascoltando un inglese o un americano, si nota che loro usano spessissimo il verbo to get. E se ti viene voglia di capirne un po' di più e prendi il dizionario... ti trovi davanti a 27 pagine di esempi sul verbo to get e... lo chiudi subito, pensando che ricordare tutti i significati del verbo e i modi in cui usarlo è un'impresa impossibile! E invece NO!... Perché non devi ricordarli tutti, devi solo capire come "gira" il verbo to get.
Probabilmente ti verrebbero in mente per primi «ottenere» o «ricevere».

ANGLO-SAXON FAMILY

OTTENERE/RICEVERE

You'll get a nice gift, if you paint well. Riceverai un bel regalo se dipingi bene.
He'll get a promotion for that project. Otterrà una promozione per quel progetto.
If you're lucky, you'll get 5,000 Euro for that car. Se sei fortunato, otterrai 5.000 euro per quella macchina.
I get results. Ottengo risultati.

Ma qualcuno ti ha mai spiegato che il verbo to get, in generale, è un CAMBIO DI STATO, che può avvenire in te, in un'altra persona o in una cosa?

Mi alzo. I get up.
Vuol dire «andare da giù a su».

Mi ubriaco. I get drunk.
Vuol dire «passare da sobrio a ubriaco».

Invecchio. I am getting old.
Vuol dire «diventare da giovane vecchio».

Gianni: Can I borrow your car? (Posso prendere in prestito la tua macchina?)
Tom: O.K., but don't get it dirty. (O.K., ma non sporcarla.)
Vuol dire «passare da pulito a sporco».

Get the dog off the bed. Fa scendere il cane dal letto.
Vuol dire «andare da sopra il letto a giù/via dal letto».

I will get the file done. Completerò il documento.
Vuol dire «passare da una cosa da fare a una cosa fatta».

I got the bottle open. Ho aperto la bottiglia.
Vuol dire «portare la bottiglia da chiusa ad aperta».

Andrea: I'll take Granny to the park... (Porto la nonna al parco...)
Marc: O.K., don't get her tired. (O.K., non farla stancare.)
Vuol dire «passare da riposato a stanco».

Nella vita le cose cambiano di continuo, quindi quando una cosa passa da uno stato a un altro c'è di sicuro un modo per dirlo con to get, che non è un nemico, ma anzi, in inglese è il miglior amico che tu possa avere! To get è un verbo irregolare (to get-got-got) dai molti significati...

RAGGIUNGERE

Visto che si implica sempre un movimento, qui è indispensabile la preposizione to. (Molto raramente si usa il verbo to arrive at, più formale di to get to.)
He got to me at 12. Mi ha raggiunto alle 12.
There will be no buses and his car is broken, so he can't get to work. Non ci saranno gli autobus e la sua macchina è rotta, quindi non può raggiungere l'ufficio.
She called you, faxed you and e-mailed you, but she couldn't get to you. Ti ha chiamato, ti ha faxato e ti ha mandato e-mail, ma non è riuscita a contattarti.
We got to the stadium late. Abbiamo raggiunto lo stadio tardi.

1 + 1 = 2: GET...

Controlla il polso, per favore. Tutto O.K.? Bene, sei pronto ad affrontare i tuoi primi phrasal verbs (verbi frasali) che usiamo davvero spesso. In questo capitolo vedremo man mano che andiamo avanti solo con i verbi frasali che hanno al loro interno un Anglo-Saxon verb. In effetti, li usiamo così tanto che più avanti c'è un intero capitolo che è dedicato a loro, ma ogni cosa a suo tempo.

Per ora, ti serve solo metterti bene in testa l'equazione:
1 + 1 = 2.
Perché servono un VERBO, una certa PREPOSIZIONE e un po' di polvere magica per far uscire un SIGNIFICATO COMPLETAMENTE NUOVO.

Come in italiano, alcuni verbi vogliono certe preposizioni per esprimere il loro significato normale, come per "vado al cinema". Non puoi dire "vado in cinema", no? La stessa cosa in inglese: I go to the cinema. Ma, ATTENZIONE! Perché queste combinazioni nelle quali il significato del verbo non cambia non sono verbi frasali.
Per essere un verbo frasale al verbo e alla preposizione si deve aggiungere un significato nuovo, differente da quello normale.

Proviamo il giochetto prima con get across...

Se dico (e intendo dire) che attraversò la piazza per arrivare dall'altra parte, è l'uso normale del verbo e della preposizione che ci vuole per esprimere movimento da un punto all'altro.
Non è un verbo frasale: I got across the square, safely.

Ma se dico get across per significare «farmi capire», allora sì che questo è un bellissimo verbo frasale.
Capito? Did I get myself across to you? Vediamo…

TO GET ACROSS FARSI CAPIRE

When you do a presentation, it is important to get across to the audience. Quando fai una presentazione è importante arrivare bene al pubblico/essere ben capito/farsi capire.
Ricordati di aggiungere to dopo get across per indicare la persona che deve capire o alla quale deve arrivare il tuo discorso.

TO GET AWAY SCAPPARE, FUGGIRE

I have to get away from the office by five. Devo scappare dall'ufficio entro le 17.
The prisoner got away by car. Il prigioniero è scappato via in macchina.
I broke the vase, but no one noticed, so I got away with it. Ho rotto il vaso, ma nessuno l'ha notato, ho evitato di essere incolpato.
He is the teacher's pet, so he gets away with murder. Lui è il cocco dell'insegnante e dunque può combinare di tutto e nessuno dice niente.
John wants to get away to the Maldives this weekend. John vuole scappare (dalla vita, dallo stress, dal lavoro, da Concy…) alle Maldive questo weekend.

TO GET ON ANDARE D'ACCORDO

I get on with my boss. Vado d'accordo con il mio capo.
Do you get on with your father? Vai d'accordo con tuo padre?

"BECCARE"

Ovvero PRENDERE, RICEVERE INVOLONTARIAMENTE, ESSERE BECCATO

He is in hospital because he got hit by a bottle at the stadium. (hit by è «colpito da»; by introduce l'autore dell'azione di colpire) È in ospedale perché è stato colpito da una bottiglia allo stadio.
He got a cold working in the cold. Si è beccato un raffreddore lavorando al freddo.
He's getting sued by his ex-wife for 3,000 Euro. Si sta beccando una causa dalla sua ex moglie per 3.000 euro.
I got bit by a dog. Mi sono beccato un morso da un cane.
I got caught! Sono stato beccato! (Chi...? Io...?)

CAPIRE

La differenza tra i verbi to understand e to get è che il primo è più formale, linguistico (con I don't understand Russian intendo che non capisco una lingua). To get è più informale e anche più concettuale, si riferisce alla sfera del significato, dei concetti, di ciò che si vuole ottenere e del perché si fa una certa cosa.
I can't get what she wants from me. Non capisco cosa voglia da me.
I want you to wash the car, feed the cat, then fix the oven, did you get that? Voglio che tu lavi la macchina, dia da mangiare al gatto, poi ripari il forno, hai capito? (povero marito!)
The plans are crazy... I don't get what he wants. I piani sono pazzi... non capisco che cosa voglia. (Ho capito quello che dice, ma non quello che vuole!)
You don't get it! Non capisci (il concetto in questione)!

E ora, vediamo se sei in grado di comprendere, let's see how much you... get!

THE SWIMMER

The swimmer got into the water. He wanted to get across the pool in less than a minute. While he was getting across, he got cramps in his legs. The swimmer was getting nervous and agitated because he was gradually getting slower. When he got to the other side, he got out of the water. «I don't get it!» he said. «I never got cramps in my legs before!» He got dry, dressed, then got out of the building. That night, his temperature got up to 40 degrees! He had got a cold in the pool. «My head is getting light» he said.

GET, TAKE, CARRY, BRING

Gli italiani fanno confusione quando si parla di PORTARE e PRENDERE! Questo accade anche perché to take ha entrambi i significati, a seconda della situazione. Ora vediamo: get-got-got, bring-brought-brought, take-took-taken, carry-carried-carried.

PRENDERE (to take/to get)

Se l'oggetto da prendere è presente nel luogo in cui parli e mentre parli, devi usare to take; in caso contrario userai to get:
Gianni: Can I borrow your pen? Posso prendere in prestito la tua penna? (La penna è sul tavolo davanti a lui.)
Tom: Yes, take it! Sì, prendila! (La penna è davanti a te.)
Tom: Yes, get it from my office. Sì, prendila nel mio ufficio!

PORTARE (to take/to bring/to carry)

Se l'oggetto va portato vicino a chi parla o ascolta, devi usare to bring, se invece lo devi allontanare da chi parla o ascolta, devi usare to take. (Sei mai andato a un take-away? Si chiama così perché ti danno il cibo «da portar via».) To carry mette, invece, enfasì sull'atto di portare:
Marta: I have to go to the dentist, today, can you take the dog to the park for a walk? Devo andare dal dentista oggi, puoi portare il cane a fare una passeggiata al parco? (Il cane va portato al parco, lontano/via da Marta.)
Marta: Can you bring the dog? Puoi portare il cane? (Marta sta chiedendo di portare il cane da lei.)
Marta: Can you take this to the neighbor's house, please? (Marta ti sta chiedendo di portare una cosa che ti sta dando in questo momento via da lei verso/a la vicina di casa.)
Marta: Can you bring the ice with you when you come to the party? (Tu e Marta probabilmente state parlando per telefono e ti sta chiedendo di portare un po' di ghiaccio da dove sei/sarai alla festa a casa sua dove lei è/sarà.)

Marta: Can you carry the box to the garage for me, please? (Qui, Marta è più fissata sull'atto fisico di portare qualcosa, probabilmente bello pesante, per conto suo. Non importa che tu sia insieme a lei o no. La cosa importante per Marta... è che la scatola sia portata al garage e che non sia lei a farlo.)

Lo so, lo so... non stai più nella pelle, va bene, dai! Traduciamo!

TRADUCIAMO!

CARLO CAPISCE?

1. Carlo: Questa sera faccio una festa, vieni? (azione programmata)
   Lucy: Sì, ma prima devo prendere mio figlio a scuola (il figlio non è presente), portarlo da sua nonna, poi prendere una bottiglia di vino (non c'è vino in casa) da portare alla festa.
2. Carlo: Questa sera faccio una festa, vieni? (azione programmata)
   Tracy: No, mi dispiace, devo prendere lo shampoo al supermercato, lavarmi i capelli e poi portare mio marito a teatro.

2. TO SET

È un verbo irregolare (to set-set-set) e significa:

IMPOSTARE, FISSARE

I must set the alarm for 6 a.m. Devo impostare la sveglia alle 6.
They set my leg, when I broke it. Mi hanno "fissato" la gamba quando l'ho rotta.
They will set the date for the event, tomorrow. Fisseranno la data dell'evento domani.
The picture is set on the wall. Il quadro è fissato al muro.

ANGLO-SAXON FAMILY

1 + 1 = 2 : SET...

Ora vediamo i verbi frasali con set.

TO SET ASIDE METTERE DA PARTE
I set aside some money for the holidays. Ho messo da parte un pò di soldi per la vacanza.
You should set aside your work problems, when you are with me at home. Dovresti lasciare da parte i tuoi problemi di lavoro quando sei con me a casa.
They need to set aside their differences and collaborate for the sake of their children. Hanno bisogno di lasciare da parte le loro beghe e collaborare per il bene dei loro figli.

TO SET UP MONTARE, IMPOSTARE, ORGANIZZARE, PREPARARE QUALCOSA/QUALCUNO PER CASCARE IN UNA TRAPPOLA/TRUFFA
We are setting up the tents. Stiamo montando le tende.

AT WORK:
I'll set up a meeting with our new colleagues. Organizzerò una riunione con i nostri nuovi colleghi.
The crooks set up their victim through the internet. I truffatori hanno preparato bene la loro vittima attraverso Internet.

Using it!

secretary	segretaria
meeting	riunione
thief (thieves)	ladro (ladri)
scam	truffa
painting	quadro
holiday	festa

ESERCIZIO n. 60

1. La mia segretaria mi ha organizzato una riunione per stamattina.

   ....

2. I ladri mi hanno preparato per la truffa. ....

   ....

3. Ho messo da parte un po' di soldi per comprarmi un bellissimo quadro.

   ....

4. Ha montato il suo ufficio stamattina. ....
5. Hanno messo da parte i loro problemi per le feste. ....

   ....

3. **TO LET**

È un verbo irregolare (to let-let-let) e significa:

LASCIARE CHE..., PERMETTERE

Let me in! Lasciami entrare!
Will you let me kiss you? Mi permetti di baciarti?
We let him take control of our house! Gli abbiamo permesso di prendere il controllo della nostra casa!

Let può essere anche usato nella FORMA IMPERATIVA (quindi senza alcun soggetto davanti) con il significato di «dare un suggerimento, un incitamento». Let's + un infinito senza to traduce esattamente la forma imperativa italiana alla prima persona plurale (Andiamo! Balliamo!):
Let's dance! Balliamo!
Let's go! Andiamo!
Let's eat! Mangiamo!
Let it be! Lascialo stare!

1 + 1 = 2: LET...

Ora tocca a let.

TO LET DOWN DELUDERE, NON MANTENERE UNA PROMESSA
(Il verbo può essere separato dalla preposizione.)
I promised to take her dancing, but I let her down. Le avevo promesso di portarla a ballare, ma l'ho delusa.
Please help me get away from here; don't let me down! Per favore aiutami a scappare da qui, non deludermi!

TO LET OFF (THE HOOK) PERDONARE
(Il verbo può essere separato dalla preposizione.)
The judge let him off (the hook), because he was from Birmingham. Il giudice lo perdonò perché era di Birmingham.
I'll let you off (the hook), if you clean my room. Ti perdonerò se pulisci la mia camera.

Che cosa? Cosa stai dicendo? Hai ancora voglia di fare un po' di esercizio di traduzione? Eccoti accontentato...

ESERCIZIO n. 61

1. Vediamo cosa c'è al cinema questa sera. ....

   ....
2. Giochiamo a calcio! ....
3. Chiediamo a Susan dove vanno questa sera. ....

   ....
4. Dormiamo un po'. ....
5. Ascoltiamo un po' di musica. ....

4. TO KEEP

È un verbo irregolare (to keep-kept-kept) e ha tre significati:

TENERE

I keep my keys in my pocket. Tengo le chiavi nella borsa.
She kept his photograph for many years. Lei tenne la sua foto per molti anni.
I won't keep your books, anymore. Non terrò più i tuoi libri.

MANTENERE

She kept the house, when I worked. Lei mantenne la casa quando io lavoravo.
I will keep the swimming pool clean. Manterrò pulita la piscina.
She can't keep herself. Non riesce a mantenersi (economicamente).

1 + 1 = 2: KEEP...

Tocca ora a keep.

TO KEEP AROUND AVERE A PORTATA DI MANO/INTORNO
(Il verbo può essere separato dalla preposizione.)
I smoke, so I always keep my lighter around. Fumo per cui tengo sempre l'accendino a portata di mano.
He was very sick, so he always kept his medicines around. Stava molto male, quindi teneva sempre le sue medicine a portata di mano.

INSISTERE, CONTINUARE A...

In questo caso, keep deve essere seguito dal verbo -ing.
We kept going home, late. Continuammo ad andare a casa tardi.
I will keep trying to find it. Insisterò per trovarlo.
I won't keep asking you, if you answer! Non insisto nel chiedertelo, se mi rispondi!

Using it!

calm	calma
stuff	roba
life	(stile di) vita
daybook/calendar	agenda
paper	cartacea
VERBS	
to sneeze	starnutire
to be accustomed to	essere abituati a

ESERCIZIO n. 62

1. Continuo a starnutire! (Un piccolo sussidio in anteprima: usi la forma -ing di sneeze) ....
2. Ha bisogno di mantenere la calma. ....
3. Tengo troppa roba in casa. ....
4. Devo pagare perché la mia ex-moglie possa continuare a vivere la vita alla quale era abituata quando eravamo ancora insieme. (Attenzione, fa questa con calma e pensaci bene prima di rispondere perché, pur essendo valida una traduzione più letterale, useremo, invece, keep...) ....
5. Tengo i miei appuntamenti ancora in un'agenda cartacea. ....

Ecco il quinto verbo, anch'esso irregolare, da ripassare:

5. TO PUT

È un verbo irregolare (to put-put-put).
Come to let e to keep anche to put esprime principalmente un concetto classico: mettere qualcosa in una certa posizione oppure inserire qualcosa dentro qualcos'altro, ma come gli altri verbi anche to put ha una serie di altri significati:

METTERE

George put his spoon down. George ha messo giù il suo cucchiaio.
They put the picture on the wall above the T.V. Hanno messo la foto sul muro sopra la T.V.
I put ketchup on my tortellini with panna, prosciutto and piselli. Io metto il ketchup sui miei tortellini con panna, prosciutto e piselli.

Come in italiano può essere inteso anche in SENSO FIGURATIVO, cioè:
You should put your family first. Dovresti mettere la tua famiglia al primo posto.

INSERIRE, IMBUCARE, METTERE

The little boy put all the lizards into a suitcase. Il ragazzino ha messo tutte le lucertole in una valigia.
The postman put the letter into the post box. Il postino ha messo la lettera nella casella della posta.
I put my key into the lock, then the clothes into the washer. Ho messo la chiave nella toppa, poi i vestiti nella lavatrice.

1 + 1 = 2: PUT...

Ora tocca a put.

TO PUT BACK OFF POSTICIPARE
Va insieme a bring forward, perché sono in stretta relazione:

to put back (to) vuol dire rimandare a un'altra ora o a una data successiva;

to bring forward (to) vuol dire anticipare un appuntamento o un evento.

We put back our wedding to August, when the weather is better. Abbiamo rimandato il nostro matrimonio ad agosto quando il tempo è migliore.
They put the meeting back to Tuesday because Hans can't make it, today. Hanno rimandato la riunione a martedì perché Hans non può venire oggi.

TO PUT (ONE'S) FOOT DOWN INSISTERE/RIFIUTARE CATEGORICAMENTE/IMPORSI
He wanted to go to the auto show, but she put her foot down. Lui voleva andare alla fiera delle auto, ma lei ha rifiutato categoricamente.

TO PUT OUT DARE... (IN QUEL SENSO NUDO E CRUDO LÌ...)
She puts out to all the boys. Lei la dà a tutti i ragazzi. (Mi pentirò di averti insegnato questo? È molto scortese... attenti!)

TO BE PUT OUT ESSERE DI MALUMORE A CAUSA DI QUALCOSA
She's put out because her boyfriend hasn't called her, yet. È di malumore perché il suo fidanzato non le ha telefonato, ancora.

TO PUT UP WITH SOPPORTARE
John puts up with Concy's tantrums because he loves her. John sopporta i capricci di Concy perché la ama.

SOTTOPORRE

The doctors put his hip through many tests before they could understand what was wrong. I medici hanno sottoposto la sua anca a molti esami prima di riuscire a capire cosa c'era che non andava.
My boss puts me under a lot of pressure. Il mio capo mi mette (così) tanto sotto pressione.

PUNTARE

He put 1,000 euro on that horse, and it fell over. Ha puntato 1.000 Euro su quel cavallo ed è crollato.

Using it!

horse race	corsa dei cavalli
favourite	preferito
notwithstanding	nonostante
fact	fatto
lame	zoppo
ruined	rovinato
tail	coda
blister	vescica
wart	verruca
VERBI	
to count	contare
to forget	dimenticare
to check	controllare
to be busy	essere occupato
to respect	rispettare

TRADUCIAMO!

Un giorno a San Siro

L'avevo rimandato e rimandato e rimandato. Ora il giorno era finalmente arrivato: San Siro e le corse dei cavalli.
Volevo mettere (puntare) un po' di soldi sul mio cavallo preferito, One-Eyed Jim. Un cavallo con un grande cuore nonostante la gamba zoppa, i polmoni rovinati, le tre vesciche sotto la coda e un po' di verruche sull'orecchio destro. Prima, però, ho dovuto contare i miei soldi e per fare ciò ho dovuto trovare dove tengo i soldi. Lo dimentico sempre. Dove li ho messi? Li ho messi nella scrivania nel mio ufficio? Non potevo (couldn't) controllare perché mia moglie era occupata lì dentro con l'elettricista e metto sempre prima la famiglia. Volevo sottoporre la questione a mia figlia, ma aveva un appuntamento con il criceto del vicino proprio a quell'ora e quando fa una promessa la mantiene. Che brava ragazza. Mi sentivo un po' di malumore e volevo impormi, ma alla fine sopporto tutto perché mi rispettano così tanto.

False friends 6.2

Hai probabilmente incontrato i false friends, ma non sto parlando di quelli che ti sparlano dietro le schiena. Al contrario dei good friends, come telefono e telephone, sono delle parole che sembrano uguali (o quasi) alle parole in inglese, ma in verità hanno tutto un altro significato.
Vediamone alcuni qui... se ti interessano (e spero di sì!), puoi trovarne molti altri in *Instant English 2*.

ANNOY = INFASTIDIRE

These false friends really annoy me. Mi danno infastidio questi falsi amici.

Attenti, perché...
ANNOIARE = TO BORE
Jack bores Concy because all he talks about is football. Jack annoia Concy perché non fa altro che parlare di calcio.

Volendo, puoi trasformare il verbo in un aggettivo usando la forma -ing:
Jack is boring because he only talks about football. Jack è noioso perché parla solo di calcio. (E allora...?)

SYMPATHETIC = COMPASSIONEVOLE/COMPRENSIVO

Granny is not very sympathetic, she doesn't listen to the Maniac's problems. Granny non è molto comprensivo, non ascolta i problemi del Maniaco.

Attenti perché qui ci si può confondere:
SIMPATICO = SIMPATICO/NICE (sì, diciamo anche noi "simpatico" perché le nostre parole non riescono a esprimere in modo conciso il senso di questa bellissima parola)
John is very simpatico/nice. John è molto simpatico.

COMPREHENSIVE = OMNICOMPRENSIVO

John's book is very comprehensive. Il libro di John è molto omnicomprensivo.

SYMPATHY = COMPASSIONE/COMPRENSIONE

I'm sorry to hear of your tragedy, I have a lot of sympathy for you. Mi dispiace sentire della tua disgrazia, ho tanta compassione/comprensione per te.

FALSE FRIENDS

Attenti, perché...
SIMPATIA = GOOD FEELINGS/GOOD VIBES

Veloce veloce vogliamo parlare: VIBES si dice per VIBRATIONS.
She emanates good feelings/good vibes. Emana simpatia.

BE QUIET! = TACCIA!

Will you please be quiet? I'm trying to concentrate.
Potresti/potreste tacere, per favore, sto cercando di concentrarmi. (Se vuoi offendere, usa subito questa frase, funziona sempre...)

DON'T WORRY = STAI TRANQUILLO/NON PREOCCUPARTI

La prima volta che Concy mi ha detto be quiet quasi quasi sono andato in escandescenza, quella frase tocca un nervo scoperto. Al contrario, lei, carina com'è, voleva solo rassicurarmi che tutto fosse sotto controllo.
Don't worry, Santa Claus will get here in time with your presents. Non preoccuparti/stai tranquillo, Santa Claus arriverà in tempo con i tuoi regali.

IN MY OPINION = SECONDO ME

In my opinion, the earth isn't round. Secondo me, la Terra non è rotonda.

Attenti, perché...
SECOND ME in inglese non significa nulla e ACCORDING TO ME (la traduzione letterale di SECONDO ME) in inglese ha un altro significato!

APE = SCIMMIONE

I saw apes in the fields in Africa. Ho visto scimmioni nei campi in Africa.

Attenti, perché...
APE = BEE
I am allergic to bee stings. Sono allergico alle punture delle api.

CUTE = CARINO

What a cute cat! Che gatto carino!

Attenti, perché...
DELLA CUTE/PELLE = SKIN
I have a rash on my skin. Ho uno sfogo cutaneo.
I false friends fanno venire l'orticaria anche a me!

STEP 7

7.1 **Verbi modali**
Can/could/be able to
Could/could have
May/might/might have
Will/would/would have
Shall/should/should have
Ought to/ought to have
Had better (faresti meglio)
Must and have (got) to

7.2 **If**
Possibilità reale
Ipotesi pura
If passato
If 0/zero incertezze

7.3 **Verb patterns**
Verb senza to
To + verb
Verbo -ing

Verbi modali 7.1

Non tutto nella vita è sicuro. I verbi modali servono per esprimere un'ipotesi, la possibilità o meno che una cosa o un'azione accada. Aiutano a misurare le certezze. Funzionano normalmente come verbi ausiliari e sono una classe ristretta di verbi. I verbi modali sono uguali per tutte le persone e quando sono seguiti da un verbo all'infinito non prendono mai il to, tranne in due eccezioni che vedremo più tardi. (Ricordati fin da subito che in could, would e should non si pronuncia mai la "L".)

1. CAN/COULD/BE ABLE TO

Passato: Could
Presente: Can/Be able to
Futuro: Will be able to

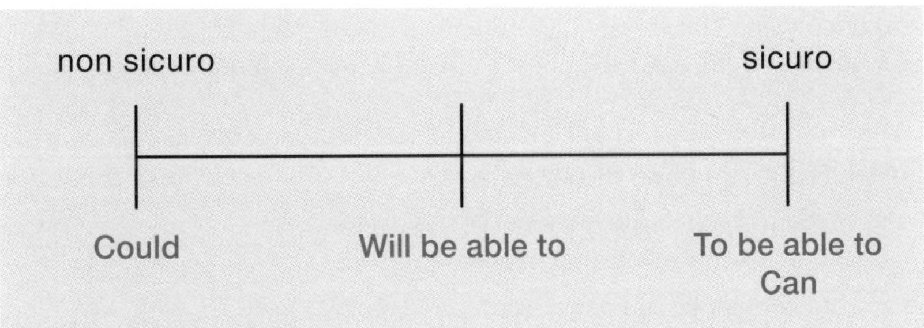

Sei capace di fare una cosa? Potresti usare to be able to se sei Prince Charles o se vuoi parlare di un'impossibilità fisica o mentale, altrimenti can è fondamentale, ma lo sento spesso usato in modo sbagliato. Ecco i suoi significati:

RIUSCIRE (essere in grado di fare una cosa)

I can open the window. (La finestra è in alto, ma io ci arrivo e ne sono capace.)

CAN present
I can arrive at seven. Riesco ad arrivare alle sette.
They can see into the future. Loro riescono a vedere il futuro.

Wife: Can you sort out the broken water pump?
John: Can't you do it? I'm watching a film.
Wife: I can't do it!
John: I haven't got the tools. I can't do it without tools. Call the plumber.
Wife: Is the film good?
John: I don't know; I can't hear it!

COULD past
She could help me with my homework. Riusciva ad aiutarmi con i miei compiti.
Could you run for twenty miles when you were young? Riuscivi a correre per venti miglia quando eri giovane?
I couldn't work, when I was in hospital. Non riuscivo a lavorare quando ero in ospedale.

WILL BE ABLE TO future (devi considerare will be able to come un blocco)
I will be able to walk better, after the operation. Riuscirò a camminare meglio dopo l'intervento.
I will be able to pay you, when I get my money. Sarò in grado di pagarti quando ricevo i soldi.

SAPERE (avere un'abilità, saper fare...)

I can speak Chinese. (L'ho studiata: conosco la lingua.)

CAN present
I can speak English, but only when I'm drunk. So parlare inglese, ma solo quando sono ubriaco.
I can swim and cook. So nuotare e cucinare.

Wife: I can't drive because I have had too much whisky.
John: No, my dear, you can't drive, period*!

* Period, in questo contesto, significa «(punto) e basta!».

COULD past
I could speak English, when I was a child. Sapevo parlare inglese quando ero un bambino.
Could you ride a bike, when you were a child? Sapevi andare in bicicletta quando eri un bambino?

WILL BE ABLE TO future (devi considerare will be able to come un blocco)
My son will be able to swim. Mio figlio saprà nuotare.
I will be able to speak French well, after ten years in Paris. Saprò parlare bene in francese dopo dieci anni a Parigi.

POTERE (avere il permesso o l'autorità di fare qualcosa)

I can open the window. (Ho il permesso dell'insegnante.)

CAN present
I can kiss my wife. (Ho il permesso di farlo, non che ci sia la fila! Ah ah ah!)
My wife can't drive my car. (Non permetto a mia moglie di guidare la MIA auto!)

Wife: Can I watch *Amici* on T.V., tonight?
John: Yes, if I can watch Inter vs Milan, tomorrow.
Wife: Can I drink your last beer?
John: Are you crazy? NO!

COULD past
When Lisa was my woman, I could kiss her. (Quando Lisa era la mia donna, avevo il permesso di baciarla, ora non più, purtroppo!)
When he worked in the bar, could he drink beer for free? (Quando lavorava al bar, aveva il permesso di bere birra gratis? Direi di no, altrimenti perché avrebbe lasciato il lavoro?)

WILL BE ABLE TO future (devi considerare will be able to come un blocco)
Per la negazione usa I will not (won't forma contratta).
I will be able to work in the hospital as a doctor after I graduate. Avrò il permesso di lavorare in ospedale come dottore dopo la laurea.
Will she be able to drive her father's car when she passes her test? Avrà il permesso di guidare la macchina di suo padre quando passerà l'esame?

DEDURRE UNA IMPOSSIBILITÀ... sempre al negativo

That can't be true! (Può essere vero, ma non riesco a crederci.)

CAN'T present
It/That/This can't be true. (Quello che vedo o che sento è talmente esagerato o inaspettato che non riesco a crederci o ad accettarlo.)

COULDN'T HAVE BEEN past
That couldn't have been true. (Quello che vedo o che sento oggi riguardo al passato è talmente esagerato o inaspettato che non riesco a crederci o ad accettarlo nel presente.)

Il FUTURO non esiste quando si parla di impossibilità negative... dovrebbe essere un conforto, no?

E le frasi? Come si formano? Oramai, potresti scriverlo tu, ma per non saper né leggere, né scrivere...

La FRASE AFFERMATIVA è strutturata come una normale frase:

soggetto + verbo modale + verbo infinito (senza *to*) + complemento

I can go to the cinema by tram. Posso andare al cinema con il tram.

La FRASE NEGATIVA è strutturata come una normale frase negativa:

soggetto + verbo modale + *not* + verbo infinito (senza *to*) + complemento

I cannot/can't go to the cinema by tram. Non posso andare al cinema con il tram.

La FRASE INTERROGATIVA è strutturata normalmente, con l'inversione tra verbo e soggetto e non dimentichiamo le SHORT ANSWERS:

verbo modale + soggetto + verbo infinito (senza *to*) + complemento

Can I go to the cinema? Yes, you can./No, you can't. Posso andare al cinema? Sì, puoi./No, non puoi.

La FRASE INTERROGATIVA NEGATIVA è strutturata come un'interrogativa affermativa, con lo stesso verbo modale in forma negativa, ma c'è un trucchetto all'interno delle SHORT ANSWERS e che fa incrociare le risposte... e gli occhi!

verbo modale + *not* + soggetto + verbo infinito (senza *to*) + complemento

Can't I go to the cinema by tram? Yes, you can't./No, you can. Non posso andare al cinema con il tram? Sì, puoi./No, non puoi.

E adesso tocca a te! Riconosci la funzione con cui CAN viene usato in ciascuna delle frasi che seguono? Poi scegliere tra: RIUSCIRE; SAPERE, POTERE, DEDURRE o PERMESSO (chiedere)...

ESERCIZIO n. 63

1. I can sleep in my bed. FUNZIONE: ....
2. I can read and write. FUNZIONE: ....
3. You can't enter without authorization. FUNZIONE: ....
4. That can't be true. FUNZIONE: ....
5. Can you see the mountain from here? FUNZIONE: ....
6. We can't go to Japan without a passport. FUNZIONE: ....
7. She can run 10 kilometers in 20 minutes! FUNZIONE: ....
8. She can dance. FUNZIONE: ....
9. I can't assemble this new tent. FUNZIONE: ....
10. How can you run so fast? FUNZIONE: ....

Using it!

music	musica
jealous	gelosa
envy	invidia
in	tra
school	scuola
maybe	forse/magari

VERBS

to listen (to)	ascoltare
to dance	ballare
to pay	pagare
to know	sapere
to live	abitare/vivere

ESERCIZIO n. 64

1. Io non riesco ad aiutarti, ma magari James può. ....

   ....
2. Puoi venire con noi? ....
3. Non posso ascoltare questa musica! ....
4. Ma tu sai ballare? ....
5. Non posso parlare con te, mia moglie è gelosa, anche se ti invidia tuo marito.

   ....
6. Potrò pagarti tra cinquant'anni. ....
7. Sapevo il cinese quando ero un bambino, perché abitavamo in Cina.

   ....
8. Lei potrà portarti a scuola quando avrà la macchina. ....

   ....
9. Non può essere vero. ....
10. Posso perché è mio! ....

2. COULD/COULD HAVE

Ora comincia la parte che può confondere, perché could, oltre a essere il passato di can, prende un nuovo ruolo quando è usato come condizionale e devi capire quale è solo dal contesto.

IL CONDIZIONALE PRESENTE DEL VERBO POTERE (CAN)

io potrei	I COULD
tu potresti	you COULD
lei/lui/esso potrebbe	she/he/it COULD
noi potremmo	we COULD
voi potreste	you COULD
essi potrebbero	they COULD

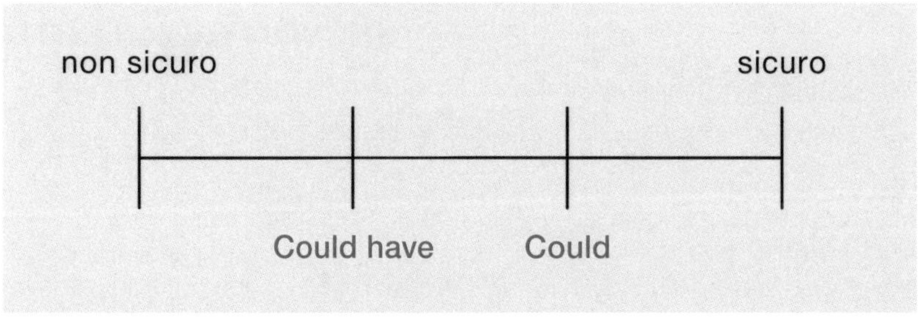

Could è uguale per tutte le persone ed è seguito dall'infinito del verbo senza il to (quasi tutti i verbi modali non sono MAI seguiti dal to, ricordi?!).
I could go out this evening. Potrei uscire questa sera.
You could ask. Potresti chiedere.
She could help you. Lei potrebbe aiutarti.

IL CONDIZIONALE PASSATO DEL VERBO POTERE (CAN)

io avrei potuto	I COULD HAVE
tu avresti potuto	you COULD HAVE
lei/lui/esso avrebbe potuto	she/he/it COULD HAVE
noi avremmo potuto	we COULD HAVE
voi avreste potuto	you COULD HAVE
essi avrebbero potuto	they COULD HAVE

Dopo il verbo could e il verbo to have deve seguire il participio passato del verbo che dà il senso alla frase. Ecco come si forma:

soggetto + *could* + *have* + participio passato

I could have stayed at home this evening. Avrei potuto stare a casa questa sera.
You could have told me. Avresti potuto dirmelo.
She could have helped you. Lei avrebbe potuto aiutarti.
We could have drunk a coffee. Avremmo potuto bere un caffè.

COULD COME POSSIBILITÀ

PUÒ ESSERE
John could be in America. John potrebbe essere in America.
John could have gone to America with you. John sarebbe potuto andare in America con te.
John could go to America with you. John potrebbe andare in America con te.

NON PUÒ ESSERE
Mary couldn't be at home now. Mary non può essere a casa ora.
Mary couldn't have been at home. Mary non sarebbe potuto essere a casa.
Mary couldn't possibly stay at home this evening. Mary non potrebbe stare in casa questa sera per nessuna ragione.

COULD COME CONDIZIONALE

PUÒ ESSERE
If I had more time, I could travel around the world. Se avessi più tempo, potrei girare il mondo.
If I had had more time, I could have travelled around the world. Se avessi avuto più tempo, avrei potuto girare il mondo.
If I have more time this winter, I could travel around the world. Se avrò più tempo quest'inverno, potrei girare il mondo.

NON PUÒ ESSERE
Even if I had more time, I couldn't travel around the world. Anche se avessi più tempo, non potrei girare il mondo.

Even if I had had more time, I couldn't have travelled around the world. Anche se avessi avuto più tempo, non avrei potuto girare il mondo.
Even if I had more time this winter, I couldn't travel around the world. Anche se avessi più tempo quest'inverno, non potrei girare il mondo.

COULD COME SUGGERIMENTO

PUÒ ESSERE (NON C'È IL NEGATIVO)
You could have visited London. Avresti potuto visitare Londra.
You could visit London. Potresti visitare Londra.

COULD COME RICHIESTA EDUCATA

PUÒ ESSERE
Could I have something to drink? Potrei avere qualcosa da bere?

NON PUÒ ESSERE
Couldn't you help me with this homework? Non mi potresti aiutare con questi compiti?

COULD COME DEDUZIONE DI IMPOSSIBILITÀ

AL CONDIZIONALE NEGATIVO
That couldn't be true. (Quello che vedo o che sento è talmente esagerato o inaspettato che non solo non riesco a crederci, ad accettarlo, ma lo metto pure al condizionale, perché sono ancora meno sicuro.)

La costruzione della frase è sempre uguale:
AFFERMATIVA
I could walk to the cinema.
NEGATIVA
I could not/couldn't walk to the cinema.
INTERROGATIVA e SHORT ANSWERS
Could I walk to the cinema? (Se stai chiedendo permesso, è facile che ti rispondano con il presente: Yes, you can./No, you can't. Se stai chiedendo dell'abilità (fisica in questo caso), potrebbero rispondere con lo stesso tempo verbale che hai usato tu, cioè, il condizionale: Yes, you could./No, you couldn't.)
INTERROGATIVA NEGATIVA e SHORT ANSWERS
Couldn't you walk to the cinema? Yes, I couldn't./No, I could.

VERBI MODALI

Using it!

to meet	incontrare
to feel	sentire
to kiss	dare un bacio
to leave	partire

ESERCIZIO n. 65

1. Non potrebbe essere vero. ....
2. Se non riesci, potrei aiutarti. ....

   ....
3. Mi dispiace, sarei potuto essere con te. ....

   ....
4. Dai un bacio a Cinzia, potrebbe partire domani. ....

   ....
5. Potresti comprarmi un libro? Poi domani ti porto i soldi. ....

   ....
6. Se trovo tempo quest'estate potrei venire a Londra. ....

   ....
7. Avresti potuto chiamarmi. ....
8. Avrei potuto mangiare con te. ....
9. Se non ti avessi visto, non avrei potuto darti i soldi. (auguri!) ....

   ....
10. Se non avessi studiato, non sarei potuto andare all'università. ....

    ....

3. MAY/MIGHT/MIGHT HAVE

May non è solo un mese dell'anno. È anche un bellissimo verbo che, purtroppo, usiamo oramai ben poco. È il modo "istruito" e oramai formale di chiedere permesso al posto di can.

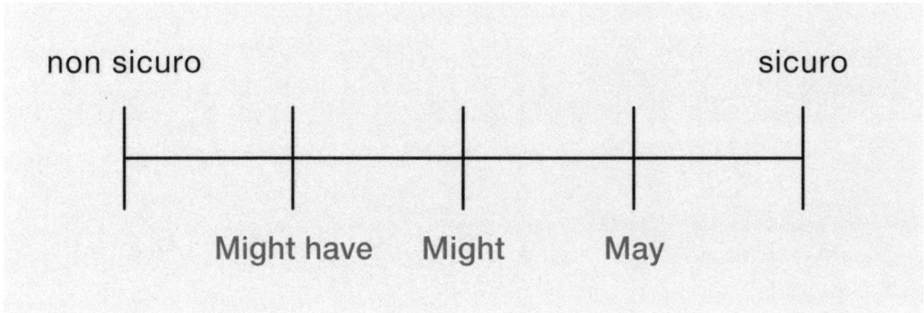

May I go to the cinema, mom? Posso andare al cinema, mamma?
May I sit here? Posso sedermi qui?
May I open the window? Posso aprire la finestra?
May I help you? Posso aiutarLa?

Ma se non vuoi sembrare Prince Charles, vai tranquillamente avanti con can.

E might, il condizionale di may, com'è la storia, si usa? Si usa, eccome! Esprime incertezza: might traduce proprio quel «forse», «magari» che è ciò che aggiungiamo quando diciamo una cosa di cui non siamo proprio certi.

%

Se si parla di possibilità e devi scegliere tra COULD e MIGHT, è possibile esprimere il grado di probabilità attraverso una percentuale, e cercherò di farlo, per farti capire meglio...

A.
Tom: Where is Joseph? Dov'è Joseph?
Sally: I don't know; he could be in his office. Non lo so, potrebbe essere nel suo ufficio.
In questo caso could vuole indicare che c'è una buona possibilità che sia nel suo ufficio. 75% DI SICUREZZA.
B.
Tom: Where is Joseph? Dov'è Joseph?
Sally: I don't know, he might be in his office. Non lo so, magari è nel suo ufficio.
In questo caso Sally non sa dove sia Joseph, ma offre un suggerimento. 50% DI SICUREZZA.

Anche per MIGHT vale la stessa regola di formazione della frase che abbiamo visto per could, would e should. Anche might al passato vuole il verbo to have seguito da participio passato. Might è fondamentale e i suoi significati principali sono due...

MIGHT NEL FUTURO

I might buy a dog to protect my new house. Forse compro un cane per proteggere la mia casa nuova.
They might play in the cup, if they continue to play well. Forse giocheranno nella coppa se continuano a giocare bene.

MIGHT NEL PRESENTE (una deduzione di possibilità/probabilità)

I might be ill. Forse sono malato.
I might be pregnant. (Yikes!)
They might be angry. È possibile che siano arrabbiati.

La costruzione della frase è sempre uguale:
AFFERMATIVA
I might go to the cinema.
I might like to go to the cinema.
NEGATIVA
I might not go to the cinema.
I might not like to go to the cinema.
It might not rain. Magari non piove.
They might not come, if you are not here. È possibile che non vengano se tu non sei qui.
INTERROGATIVA e SHORT ANSWERS
Might you go to the cinema? Yes, I might./No, I might not.
(Non lo usiamo con like, love…)
Nella forma affermativa, la domanda anticipa una risposta positiva, anche se potrebbe essere negativa.
INTERROGATIVA NEGATIVA e SHORT ANSWERS
In una tabella di tempi verbali si potrebbe proporre might in un'interrogativa negativa, ma finiresti per sembrare non solo la Regina, ma un Frankenstein della Regina, Prince Charles e Shakespeare messi insieme. Dimenticalo!

IL CONDIZIONALE PASSATO DEL VERBO POTERE (MIGHT)

Come i casi precedenti, dopo might e dopo il verbo to have deve seguire il participio passato del verbo che dà il senso alla frase e si forma così:

soggetto + *might* + *have* + participio passato

I might have seen her. Forse l'ho vista.
You might have left your keys at the gym. Forse hai lasciato le chiavi in palestra.
If they had played better, they might have won. Se avessero giocato meglio, forse avrebbero vinto.

Ora traduci queste frasi. Ti aiuto suggerendoti che ogni frase contiene sia should che might.

ESERCIZIO n. 66

1. Dovresti rimanere a casa questa sera, può darsi che piova. ....
   ....
2. Avresti dovuto chiamare l'ufficio, magari hanno trovato il tuo telefonino. ....
   ....
3. Magari sto a casa a vedere il film, dovrebbe essere bello. ....
   ....
4. Dovrei perdonarla? Magari è meglio. ....
5. Non dovrebbero fare problemi, può darsi che si pentiranno. ....
   ....

4. WILL/WOULD/WOULD HAVE

Abbiamo già visto will per fare il futuro, per fare le promesse, le predizioni...

I will come on Friday. Verrò venerdì.
They will do that, tomorrow. Lo faranno domani.
It will rain. Pioverà.

Would (passato di will) è il verbo che in inglese serve per tradurre il vero e proprio condizionale. A seconda del verbo che si decide di aggiungere, quello diventa condizionale:
Verrei è I would come
Andrei è I would go
Parlerei è I would talk
Giocherei è I would play
Mi piacerebbe è I would like

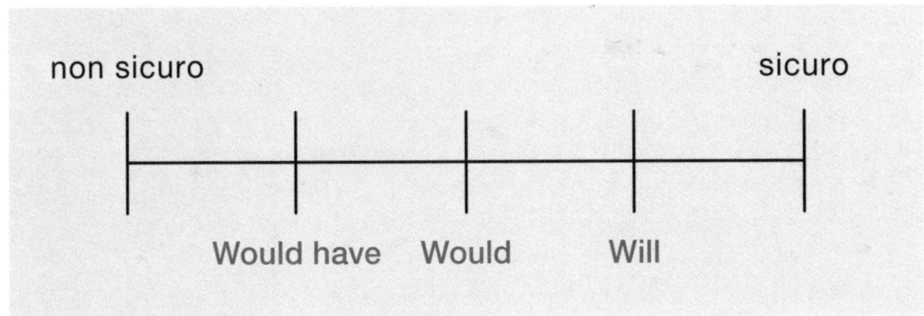

Would, come could, è uguale per tutte le persone ed è seguito dall'infinito del verbo senza il to. La costruzione della frase è sempre uguale:
AFFERMATIVA
I would go to the cinema.
I would like to go to the cinema.
NEGATIVA
I would not/wouldn't go to the cinema.
I wouldn't like to go to the cinema.
INTERROGATIVA e SHORT ANSWERS
Would you go to the cinema? Yes, I would./No, I wouldn't.
Would you like to go to the cinema? Yes, I would./No, I wouldn't.
(Nella forma affermativa, la domanda anticipa una risposta positiva, anche se potrebbe essere negativa.)
INTERROGATIVA NEGATIVA e SHORT ANSWERS
Wouldn't you go to the cinema? Yes, I wouldn't./No, I would.
Wouldn't you like to go to the cinema? Yes, I wouldn't./No, I would.
(Nella forma negativa, la domanda teme una risposta negativa, anche se potrebbe essere positiva.)

IL CONDIZIONALE PASSATO DEL VERBO VOLERE (WILL)

Esattamente come per could, dopo il verbo would e il verbo to have segue il participio passato del verbo che dà il senso alla frase. Ecco come si forma:

soggetto + *would* + *have* +
participio passato

L'uso più frequente di would al passato è con la IF CLAUSE, in modo particolare con il terzo tipo che vedremo meglio presto prestissimo:
If I had listened to my mother, I would have become a doctor. Se avessi ascoltato mia madre, sarei diventato un medico.
If I went out with her, I would be happy. Se uscissi con lei sarei felice.
If I were you, I would take English lessons at John Peter Sloan – la Scuola. Se fossi in te, seguirei lezioni d'inglese a John Peter Sloan – la Scuola.
Would you eat a cat? Mangeresti un gatto?
If she had seen all the beer, she would have drunk it! Se lei avesse visto tutta la birra, l'avrebbe bevuta!

Traduci ora le seguenti frasi...

ESERCIZIO n. 67

1. Se potessi, andrei via con te. ....
2. Lo farei se potessi. ....
3. Lo faresti se potessi? ....
4. Se potessimo, ti compreremmo la macchina. ....
5. Se potesse, sposerebbe Lucy. ....

   ....
6. Se avessi i soldi, comprerei una casa. ....
7. Se potessimo, andremmo a Londra. ....
8. Se potessi venire, sarei contento. ....
9. Se avessi saputo che c'eri avrei potuto comprarti una birra e l'avrei fatto.

   ....
10. Se avessi saputo che eri a casa sarei venuto a casa tua. ....

    ....

5. **SHALL/SHOULD/SHOULD HAVE**

Shall si adopera nell'inglese della Regina (inteso come inglese standard del Regno Unito e anche come formalità) per la prima persona singolare (I) e plurale (we). Vai avanti con will, però, che ti capiscono tutti, oramai lo usiamo anche "noi".

È un'altra storia quando arriviamo al should, che si differenzia da would. Should si usa per dare un suggerimento o un consiglio. Si usa anche per esprimere un obbligo o un dovere. È un condizionale, ed è uguale per tutte le persone:

io dovrei	I SHOULD
tu dovresti	you SHOULD
lei/lui/esso dovrebbe	she/he/it SHOULD
noi dovremmo	we SHOULD
voi dovreste	you SHOULD
essi dovrebbero	they SHOULD

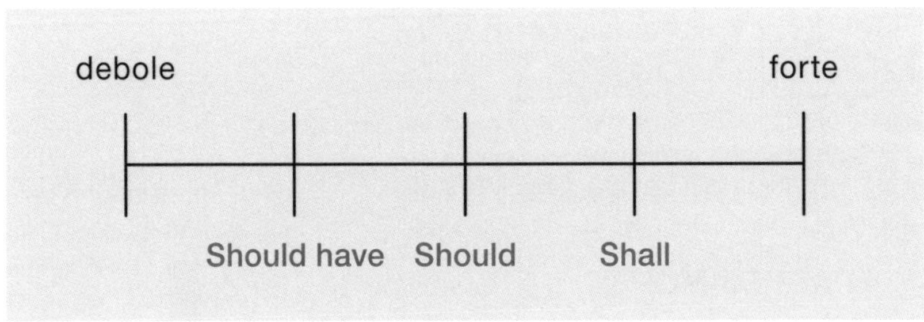

Maybe you should see Aunt Odette, today. Forse dovresti andare a visitare la zia Odette, oggi.
I should clean my desk... one of these days. Dovrei pulire la mia scrivania... uno di questi giorni.
You shouldn't eat so much. Non dovresti mangiare così tanto.

La forma delle frasi è sempre quella:
AFFERMATIVA
I should go to the cinema.
You should eat better.
NEGATIVA
I should not/shouldn't go to the cinema.
They shouldn't run in the corridor.
INTERROGATIVA and SHORT ANSWERS
Should I go to the cinema? Yes, you should./No, you shouldn't.
Should they know where you are? Yes, they should./No, they shouldn't.
INTERROGATIVA NEGATIVA and SHORT ANSWERS
Shouldn't I go to the cinema? Yes, you shouldn't./No, you should.
Shouldn't you defend me with your mother? Yes, I shouldn't./No, I should.

IL CONDIZIONALE PASSATO DEL VERBO DOVERE (SHALL)

Esattamente come per could e would, dopo il verbo should e il verbo to have deve seguire il participio passato del verbo che dà il senso alla frase. Ecco come si forma:

soggetto + *should* + *have* + participio passato

Non far passare altro tempo, esercitati subito...

TRADUCIAMO!

LA VERITÀ FA MALE...

Gary: Pensi che dovrei cambiare donna?

Mike: Dovresti essere contento, non ti prenderebbe nessun'altra donna.

Gary: Ma tu non dovresti dire così, sei mio amico!

Mike: Cosa dovrei dire? È vero!

6. OUGHT TO/OUGHT TO HAVE

Questo verbo viene usato per esprimere un comportamento appropriato, un evento previsto o una raccomandazione: se should esprime più un suggerimento, ought to indica un dovere.

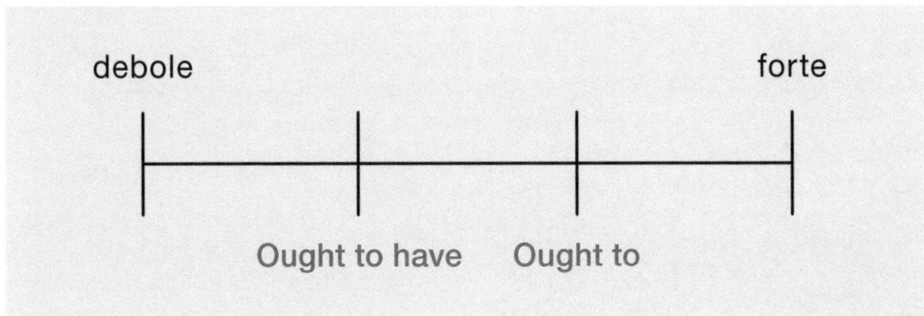

Ought to è diverso da tutti gli altri veri verbi modali ausiliari perché USA SEMPRE to (non illuderti... ho ancora una to sorpresa in serbo per te).

La FRASE AFFERMATIVA al presente è così strutturata:

soggetto + *ought to* + verbo + complemento

You ought to be more careful with other people's things. Hai il dovere di fare più attenzione alle cose degli altri.
He ought to be here soon. Dovrebbe essere qui presto. (evento previsto)

La FRASE NEGATIVA al presente è così strutturata:

soggetto + *ought** + *not* + *to* + verbo + complemento

We oughtn't to go too early, or we'll be the first people there. Non dobbiamo arrivare troppo presto o saremo i primi. (raccomandazione)

* Attenzione, non si mette to nella forma negativa nella forma colloquiale.

La FRASE INTERROGATIVA e SHORT ANSWERS al presente:

ought + soggetto + *to* + verbo + complemento

Ought we to visit Aunt Odette on the day of the dead? Yes, we ought to./No, we oughn't. (La forma è possibile, ma diremmo, invece: No, we don't have to.) Dovremmo visitare zia Odette il giorno dei morti? (visto che è mezza morta...)

La FRASE INTERROGATIVA NEGATIVA e SHORT ANSWERS al presente:

ought + *not* + soggetto + *to* + verbo + complemento

Oughtn't we to visit Aunt Odette, today? (Anche qui la risposta al negativo si ingarbuglia, meglio mettere la risposta al positivo e, per la risposta negativo, cambiare addirittura verbo: Yes, we ought to./No, we don't have to.)

La FRASE AFFERMATIVA al passato è così strutturata:

soggetto + *ought to have* + participio passato + complemento

We ought to have called grandma on Christmas Day.

La FRASE NEGATIVA al passato è così strutturata:

soggetto + *ought* + *not* + *to have* + participio passato + complemento

We ought not to have gossiped (spettegolare) about her.

La forma INTERROGATIVA e SHORT ANSWERS al passato:

ought + soggetto + *to have* + participio passato + complemento

Ought we to have gone to the store, first? No, we ought not to have.

La forma INTERROGATIVA NEGATIVA e SHORT ANSWERS al passato:

ought + *not* + soggetto + *to have* + participio passato + complemento

Oughn't we to have read that book, already?

Using it!

by now	oramai
roof	tetto
fix	riparare

ESERCIZIO n. 68

1. Dovrei parlare con il capo di questo. ....
2. Avrebbe dovuto portare il cane fuori prima delle 19.00. ....

   ....
3. Sarebbe dovuto venire oramai. ....
4. Dovrei riparare il tetto prima dell'inverno. ....
5. Sarei dovuta andare a vedere la zia. ....

Vi confesso che non uso MAI ought to, uso sempre should e vi consiglio di fare come me, a meno che non incontriate un Lord!!!

7. HAD BETTER (FARESTI MEGLIO)

E ora passiamo a un'altra di quelle situazioni che si presentano in inglese che vi farà venire voglia di urlarmi contro "perché?"...
Qui usiamo una forma al passato per esprimere un obbligo futuro; oddio, non suona bene nemmeno se lo scrivo. Ma ascolta, in questo caso non pensare a had come alla forma passata del verbo to have, pensalo semplicemente come una parola a sé. Già, lo so che non è facile, ma provaci.

Had better è usato per dare un forte consiglio o per dire a qualcuno cosa fare (inclusi se stessi). Diamo una rapida occhiata alle diverse forme, in questo caso usando l'infinito senza il to.

La FRASE AFFERMATIVA al presente è così strutturata:

soggetto + *had better* + verbo + complemento

You'd* better get home before your father does, or you are in trouble. Faresti meglio a tornare a casa prima di tuo padre, o sei nei guai.
It had better be good! (La cena, il film, la scusa di John a Concy...) Sarebbe meglio per tutti se fosse buono.

La FRASE NEGATIVA al presente è così strutturata:

soggetto + *had better* + *not* + verbo + complemento

You'd* better not play football in your best trousers (USA: pants).
NON: ~~You hadn't better play football in your best trousers.~~
Faresti meglio a non giocare a calcio indossando i tuoi pantaloni migliori.

* Nota l'uso della contrazione: nelle forme affermativa e negativa è molto comune contrarre had.

La FRASE INTERROGATIVA e le SHORT ANSWERS sono così strutturate:

do + soggetto + verbo + soggetto + *had better* + verbo + complemento

Do you think/believe/see/understand/get… we had better leave the hotel? Yes, I do./No, I don't. Credi che faremmo meglio ad andare via dall'albergo? Sì, lo credo./No, non lo credo.

NOTA che anche qui, nel negativo la risposta cambia verbo.

La FRASE INTERROGATIVA NEGATIVA e le SHORT ANSWERS sono così strutturate:

had + *not* + soggetto + *better* + verbo + complemento

Hadn't we better leave the hotel? Yes, we had better./No, we don't have to.

do + *not* + soggetto + verbo + soggetto + *had better* + *leave* + complemento

Don't you think/believe/see/understand/get… we had better leave the hotel?
Non credi che faremmo meglio ad andare via dall'albergo?
Anche qui per le short answers ti consiglio di sgattaiolare via, mettendo al positivo o cambiando verbo principale, è quello che faremmo noi:
Yes, I do./Yes, we ought to./Yes, we should…

Using it!

bottle	bottiglia
VERBS	
to fawn over	adulare
to indulge/humour	assecondare

ESERCIZIO n. 69

1. Non pensi che sarebbe meglio mandargli una bottiglia di champagne? ....
   ....
2. Faremmo meglio a tornare prima che faccia buio. ....
   ....
3. Farei meglio a studiare inglese. ....
4. Non faremmo meglio ad adulare il capo? ....
5. John non farebbe meglio ad assecondare la Concy? ....
   ....

8. MUST AND HAVE (GOT) TO

Entrambi significano «DOVERE», ma si utilizzano in situazioni differenti e con sfumature diverse. Vediamoli uno per volta.

MUST Si utilizza quando la decisione di fare qualche cosa viene presa da chi parla o l'ordine è impartito da chi parla. È seguito da un verbo e non si usa MAI to.

La costruzione della frase è sempre uguale:
AFFERMATIVA
I must go to the cinema by tram.
NEGATIVA
I must not/mustn't go to the cinema by tram.
INTERROGATIVA e SHORT ANSWERS
Must I go to the cinema by tram? Yes, I must / No, I mustn't.
INTERROGATIVA NEGATIVA Non esiste con must… devi saltare a have to…

HAVE (GOT) TO Si utilizza quando si tratta di una regola imposta dall'esterno, che non dipende da chi parla. Have (got) to qui è il verbo principale, non un ausiliare e dunque si possono fare le forme negative e interrogative con do/does. È seguito da un verbo e si deve SEMPRE inserire to.

Ehi, hai notato la parola got? All'ennesima pagina, dopo che l'abbiamo già visto, eccola di nuovo rinnovata. Invece di significare meramente «avere», ora si arricchisce con un senso di «dovere»:
You've got to change your evil ways, baby! (Santana)

La costruzione della frase, ancora, è come segue:
AFFERMATIVA
I have (got) to go to the bathroom.
NEGATIVA
I don't have to go to the bathroom.
I haven't got to go to the bathroom.
INTERROGATIVA e SHORT ANSWERS
Do you have to go to the bathroom? Yes, I do./No, I don't.
Have you got to go to the bathroom? Yes, I do./No, I don't.
INTERROGATIVA NEGATIVA e SHORT ANSWERS
Don't you have to go to the bathroom? Yes, I do./No, I don't.
Haven't you got to go to the bathroom? Yes, I do./No, I don't.

Stessa confusione e, almeno qui, le usanze (sbagliate) colloquiali della risposta short answer... a una domanda negativa... forse è meglio evitarle...

Usiamo MUST e HAVE (GOT) TO anche per esprimere una deduzione certa al positivo.
(DIN-DON) That must be/has (got) to be the postman (postino).
That must be./Has (got) to be true!

SECRETS THAT WE KEEP

Psssst, vuoi sapere una cosa?
Forse non dovrei dirti questo, specialmente prima degli esercizi, ma... spesso in realtà usiamo must e have to in modo intercambiabile. Non badare a me, però, quando vai a fare le traduzioni.
MUST si coniuga nello stesso modo per tutte le persone, mentre HAVE TO, usato qui come verbo principale e non come un ausiliare, segue la coniugazione del verbo TO HAVE, of course!

I MUST	I HAVE TO
you MUST	you HAVE TO
she/he/it MUST	she/he/it HAS TO
we MUST	we HAVE TO
you MUST	you HAVE TO
they MUST	they HAVE TO

Presente	Passato	Futuro	Negativo
have (got) to	had (got) to	will have to	don't have to
must	had to	will have to	must not/mustn't

Cheryl: Joe, if you want to leave early, you HAVE TO tell the boss.
Joe, se vuoi andare via presto devi dirlo al capo. (Non è Cheryl che dice a Joe che deve informare il capo, è il capo che lo impone.)

Boss: If you want to leave early, you MUST tell me.
Se vuoi andare via presto, devi dirmelo. (In questo caso è proprio il capo che parla, che impone l'azione.)

Ora traduci, e per farlo, concentrati su chi parla e chi impone l'azione a chi. Chiaro, no? Occhio al to!

ESERCIZIO n. 70

1. Devo prendere i bambini da scuola. ....
2. Devo fumare meno! ....
3. Devo prendere la patente se voglio guidare qui. ....

   ....
4. Devi pagare le tasse. ....
5. Devi aiutarmi di più! ....

... ANOTHER SECRET

C'è una frase che è utilissima per capire bene would, could e should... Cerca di ricordarla:

Jenny: Are you coming with me?
Darren: I would if I could and I should, but I can't, so I won't.
Verrei se potessi e dovrei, ma non posso, perciò non lo farò.

La stessa frase al passato è ancora peggio, guarda che roba!?
I would have, if I could have, and I should have, but I couldn't, so I didn't. Sarei venuto se avessi potuto e avrei dovuto, ma non potevo, perciò non l'ho fatto.

Non ti preoccupare, anche noi inglesi dobbiamo pensarci due volte prima di dirla!

Ed è giunto il momento di una storiella divertente, in cui ritroverai tutti i modali.

TRADUCIAMO!

E SE ANDASSI DOMANI?

Se riesco ad andare in ospedale a trovare Franco, oggi vado. Sarei andato ieri, ma ho lavorato. Potrei chiedere a Tommy di venire con me. Andrei da solo, ma non ho la macchina. Devo andare oggi, e dovrei portare un regalo. Qualcosa che a Franco piacerà. Fiori? Una mela? Una bionda? Dovrei chiedere un consiglio a sua mamma. Il medico ha detto che dovrà stare in ospedale per due settimane. Io non potrei stare in ospedale, diventerei pazzo. Può darsi che sia già pazzo.
Non sarebbe meglio andare domani? Non vorrei andare lì adesso, magari sta dormendo. Basta che non vada per niente. Dovrei rimanere o dovrei andare? Franco si offenderebbe se non andassi? Non vorrei che si offendesse. Devo andare, sì! Alla fine della fiera, ero io che l'ho spinto giù dalla scala. Ma se avessi saputo che si rompeva la gamba, non l'avrei fatto! Non vado.

If 7.2

È proprio il caso di dire che sto per introdurvi nel "meraviglioso mondo di IF". Il suo significato è «SE».
Naturalmente, non tutto quello che si vuole fare o non fare è certo, e if, in inglese, serve proprio per introdurre l'incertezza, l'ipotesi e la possibilità...

Ci sono quattro if in inglese, differenti in base a ciò che esprimono e agli scopi molto diversi per cui vengono utilizzati. Ora li vediamo uno per uno...

1. POSSIBILITÀ REALE

Il primo if riguarda le possibilità vere e reali.

If the money arrives, I will go to the Maldives. Se mi arrivano i soldi, andrò alle Maldive.
In questo caso c'è una concreta possibilità che arrivino i soldi e, se arriveranno, è una certezza che andrò alle Maldive!

REGOLA In questa prima if la frase introdotta da if vuole il simple present, mentre la frase principale vuole il futuro (will).

If I go to the party, I will take my friend. Se vado alla festa, porterò il mio amico. (È chiaro che c'è una vera possibilità che chi parla vada alla festa.)
If I see her, I will tell her hello for you. Se la vedo, la saluterò per te.
If I don't do it now, I'll never do it. Se non lo faccio ora, non lo farò mai.
If you come this way, I'll show you your room. Se viene con me, le faro vedere la sua stanza.
If I bring a friend, will it be O.K.? Se porto un amico, ti starà bene?

2. IPOTESI PURA

Il secondo if non riguarda una realtà specifica, ma un'ipotesi vera e propria.

If a lot of money arrived, I would go to the Maldives. Se mi arrivassero tanti soldi, andrei alle Maldive.

In questo caso chi parla non si riferisce a una reale possibilità, ma vuole semplicemente esprimere un desiderio, una cosa che gli piacerebbe tanto fare.

If I were a rich man, I would.... Una canzone meravigliosa dal film *Il violinista sul tetto.*
If I saw her, I would run. Se la vedessi, correrei via.
If you should (passato) see her, would you tell her HI for me, please? Se tu dovessi vederla, potresti salutarla per me, per favore?
If you would (passato) do that for me, that would (condizionale) be great! Se potessi farmelo, sarebbe meraviglioso.
If I went to the party, I would take my friend. Se venissi alla festa, porterei il mio amico.
(In questo caso si capisce che chi parla probabilmente non ha nessuna intenzione di andare alla festa, ma vuole semplicemente mettere in chiaro che, eventualmente, porterebbe un amico.)

REGOLA In questa seconda if la frase introdotta da if vuole il simple past, mentre la frase principale vuole il condizionale: would (condizionale di will), could (condizionale di can), might (condizionale di may)... ma per i nostri esercizi è meglio usare sempre would e vai tranquillo.

If I were you, I would take lessons at John Peter Sloan – la Scuola. Se fossi in te, seguirei lezioni a John Peter Sloan – la Scuola.

Hai notato due cose?

PRIMO: noi usiamo il passato dove avresti usato il congiuntivo. Per noi il passato usato se la situazione non è passata diventa una specie di congiuntivo.

SECONDO: perché were quando il soggetto è nella prima persona singolare? Dovrebbe essere was, no? In verità, nell'inglese della Regina si preferisce was, anche se si può usare were (preferito dagli americani) per distanziare ancora di più il discorso dalla realtà, per renderla più... "congiuntiva". Rilassati. Succede solo e unicamente con to be e solo e unicamente in questo tipo di frase if. Sollevato?

COURTESY 2.0

Una promessa è una promessa. Prima abbiamo visto WILL (*vedi* pag. 143) come forma di cortesia, ma ora ti faccio vedere come davvero si può essere gentili. Usando WOULD! Vediamo le stesse frasi perché tu possa fare un confronto tra le due forme:

A: Mi passeresti la penna? Would you pass me the pen?
B: Certamente! Of course!

A: Apriresti la finestra, per favore? Would you open the window, please?
B: No! Aprila tu! No! You open it!
A: Mi lasceresti, per favore? Would you leave me, please?
B: No, non ti lascerò mai! (Ah, ah, ah!) No, I will never leave you! (promessa o minaccia...?)

3. IF PASSATO

Il terzo if riguarda un'azione o una possibilità che è ormai esaurita.

If the money had arrived, I would have gone to the Maldives. Se fossero arrivati i soldi, sarei andato alle Maldive.
In questo caso non si può cambiare il passato, ma si vuole esprimere un'azione nel passato, ovvero una possibilità, che non si è verificata.

REGOLA In questa terza if la frase introdotta da if vuole il past participle, mentre la frase principale vuole il condizionale passato (would have, could have, might have... ma per il momento vai tranquillo con would have).

If I had had the opportunity, I would have married him. Se avessi avuto l'opportunità, lo avrei sposato.
(In questo caso si capisce che la possibilità per chi parla di sposare him non è mai esistita, il treno è passato e chi parla lo ha perso!)
If I had known ahead of time, I wouldn't have bothered to come. Se avessi saputo prima, non mi sarei disturbato a venire.

4. IF 0/ZERO INCERTEZZE

Il quarto if, che io chiamo anche più semplicemente "if in generale", esprime dei fatti reali o delle verità assolute, molto spesso inevitabili, con zero incertezze.

If I drink a lot of wine, I fall. Se bevo tanto vino, cado.
If it rains, I take my umbrella. Se piove, porto il mio ombrello.
In questo caso si vogliono esprimere solo delle azioni correlate e inevitabili.

REGOLA In questa quarta if per qualcosa nel presente o per una specie di realtà categorica la frase introdotta da if vuole il simple present, esattamente come la frase principale.

WHEN/WHENEVER

Utilizzabile in sostituzione a if, in questo caso, c'è anche WHEN/WHENEVER, che significa «quando».
When/Whenever I see her, I am happy. Quando vedo lei, sono contento.

Il bello è che puoi anche parlare di cose nel passato a patto che usi sempre when o whenever (mai if) e che tutte due le parti della frase usino lo stesso tempo verbale, il simple past:
Whenever I drank a lot of wine, I fell. Quando bevvi molto vino, caddi.
Whenever it rained, I took my umbrella. Quando piovve, presi mio ombrello.
Whenever I saw Concy, I got a case of the hives. Quando vidi Concy, mi venne l'orticaria.

Per riassumere, in poche parole... quando sente if l'ascoltatore inglese sta molto attento al tempo del verbo principale della frase, per vedere se la cosa che sta ascoltando riguarda la realtà oppure no... e se sente had (past participle del verbo to have) manda il suo cervello nel passato.

Ora traduciamo seguendo i meccanismi indicati sopra. Nelle varie conversazioni, ogni frase contiene un IF diverso.

TRADUCIAMO!

Se, se, se...

1. Tom: Se trovo lavoro, comprerò una macchina.
   Tim: Se l'avessi saputo ieri ti avrei venduto la mia.
   Tam: Se sapessi guidare, comprerei una macchina bella e veloce.
2. Sara: Se ho i soldi, andrò a New York questa estate.
   Giulia: Se avessi il tempo, verrei con te.
   Lisa: Se avessi avuto tempo e soldi, sarei andata a New York l'anno scorso.
3. Concetta: Se vieni con me, sarò felice.
   Emma: Se me l'avessi chiesto prima, ti avrei detto di sì.
   Carmen: Se l'avessi chiesto a me, sarei venuta.
4. Football coach (allenatore di calcio) and player (giocatore)
   FC: Se giochi ancora come sabato perderemo.
   P: Giocherò bene, vedrai.
   FC: Mi dispiace, volevo dire (ipotesi pura): se tu giocassi oggi, giocheresti male.
   P: Perché? Non gioco? (azione programmata).
   FC: No!

Using it!

could be	potrebbe essere
gold mine	miniera d'oro
office	ufficio
area	zona
owner	proprietario
sorry	mi dispiace
exhibition centre	fiera
VERBS	
to get rich	diventare ricco

Adesso ecco una storiella da tradurre, facendo attenzione a quale IF usare ogni volta e, remember, è un gioco!!

TRADUCIAMO!

La grande possibilità

Stavo camminando con Carlo quando abbiamo visto un bar.
Il bar era vecchio e brutto, ma io ho detto: «Quel bar potrebbe essere una miniera d'oro, guarda quanti uffici ci sono qui in zona. Se avessi i soldi comprerei quel bar e diventerei ricco!».
Carlo, a differenza di me (guarda le preposizioni!) ha tanti soldi, quindi all'ora di pranzo è andato al bar e ha chiesto al proprietario: «Venderesti questo bar?».
Il proprietario ha risposto: «Io lo venderei, ma devo chiedere a mia moglie, chiamami alle 18…».
Dopo, in ufficio, Carlo ha detto: «Se mi vende quel bar diventerò ricco!».
Alle 18 Carlo ha chiamato il proprietario, ma il proprietario ha detto: «Mi dispiace, ma mia moglie non vuole vendere!».
Un mese dopo il Comune di Milano ha deciso di aprire una nuova fiera vicino a quel bar.
Carlo era triste. «Se mi avesse venduto quel bar sarei diventato ricco!» ha detto.

EVERYTHING or NOTHING

every	ogni
everything	tutto
everybody	tutti (persone)
nothing	niente
nobody	nessuno (persone)
something	qualcosa
somebody	qualcuno

ESERCIZIO n. 71

1. Se tutti vanno al cinema, io rimango a casa. ....
2. Hai qualcosa nell'occhio. ....
3. Voglio comprare qualcosa per te. ....
4. Qualcuno ha mangiato il mio gelato! ....
5. Nessuno vuole venire con me! ....
6. Non ho niente da nascondere! ....
7. Ti darei tutto, ma non ho niente! ....
8. Ogni giorno spero che tu arrivi. ....
9. Ogni volta che vado lì torno stanco. ....
10. Qualche volta mi chiama! ....
11. Tutto quello che faccio, lo faccio per te. ....
12. Tutti hanno bisogno di qualcuno da amare. ....
13. Nessuno mi capisce. ....
14. Ho bisogno di qualcuno, a volte. ....
15. Se mangi qualcosa, ti sentirai meglio. ....

Verb patterns 7.3

Come in italiano, in cui un verbo vuole o non vuole il “di” prima dell’infinito che lo segue, anche in inglese ci sono verbi che vogliono essere trattati in una certa maniera. Alcuni verbi, se li fai seguire da un altro verbo, vogliono l’infinito + to, altri vogliono l’infinito senza to e altri ancora vogliono la forma -ing, sempre senza to.

Come fai a sapere cosa fare? Prima di tutto ti do’ due dritte qui. Se vuoi approfondire l’argomento puoi sempre ricorrere a *Instant English 2.*

VERB SENZA TO

Nel primo gruppo dei verbi che NON VOGLIONO MAI TO CON L’INFINITO, si trovano:
to let, to dare, to need not, had better, e, come can, quasi tutti i modali.

Let me see that, please. Fammi vedere quello, per favore.
I don’t dare ask John to sing at my party. Non oso chiedere a John di cantare alla mia festa.
I had better call my grandmother, or she’ll be mad. Dovrei chiamare la nonna, altrimenti si arrabbia.
I can come on Thursday, thanks! Posso venire giovedì, grazie!

TO + VERB

Nel secondo gruppo dei verbi che, invece, VOGLIONO SEMPRE L’INFINITO + TO, si trovano:
to ask, to choose, to decide, to hope, to learn, to need, to promise, to want, used to e i modali would like, would love, ought e have (quest’ultimo quando è utilizzato come un quasi-modale).

I need to ask him to come tomorrow. Devo chiedergli di venire domani.
I decided to go only yesterday. Ho deciso di andare solo ieri.
I chose to go, yesterday. Ho scelto di andare ieri.
I hope to learn to speak English, well. Spero di imparare a parlare bene l’inglese.

I promise to do all my homework! Prometto di fare tutti i compiti!
I want to go home! Voglio andare a casa!
I would like/love to have a pet. Mi piacerebbe (un sacco) avere un animale domestico.
I ought to call my grandmother. Dovrei chiamare la nonna.
I have to do that report by Friday. Devo fare quel rendiconto entro venerdì.
Before he met Concy, John used to go to the pub every night. Prima di incontrare Concy, John andava ogni sera al pub.

VERBO -ING

Nel terzo gruppo ci sono I VERBI CHE VOGLIONO ESSERE SEGUITI SEMPRE DA -ING:
to adore, to avoid, to be used to, to consider, to dislike, to enjoy, to finish, to suggest.

I adore studying English with *Instant English 1*. Adoro studiare inglese con *Instant English 1*.
I avoid negative people like the plague. Evito persone negative come (se fossero) la peste nera.
Before he met Concy, John was used to going to the pub every night. Prima di incontrare Concy John aveva l'abitudine di andare al pub ogni sera.
She considers buying a new car every spring. Ogni primavera si considera l'acquisto di una nuova macchina.
Concy dislikes telling John where she's been. A Concy non piace dire a John dove è stata.
John enjoys drinking beer. A John piace bere birra.
When John finishes drinking his beer, he is sad. Quando John finisce di bere la sua birra è triste.
Concy suggests going to New York. Concy suggerisce di andare a New York.
Tutte le PREPOSIZIONI e tutti i PHRASAL VERBS, poi, VOGLIONO SEMPRE LA FORMA -ING. Perché anche i phrasal verbs? … Perché finiscono con una preposizione, è ovvio, no?
after, before, of…, to give up, to let down…

Before going to the Maldives, I want to get a bit of a tan. Prima di andare alle Maldive vorrei abbronzarmi un po'.

VERB PATTERNS

After coming home from the Maldives, I will need sun burn medicine. Dopo essere tornato dalle Maldive, avrò bisogno di una crema per le scottature solari.
I give up trying to get a suntan. Rinuncio ad abbronzarmi.
John let Concy down going to the local pub instead of to New York. Andando al pub invece di andare a New York, John ha deluso Concy.

Ma anche qui ci sono eccezioni tipo...
Before going out to play, clean your room! Prima di uscire per giocare, pulisci la tua stanza!
Before going out playing, clean your room! Prima di uscire a giocare, pulisci la tua stanza!

Ci sono, poi, alcuni verbi birichini che possono prendere l'infinito + to o la forma -ing. Alcuni hanno talmente poca differenza di significato che anche noi inglesi non ci badiamo. Bo', forse la forma infinito + to è più formale, mentre la forma -ing è più attiva. Alcuni dei più comuni sono:
to continue (continuare), to hate (odiare), to help (aiuta), to intend (essere deciso di), to like (gradire), to love (amare), to play (giocare), to prefer (preferire)...

She loves going to the stores every day. (Concy gentilmente mi ha suggerito questo esempio)
She loves to go to the stores every day. (magari, con il mio portafoglio)
After a sunburn, it helps to go to the doctor.
After a sunburn, it helps going to the doctor.
Al contrario, ci sono altri verbi ancora più birichini che possono prendere l'infinito + to o la forma -ing, ma che cambiano tantissimo in significato (Oh, cielo...):
to start (cominciare), to stop (finire), to forget (dimenticare), to remember (ricordarsi)...

I started fishing at dawn. Ho cominciato a pescare all'alba (e sto ancora pescando).
I started to fish at dawn. Ho cominciato a pescare all'alba (ma qualcosa mi ha interrotto, perciò ho smesso e non sto più pescando).
I remember walking in the park. (Mi ricordo quando ero piccolo e camminavo nel parco insieme al mio adoratissimo nonno, che bei ricordi, roba del passato!)

I remember to walk in the park. (Il mio medico mi ha detto di camminare nel parco ogni giorno perché sto ingrassando, roba di questo periodo o del futuro prossimo.)
I stopped to smoke. (Facevo una cosa e mi sono fermata solo per un attimo per fumare una sigaretta.)
I stopped smoking. (Ho smesso di fumare per sempre… o almeno fino alla prossima incavolatura…).

E cavolo, come puoi sapere se cambia il significato o no o se è l'eccezione alla regola? Devi consultare un buon dizionario (ti suggerisco un *Advanced Learner's Dictionary…* con tanti esempi di frasi complete e molti altri vantaggi!) e farti una bella lista delle parole che ti servono più spesso. Non c'è altro modo… ahimè!

Dai, fai qualche bell'esempio per tirarti su!

Using it!

bathroom	bagno
kitchen	cucina
homework	compito
thing	cosa
nonsense	sciocchezze
same	stesso
music	musica
bad impression	brutta figura (to make a)
in a loud voice	a voce alta

VERBS

to go out	uscire
to listen to	ascoltare
to repeat	ripetere
to help	aiutare
to pass	passare/superare

ESERCIZIO n. 72

1. Prima di uscire, pulisci il bagno e la cucina. ....

 ....

2. Andai a scuola senza aver fatto i compiti. ....

 ....

3. Perché dimentichi di chiamare la tua mamma? ....

 ....

4. Smettila di ripetere le stesse parole. ....

 ....

5. Invece di giocare a tennis, perché non studi? ....

 ....

6. Siamo abituati ad ascoltare le sue sciocchezze! ....

 ....

7. Sono stufi di ripetere sempre le stesse parole. ....

 ....

8. Perché dimentichi di aver chiamato la tua mamma? ....

 ....

9. Abbiamo paura di fare una brutta figura. ....

 ....

10. Ho finito di pulire il bagno. ....

 ....

STEP **8**

8.1 **Passive form**
Forma affermativa
Forma negativa
Forma interrogativa

8.2 **That vs. which, et al.**

8.3 **Reported speech**

Passive form 8.1

Ti dicono nei corsi di scrittura di evitare il passivo e, in genere, è quello che suggerirei anch'io, ma ci sono momenti nei quali serve davvero... principalmente per due ragioni.

PER SCARICARE RESPONSABILITÀ

Unfortunately, I delayed the report. Purtroppo, ho ritardato il resoconto. (Mettendo la frase all'attivo prendo chiaramente le mie responsabilità, ma non fa sempre comodo.)
Unfortunately, the report was delayed. Purtroppo, il resoconto è stato ritardato. (Aaaah, molto meglio. Comunico la cosa che, ehm, considero più importante – il ritardo del rapporto – e non menziono neanche il mio ruolo nel ritardo.)
Si usa spesso il passivo in discorsi politici...

TrenItalBoh's trains make too much noise. I treni di TrenItalBoh hanno la responsabilità di fare troppo rumore.
Too much noise is made by the trains (of TrenItalBoh). Troppo rumore (fastidioso) è generato dai treni (volendo, si può anche dire "di TrenItalBoh").

PER CAMBIARE ENFASI

My grandmother painted the picture. Mia nonna ha dipinto il quadro. (Talmente normale che non mette nessun tipo di enfasi da nessuna parte.)
The picture was painted by my grandmother. Il quadro fu dipinto da mia nonna. (Voglio sottolineare che è stata la mia carissima nonna a dipingere il quadro.)

I run the store. Io gestisco il negozio.
The store is run by me. (Anche se la traduzione esatta sarebbe «Il negozio è gestito da me», il vero senso è: «Sono IO che gestisco il negozio».)

In una frase passiva l'oggetto e il soggetto si scambiano il posto. L'oggetto del verbo attivo diventa il soggetto del verbo passivo. Si fa anche in italiano, non dovrebbe darti troppi problemi... spero... Come in italiano, si usa una preposizione – BY – per indicare l'agente... l'ex soggetto attivo, insomma.
A: Dante wrote *The New Life* in 1295. Dante scrisse *La Vita Nuova* nel 1295. (enfasi: Dante)
P: *The New Life* was written by Dante in 1295. *La Vita Nuova* fu scritta da Dante nel 1295. (enfasi: *La Vita Nuova*, 1295)

1. FORMA AFFERMATIVA

La FORMA AFFERMATIVA è così strutturata:

soggetto (ex-oggetto) + *to be* +
participio passato + agente (ex-soggetto)

ATTENZIONE perché i tempi non sono ristretti al present simple e al past simple. Guardiamo alcuni esempi:

PRESENT SIMPLE
A: Music fills my soul. La musica mi riempie l'anima.
P: My soul is filled by music. La mia anima è riempita/esaltata dalla musica.

PRESENT CONTINUOUS
A: The river is filling the lake. Il fiume sta riempendo il lago.
P: The lake is being filled by the river. Il lago è in corso di essere riempito dal fiume.

PAST SIMPLE
A: I did my homework. Ho fatto i miei compiti.
P: My homework was done by me. I miei compiti sono stati eseguiti da me. (e voglio vedere…)

PRESENT PERFECT
A: John's new album has moved many listeners to tears. Il nuovo disco di John ha commosso molti ascoltatori fino alle lacrime.
P: Many listeners have been moved to tears by John's new album. Molti ascoltatori sono stati commossi fino alle lacrime dal nuovo album di John. (…lacrime di…?)

FUTURE SIMPLE
A: The students at John Peter Sloan – la Scuola will shoot videos on Thursday. Giovedì gli studenti a John Peter Sloan – la Scuola gireranno i video.
P: Videos will be shot on Thursday by the students at John Peter Sloan – la Scuola. Giovedì i video saranno girati dagli studenti a John Peter Sloan – la Scuola.

FUTURE CONTINUOUS
A: John will be singing many songs during a concert in Cesano Maderno. John canterà molte canzoni durante un concerto a Cesano Maderno.
P: Many songs will be sung by John during a concert at Cesano Maderno. Molte canzoni saranno cantate da John durante un concerto a Cesano Maderno.

AFFECT vs. EFFECT

A: The recent bad weather affected the crops, so he effected a change in plans. Il recente cattivo tempo ha colpito il raccolto, perciò lui ha effettuato un cambiamento nei programmi.

P: The crops have been affected by the bad weather, so a change in plans was effected by him. Il raccolto è stato danneggiato dal cattivo tempo perciò è stato effettuato un cambiamento nei programmi da lui.

2. FORMA NEGATIVA

La FORMA NEGATIVA è così strutturata:

soggetto (ex-oggetto) + *to be* + *not* + participio passato + agente (ex-soggetto)

Dai, non farmi rifare tutti gli esempi. Eccone uno per tutti, il present perfect:
A: I have not written a scathing note to my noisy neighbour. Non ho scritto un biglietto molto aspro al mio rumoroso vicino di casa.
P: A scathing note to my noisy neighbour was not written by me. Un biglietto molto aspro al mio vicino di casa non fu scritto da me.

3. FORMA INTERROGATIVA

La FORMA INTERROGATIVA e SHORT ANSWERS sono così strutturate:

to be (½) + soggetto (ex-oggetto) + *to be* (½) + participio passato + agente (ex-soggetto)

Anche qui, un po' di pietà, per favore, un esempio per tutti, scegliamo questa volta il present continuous:
A: Is she doing the work properly? Yes, she is./No, she isn't. Sta facendo bene il lavoro? Sì, bene./No, male.
P: Is the work being done properly by her? Yes, it is./No, it isn't. Il lavoro in corso è fatto bene da lei? Sì, lo è./No, non lo è.

La FORMA INTERROGATIVA NEGATIVA e SHORT ANSWERS sono così strutturate:

to be (½) + *n't* + soggetto (ex-oggetto) + *to be* (½) + participio passato + agente (ex-soggetto)

Diventa un po' più complicato qui, facciamo un esempio facile facile con il past simple:
A: Wasn't it John who made the puzzle?/Didn't John make the puzzle? Yes, he did./No, he didn't. Non è stato John a creare il puzzle? Sì, è stato lui./No, non è stato lui.
P: Wasn't the puzzle made by John? Yes, it was./No, it wasn't. Non è stato creato da John il puzzle? Sì, lo è stato./No, non lo è stato.

Se vuoi approfondire di più, puoi sempre consultare *Instant English 2*.

That vs. which, et al. 8.2

CHE?! Precisamente!
Vi è chiaro come funziona? No? Allora, approfondiamo un po'.
Per fortuna, funziona uguale uguale all'italiano solo che, per dire CHE devi scegliere tra THAT e WHICH. Non è ancora chiaro? OK, proviamo così...

INDIVIDUA/RESTRINGE IL CAMPO

CHE si traduce con THAT SENZA VIRGOLA PRECEDENTE, esattamente come in italiano. Lo usi quando stai puntando un dito virtuale a qualcosa (o qualcuno) per individuare esso o essa tra un gruppo di simili:
The new book that was written by John is coming out, soon. Il nuovo libro che è stato scritto da John esce presto.
INFORMAZIONI IMPORTANTI: nuovo libro, John come autore, quando esce
PRESUME: che ci siano tanti altri nuovi libri, ma l'unico di essi scritto da John, quello che ti interessa, è l'unico che esce presto.

Funziona anche con WHO...
The new John Peter Sloan – la Scuola teacher that/who* comes from Cesano Maderno is great. Il nuovo insegnante a John Peter Sloan – la Scuola che viene da Cesano Maderno è fantastico.
INFORMAZIONE IMPORTANTE: nuovo insegnante a John Peter Sloan – la Scuola, Cesano Maderno, meraviglioso
PRESUME: che ci siano molti nuovi insegnanti a John Peter Sloan – la Scuola, ma c'è solo uno che viene da Cesano Maderno, ed è meraviglioso

* Sia that sia who sono accettabili quando ti riferisci a una persona che stai individuando tra tante, anche se who è più formale.

... e WHOSE (prima di un sostantivo, si usa anche per le cose)
The woman whose bright red dress made my eyes hurt came to our table. La donna il cui vestito di rosso fiammante mi faceva male agli occhi è venuta alla nostra tavola.
INFORMAZIONI IMPORTANTI: donna, vestito rosso, occhi, tavola
PRESUME: che c'erano molte donne presenti, ma c'era solo una donna con un vestito di un rosso così forte che mi faceva male agli occhi, ed è proprio quella lì che è venuta alla nostra tavola... accidenti!
WHOSE tende a essere formale; per sdrammatizzare puoi adoperare, invece, WITH A: The woman with a bright red dress...

DIPENDE DAL CONTESTO

Quando non vuoi ripetere il sostantivo, puoi anche usare OF/ABOUT WHICH, OF/ABOUT WHOM e THAT...OF/ABOUT, WHEN(EVER), WHAT e devi capire dal contesto se è una clausola che punta il dito virtuale o no:
I saw the singer of/about whom you had spoken. Ho visto il cantante di cui hai parlato.
I tasted the wine of/about which they had spoken. Ho assaggiato il vino del quale hanno parlato.
I read a book that you may have heard of/about. Ho letto un libro del quale forse hai sentito parlare.
She is going to give me what I need, but what she said made me angry. Mi darà quello che mi serve, ma quello che ha detto mi ha fatto arrabbiare.
Come see me the next time when/that you are in town. Passi a vedermi la prossima volta che sei in città.
Call me when(ever) you want. Chiamami quando vuoi.

Hai capito allora che stiamo parlando dei due tipi di clausole relative?
Ci sono quelli che puntano il dito virtuale verso qualcosa o qualcuno e ci aiutano a individuare essa o esso identificando, definendo o restringendo il campo. Per questi usiamo THAT SENZA VIRGOLA. La mancanza di virgola si sente anche quando si parla, sai. Non c'è pausa. Quando si riferisce a persone, si può scegliere tranquillamente tra THAT o WHO.

Poi ci sono quelli che non puntano il dito virtuale, che non identificano, né restringono il campo. Presumono, al contrario, che la cosa (o persona) sia già identificata, che tu e il tuo interlocutore già capiate tutti e due di cosa o chi si parla. Questa clausola, introdotta CON UNA VIRGOLA PRIMA DI WHICH (e chiusa con un'altra virgola se la clausola non chiude la frase) aggiunge solo informazioni interessanti (si spera) e/o utili. La presenza della virgola si sente quando si parla... si fa una piccola pausa. Se si riferisce a persone, si deve usare WHO.

Using it!

bargain	affare
fireplace	camino
façade	facciata

Vediamo se riesci a riconoscere clausole restrittive (R) da quelle identificative (I), sei pronto?

ESERCIZIO n. 73

1. The painting, which I bought in Paris, was a bargain. R o I ?
2. The road that leads to Rome is endless. R o I ?
3. The music that was playing on the radio made me sleepy. R o I ?
4. A house, which does not have a fireplace, is not a home. R o I ?
5. The building, whose façade was painted, was pretty. R o I ?

Reported speech 8.3

A volte le persone dicono qualcosa e voi, in un secondo momento, vi trovate a voler riportare quello che hanno detto. Questo è un discorso reported (ripetuto, riportato). Può essere diretto, una specie di citazione tale quale e racchiusa tra doppie virgolette, o indiretto (indirect).

I due reporting verbs più comuni quando si fa un discorso riportato (reported speech) sono:

TO SAY She said that she wants to go back to school.

TO TELL My brother told me that our mother is ill.

DISCORSO DIRETTO

Nella citazione diretta, appiccichi un reporting verb all'inizio, alla fine o nel bel mezzo di tutto, insomma, dove ti pare, ma devi riportare tutte le parole esattamente come sono state dette e devi racchiudere tutta la citazione tra virgolette. Dato che stai riportando pari pari quello che la persona ha detto, non cambi niente, neanche i tempi dei verbi nel testo riportato (il reporting verb è sempre seguito da una virgola in una citazione diretta):
"Out", cried out Lady Macbeth in Shakespeare's play, "damn spot"!
"Out, damn spot", cried out Lady Macbeth in Shakespeare's play.
Lady Macbeth cried out, "Out, damn spot!", in Shakespeare's play.

"The AperiChat of John Peter Sloan – la Scuola", she whispered breathily, "is tonight".
"The AperiChat of John Peter Sloan – la Scuola is tonight", she whispered breathily.
She whispered breathily, "The AperiChat of John Peter Sloan – la Scuola is tonight".

DISCORSO INDIRETTO

Se non vuoi (o non puoi) riportare il discorso esattamente come è stato detto (breathily – ansimante – o no) puoi fare una citazione indiretta usando anche gli stessi reporting verbs e la citazione senza virgola. Ma, dato che ti è stato detto e questo automaticamente vuole dire nel passato (anche 5 secondi fa), allora tutti i verbi sono usati al passato. Spesso usiamo that, ma è un optional: She whispered (that) the AperiChat of the John Peter Sloan – la Scuola was tonight.

Ma ci sono anche altri reporting verbs, tipo:

TO EXPLAIN (spiegare) My mechanic explained why the bill was so high.

TO DEMAND (pretendere) The prisoners demanded freedom.

TO INSIST (insistere) She insisted that I come with her.

TO COMPLAIN (lamentare) She complained that her tea was cold.

TO WARN (avvisare, nel pericolo) They warned him not to go into that room.

Come si fa? Più o meno come in italiano, aggiungi il reporting verb all'inizio e metti il resto della frase al passato. (E se è già stato usato il passato cosa devi fare? Usare un tempo passato ancora di più nel passato.)
Main statement: I come from Manchester.
Reported statement: He said he came from Manchester.
I'm having a shower. She said she was having a shower. Ha detto che stava facendo una doccia.
We lost the match. They said they had lost the match. Hanno detto che avevano perso la partita.
I've never been to South Africa. He told me he had never been to South Africa. Mi ha detto che non era mai stato in Sud Africa.
I can play the piano. She said she could play the piano. Ha detto che sapeva suonare il piano.
I'll see you tomorrow. She said she would see me tomorrow. Mi ha detto che mi avrebbe visto domani.

SAY/TELL ... SPEAK/TALK

SAY and TELL significano entrambi «DIRE».
To say si usa in una conversazione in generale, mentre to tell è «informare», «dare ordine», «raccontare».

Dopo il verbo TO TELL non si mette mai la preposizione to tra il verbo e la persona alla quale stai comunicando le informazioni, per cui la persona che segue tell e alla quale comunichi qualcosa è legata direttamente al verbo.
Tell me a joke. Raccontami una barzelletta.
Don't tell Lucy I love her. Non dire a Lucy che l'amo.
I told him to go.* Gli ho detto di andarsene.

* Qui to non è una preposizione, ma fa parte dell'infinito.

E se, invece, interponi l'oggetto diretto tra tell e la persona, allora ci sta un bel to: Tell the joke to me. Tell the story to him.

Il verbo TO SAY è il contrario... dopo esso, se vuoi specificare la persona o le persone con cui hai parlato devi sempre inserire to.
I said to him, "Go away!" Gli ho detto: «Vattene!».
She said to her, "Tell him the story!" Lei le ha detto: «Racconta tutta la storia!».

E ora un caso che ti farà implorare misericordia: se metti TELL dopo SAID, non hai bisogno di inserire to prima della persona oggetto diretto, anzi, non puoi, perché tutto dopo tell ora segue le regole di tell.
She said to tell him to go away. Ha detto di riferirgli di andarsene.

E cosa possiamo dire di TO TALK e TO SPEAK? Entrambi traducono «PARLARE» e sono intercambiabili: to speak è più formale:
He is talking/speaking at the conference, this morning. Parla stamattina al convegno.
Shhhh, John is talking/speaking! Shhhh, John sta parlando!

Quando usi INDIRECT SPEECH, fai attenzione, beware. Potrebbe essere necessario cambiare non solo il presente in passato, ma anche cambiare verbi e inserire pronomi. Potrebbe sembrare complicato, ma le scelte sono più o meno come in italiano, perciò affidati al tuo istinto.
DIRECT: "May I go outside to play", asked Danny. (Al momento di chiedere, l'azione era al presente, May I go, ma riportato in un discorso che è susseguente alla richiesta l'azione viene presentata con un verbo al passato, asked.)
INDIRECT: Danny asked if he could/might go outside. (La richiesta di uscire precedeva la narrazione della richiesta: ambedue vanno espressi con un verbo al passato.)

E ora trasforma le frasi da discorso diretto a discorso indiretto...

ESERCIZIO n. 74

1. "The restaurant is too cold," she complained. ....
2. Giorgio insisted, "Stay with us!" ....
3. "I want my money back," he insisted. ....
4. I explained to her, "it's done this way in our office". ....
   ....
5. "I want a refund," she demanded. ....
6. "Let me pay, I insist," she said. ....
7. John told me, "I am going to release a new record, soon". ....
   ....
8. "Help me," she said, "I think I've broken my foot." ....
9. "Your scanner will be ready in three days," explained the technician (tecnico).
   ....
10. "Read me a story, please, mom!", cried my little girl. ....
    ....

STEP 9

9.1 Phrasal verbs
A
B
C
F
L
M
P
R
S
T
W

9.2 Idioms

Phrasal verbs 9.1

Come in italiano, certi verbi inglesi per esprimere il loro significato hanno bisogno di certe preposizioni.
John's beer fell out of his sack, and broke.

Ma questo bisogno di una certa preposizione per esprimere il normale significato del verbo non ne fa un phrasal verb.

Cos'è un phrasal verb? È semplice, no? Nei phrasal verbs la preposizione costituisce parte integrante del verbo, in quanto è indispensabile perché insieme assumano un particolare e nuovo significato.
I fell out with Concy when she told me I was too fat.
(to fall out significa «non andare più d'accordo»)

E come puoi sapere se è una normale combinazione di un verbo che vuole una certa preposizione (dai, ce l'avete anche voi, pensate a... "pensare a") o se quella combinazione assume un nuovo significato e diventa un verbo frasale? Dal contesto!

Non spaventarti adesso; ci sono centinaia di phrasal verbs, ma io ti insegnerò solo quelli più importanti in assoluto. Ricordati che i phrasal verbs con gli Anglo-Saxon verbs sono stati trattati insieme a loro... vai a pag. 233.

Prima di cominciare, voglio aggiungere le ultime due cose...

(1) Se c'è un verbo dopo il phrasal verb deve essere alla forma -ing perché le preposizioni vogliono la forma -ing, ti ricordi?
I am used to seeing him there. Sono abituato a vederlo lì.

(2) A volte il soggetto può prendere posto tra il verbo e la preposizione, ma stai attento perché non è sempre possibile... è meglio consultare un buon dizionario prima di combinare guai.
The shop will close down, if this recession continues.
We will close the shop down if this recession continues.

Sei pronto per il mondo meraviglioso dei phrasal verbs, che amiamo così tanto? E vai!

PHRASAL VERBS

A

TO ACCOUNT FOR Spiegare/giustificare qualcosa

You went to Rome for three days and you spent 2,000 euros?! How can you account for that? Sei andato a Roma per tre giorni e hai speso 2.000 euro?! Come puoi giustificarlo?

AT WORK: The file is missing and I can't account for it! Il file manca e non riesco a darne spiegazione!

TO AIM AT/FOR Mirare a/avere un obiettivo

She is aiming at losing five kilos before the holiday. Ha l'obiettivo di perdere cinque chili prima delle vacanze.

AT WORK: The project is aiming for increased productivity within the next three years. Il progetto ha l'obiettivo di incrementare la produttività nei prossimi tre anni.

TO ANSWER FOR Rispondere/prendersi la responsabilità/pagare per qualcosa

Voglio paragonare due cose qui per fare vedere bene la differenza:

TO ANSWER TO: è usato per indicare chi ha responsabilità per te, il tuo capo. Spesso sento gli italiani dire: «He is my responsible.», THIS IS NOT ENGLISH! Dovresti dire: «I answer to Mr. Rossi» (lui è il tuo capo).
TO ANSWER FOR: è usato, per esempio, quando fai qualcosa di sbagliato e devi prendere la responsabilità e pagare per quello che hai fatto. In English, you must answer for your errors!

Oliver, you will answer for this lipstick on your shirt, when I return from work! Oliver, dovrai dare spiegazioni/risponderai/pagherai per il rossetto sulla tua camicia, quando ritorno dal lavoro.

AT WORK: The boss will ask you to answer for the days you were at home. Il capo ti chiederà di rispondere/dare spiegazioni per i giorni che sei stato a casa.

B

TO BACK DOWN Rinunciare, fare un passo indietro

He wants 5,000 euros for his car, but I offered him 3,000 euros; he will have to back down, if he wants to sell it. Vuole 5.000 euro per la sua macchina, ma io gli ho offerto 3.000 euro, dovrà fare un passo indietro se vuole venderla.

AT WORK: He said he would support me, but he backed down when things got difficult. Disse che mi avrebbe appoggiato, ma fece un passo indietro quando le cose diventarono difficili.

TO BE UP TO SOMETHING Fare qualche birichinata

The children are too quiet, they must be up to something. I bambini sono troppo silenziosi, stanno facendo probabilmente qualche birichinata.

TO BEEF UP Irrobustire, rafforzare

Deriva da beef che significa «manzo» e proviene dal mondo dell'agricoltura, dove certi alimenti particolari venivano dati alle mucche per farle ingrassare.

You should beef up your curriculum; it is too short. Dovresti mettere più cose nel tuo curriculum, è troppo corto.

AT WORK: We need to beef up our advertising campaign; sales are low. Abbiamo bisogno di rafforzare la nostra campagna pubblicitaria, le vendite sono basse.

TO BRING FORWARD Anticipare un appuntamento (in American English, to make it earlier)

I'm running ahead of time, can we bring our appointment forward? Sono in anticipo, potremmo anticipare il nostro appuntamento?

(Per l'opposto, devi guardare TO PUT OFF/BACK.)

TO BUILD UP Costruire, sviluppare

We didn't get on last year, but then we built up a good relationship. Non siamo andati molto d'accordo lo scorso anno, ma abbiamo costruito un buon rapporto.

AT WORK: He built up his company from one shop to a chain of 500. Ha sviluppato la sua società da un negozio fino a una catena di 500.

C

TO CLOSE DOWN Chiudere definitivamente, non aprire mai più

Run and buy a new coat! They are selling them at half price because they are closing down! Corri a comprarti un nuovo cappotto! Li stanno vendendo a metà prezzo perché chiudono!

AT WORK: Our old supplier closed down, so we had to find a new one. Il nostro vecchio fornitore ha chiuso, così abbiamo dovuto cercarne uno nuovo.

TO COVER UP Nascondere

She is always able to cover up her mistakes. È sempre capace di nascondere i suoi sbagli.

TO CROP UP Succedere all'improvviso, accadere un imprevisto

Questo verbo serve per indicare qualcosa che salta fuori all'improvviso, che è implicitamente più importante di quello che stai facendo o quello che hai in piano di fare. È dunque un imprevisto. Solitamente si usa something has cropped up per dire che è accaduta una cosa personale e non è il caso di dare dettagli, oppure non c'è tempo per spiegare. Il bello è che, a differenza degli italiani, nessun inglese mai ti chiederà particolari che tu non vuoi fornire! Questo verbo si utilizza quasi sempre al present perfect, perché esprime un'azione che è una conseguenza di una cosa appena successa, nel passato.

He couldn't come to the party; I think something cropped up at home. Non è potuto venire alla festa; credo che sia successo qualcosa a casa.

AT WORK: We will not meet the deadline; things keep cropping up. Non saremo in grado di rispettare la scadenza, continuano a succedere imprevisti.

TO CUT BACK Ridurre

Questo phrasal verb è interessante per le preposizioni che può reggere: ON si usa quando si indica che cosa va ridotto, BY indica il valore di riduzione di solito espresso in percentuale, ma anche in cifre.

They cut back on funds for students by 15 million euros per year. Hanno ridotto i fondi per gli studenti di 15 milioni di euro all'anno.

AT WORK: If we cut back on the advertising budget, how can we create more awareness for our products? Se riduciamo i costi del budget pubblicitario, come possiamo creare più consapevolezza del nostro prodotto?

Using it!

crisis	crisi
less	in meno
profit	profitto
error	errore

Traduci ora, usando i phrasal verbs visti fino a questo momento!

TRADUCIAMO!

RESPONSABILITÀ... TUA!

Anne: La crisi spiega 1 milione di euro in meno di profitto, quest'anno.
Boss: Chi ha sbagliato? Era Giorgio?
Anne: Non so... lui riesce sempre a nascondere i suoi errori anche se fa sempre le birichinate.

Boss: Ma il nostro target era 50 milioni in più! Allora dobbiamo ridurre il personale del 30%.
Anne: Sì, ma dobbiamo anche irrobustire il budget per la pubblicità,
se vogliamo costruire un rapporto migliore con i clienti.
Boss: Non possiamo più spendere altrimenti chiuderemo per sempre e non faccio un passo indietro questa volta! Non voglio prendere io la responsabilità se chiudiamo.

(Suona un allarme!)

F

TO FALL OUT Non andare d'accordo

Qui voglio introdurre una catena di tre phrasal verbs che, secondo me, aiuta meglio a capire:
to get on (andare d'accordo)
to fall out (non andare più d'accordo)
to make up (fare pace, riconciliarsi)
Immaginiamo un rapporto come una corsa in una bicicletta a due posti: all'inizio la coppia get on (andare d'accordo, ma anche salire) poi si comincia a fall out (non andare d'accordo, ma anche cadere). Alla fine, si può make up (andare d'accordo di nuovo, fare la pace, ma è anche un sostantivo, il maquillage).

I didn't go to my mother's house this Christmas because we fell out. Non sono andata a casa di mia madre per questo Natale perché non andiamo più d'accordo.

TO FIND OUT / TO BE FOUND OUT Scoprire, venire a conoscenza

I found out that my wife was not going to yoga on Friday evenings. Ho scoperto che mia moglie non andava a yoga il venerdì sera.
"We've been found out... my husband has seen us, together," she wrote. "Siamo stati scoperti... mio marito ci ha visto insieme", ha scritto.

AT WORK: We found out that our competitors were stealing our ideas. Scoprimmo che i nostri concorrenti stavano rubando le nostre idee.

TO FIT IN Trovare il tempo, combinare

To fit vuol dire «starci» (come misura anche dei vestiti).
My father is very big and so he can't fit into my small car.
Fit in riguarda il tempo, fare stare un appuntamento nell'agenda della vita e del lavoro, trovare del tempo per.
Can we fit in some time to rest?! Possiamo trovare del tempo per riposarci??!

AT WORK: Hello, Doctor Smith, can you fit me in, tomorrow? Buongiorno, dottor Smith, può trovare del tempo per me domani?

TO FOCUS ON Concentrare, concentrarsi

I will focus on my son's education, when he starts school. Mi concentrerò sull'istruzione di mio figlio quando comincerà la scuola.

AT WORK: In my presentation, I will focus on our need to improve Customer Service. Nella mia presentazione, mi concentrerò sulle nostre necessità di migliorare il Servizio clienti.

L

TO LOOK AFTER Prendersi cura di qualcuno o qualcosa

Who will look after my children, if I go out this evening? Chi si prenderà cura dei miei bambini se io esco questa sera?

AT WORK: We got successful because we looked after our clients' interests. Abbiamo avuto successo perché ci siamo presi cura degli interessi dei clienti.

TO LOOK INTO Indagare, informarsi

È quasi sempre seguito da IT o THE MATTER perché si sa di cosa si parla.
Janet: Is there a bus that goes to the Duomo from here? C'è un autobus che va al Duomo da qui?
Kevin: I don't know; I'll look into it. Non lo so, mi informo.

AT WORK: We looked into the possibility of expanding our business in America. Ci siamo informati sulla possibilità di ampliare il nostro business in America.

M

TO MAKE UP

Questo phrasal verb ha due significati:

1. Conciliarsi in una coppia amorosa
My boyfriend and I had a big fight, but we made up... last night. Io e il mio fidanzato abbiamo avuto un enorme litigio, ma ci siamo conciliati... ieri sera.

2. Inventarsi una falsità per gioco o per inganno
The kids make up new stories for themselves. I bambini si inventano nuove storie da soli (loro stessi).

TO MAKE UP FOR Compensare, rimediare, recuperare

I let her down, so to make up for this, I will take her to the cinema. L'ho delusa, quindi per rimediare la porterò al cinema questa sera.

AT WORK: If we work extra hard this year, we can make up for the low sales results of last year. Se lavoriamo molto duramente quest'anno possiamo rimediare allo scarso risultato delle vendite dell'anno scorso.

P

TO POINT OUT Evidenziare, fare notare una cosa in particolare

I let her borrow my car, then her mother pointed out that she hasn't got a license! Ho lasciato che prendesse in prestito la mia macchina, poi sua madre ha fatto notare che non ha la patente!

AT WORK: In his presentation, he pointed out the most important area to focus on. Nella sua presentazione ha evidenziato l'area più importante sulla quale concentrarsi.

R

TO RUN OUT OF Finire, consumare

In inglese non puoi dire I finished the petrol (ho finito la benzina) perché questo significherebbe che l'hai finita tu, cioè che l'hai bevuta!

The pen has run out of ink. È vero che è l'inchiostro a essere terminato, ma è la penna che non ne ha più e che diventa il SOGGETTO della frase. In questo caso, ci vuole il past perfect, perché quando una cosa finisce diventa importante ora, nel presente, giusto no? Guarda come funziona questo phrasal verb:

contenitore	**phrasal verb/presente**	**contenuto**
The pen	has run out of	ink.
The car	has run out of	petrol.
My company	has run out of	money.
persona	**phrasal verb/presente**	**contenuto**
I	have run out of	patience.
She	has run out of	time.
They	have run out of	ideas.
persona	**phrasal verb/passato**	**contenuto**
I	ran out of	things to say.
We	ran out of	food.
Everybody	ran out of	energy.
persona	**phrasal verb/futuro**	**contenuto**
I	will run out of	energy.
You	will run out of	paper.
The world	will run out of	oil.

S

TO SORT OUT

Questo phrasal verb è davvero importantissimo e ha tre significati:

1. Sistemare problemi/disordine, mettere a posto
She doesn't know what to do; she has many problems at work and at home. She must sort things out. Non sa cosa fare, ha molti problemi sia al lavoro che a casa. Deve sistemare la sua vita.

AT WORK: We have some problems with our internet connection. I hope we can sort it out soon. Abbiamo dei problemi con la connessione a Internet. Spero che possiamo sistemarli presto.

2. Organizzare
His birthday is on Sunday. Let's sort out a party! Il suo compleanno è domenica. Organizziamo una festa!

AT WORK: Can we sort out a meeting for the end of the month? Possiamo organizzare una riunione per la fine del mese? (Gli americani non usano sort out in questo senso; dicono, invece, to organize, to set up, to arrange...)

3. Occuparsi di
When we write songs together, I sort out the words and he sorts out the music. Quando scriviamo delle canzoni insieme, io mi occupo delle parole e lui si occupa della musica.

AT WORK: She sorts out the employees' salaries. Lei si occupa dei salari degli impiegati. (Gli americani non usano sort out in questo senso; dicono, invece, to do, to handle...)

T

TO TAKE OVER Prendere il controllo di qualcosa, continuare qualcosa al posto di un altro

Prima di fare gli esempi relativi a questo phrasal verb immagina un volante, tipo quello della macchina. Se tu sei il passeggero e sta male chi guida, tu prendi il volante... You take over the car!

The aliens are taking over the planet!!! Gli alieni stanno prendendo il controllo del pianeta!!!

AT WORK: I might not finish this project in time; something has cropped up. Can you take over, please? Potrei non finire questo progetto in tempo, è successo un imprevisto. Puoi prendere il controllo?

TO TURN DOWN Rifiutare una proposta, dire di NO a una proposta

To turn down significa anche «abbassare» (il volume della radio per esempio), ma non è questo il significato che voglio affrontare qui.

Il verbo può essere separato dalla preposizione.
I asked her to come with me to New York, but she turned me down. Le ho chiesto di venire con me a New York, ma ha rifiutato la mia proposta.

AT WORK: There is a strike because the company turned down the workers' conditions. C'è uno sciopero perché la compagnia ha rifiutato le condizioni dei lavoratori.

W

TO WORK ON Concentrarsi su una cosa per migliorare, lavorare su qualcosa

He could be a great footballer; he must work on his style. Potrebbe essere un grande giocatore di calcio, deve lavorare sul suo stile.

AT WORK: We are working on a new project. Stiamo lavorando su un nuovo progetto.

Using it!

bad day	brutta giornata
birthday	compleanno
angry	arrabbiato
by the time	per ora che
already	già
lawyer	avvocato

TRADUCIAMO!

Quando si arrabbiano...

Andy: È una brutta giornata.
Jake: Perché?
Andy: Non sono andato alla festa di compleanno di mia moglie e devo sistemare le cose perché è arrabbiata.
Jake: Perché non sei andato?
Andy: Perché è finita la benzina nella macchina e, ora che sono arrivato, la festa era già finita.
Jake: Non poteva aspettare?
Andy: No, l'ho chiamata e ho detto «Puoi rimandare la festa di 2 ore che arrivo?»
Jake: Hai evidenziato che la macchina era ferma?
Andy: Sì, ma lei ha detto solo «No, anticipo... il nostro divorzio!!», volevo rimediare con i fiori, ma niente.
Jake: Quindi ti devi procurare un avvocato adesso.
Andy: Non posso, mi sono finiti i soldi!

Idioms 9.2

Prima di cominciare con gli idioms, voglio "uccidere" una leggenda. Spesso mi chiedono: «Ma anche in americano è così?». Ascoltami bene, per favore:

L'INGLESE È SEMPRE INGLESE, QUALSIASI DIALETTO SIA!

Ovunque si parli inglese c'è uno slang, così come in ogni regione dell'Italia e il caso dell'America è solo un'estensione di questo... Anzi, io stesso faccio più fatica a capire uno di Liverpool rispetto a uno di New York! Gli americani hanno qualche parola diversa (poche in realtà), hanno qualche punto di grammatica differente e fanno lo spelling un po' diverso di alcune parole, ma negli USA parlano la lingua che io sto per insegnarti: l'inglese fatto di idioms!
Noi inglesi amiamo i nostri idioms e li usiamo spessissimo. È importante conoscere quelli più diffusi per poterli usare e poter capire gli inglesi e la loro lingua.

A

ALL EARS (tutto orecchie)
Equivale all'italiano: essere tutt'orecchi
Se si è all ears vuol dire che si è molto attenti e concentrati su quello che sta per dire l'altra persona, perché lo si ritiene molto importante.
Bob: Your idea was stupid! La tua idea era stupida!
Kevin: Well, if you have a better idea, I'm all ears! Bene, se hai un'idea migliore, sono tutt'orecchi!

ALL HELL BROKE LOOSE (tutto l'inferno si è liberato)
Equivale all'italiano: è successo un finimondo
Se si dice che all hell broke loose vuol dire che si è davvero scatenato l'inferno, che è accaduto qualcosa di veramente tremendo e grave.
Pino: What's wrong? Qualcosa non va?
Oliver: My wife found lipstick on my shirt and all hell broke loose. Mia moglie ha trovato del rossetto sulla mia camicia ed è successo il finimondo.

APPLE OF MY EYE (THE) (mela del mio occhio)
Equivale all'italiano: luce dei miei occhi, tesoro mio
Se si dice a qualcuno apple of my eye vuol dire che si stravede per quella persona!
Don't criticise Angela in front of the boss: she is the apple of his eye. Non criticare Angela davanti al capo: lei è la luce dei suoi occhi.

ASK FOR TROUBLE (chiedere guai)
Equivale all'italiano: andarsela a cercare, essere in cerca di guai
Si usa per riferirsi a qualcuno che fa ogni cosa con il rischio di combinare guai, o a chi quasi "invita" i guai e cerca problemi.
If you go out with Lucy tonight, you're asking for trouble. She's married! Se esci con Lucy stasera te la vai proprio a cercare. È sposata!

Using it!

dangerous	pericoloso
ago	fa (in senso temporale)
shut up!	stai zitto!
thank goodness	meno male
VERBS	
to kill	uccidere
to suffocate	soffocare
to know	conoscere/sapere
to find out	venire a sapere/scoprire

TRADUCIAMO!

Pino, Lino e Gino (il piano letale)

Lino e Pino stanno complottando di far fuori Gino.
L: Dobbiamo uccidere Gino, è pericoloso.
P: E come lo uccidiamo? Sono tutt'orecchi!
L: Facilissimo. Quando dorme, lo soffoco.
P: Ma è pericoloso, lo conoscono tutti!
L: Lo conoscevano: era famoso, ma tanti anni fa.
P: Quando lo verrà a sapere sua mamma, si scatenerà l'inferno...
L: Quella donna è cattiva, uccidiamo anche lei!
P: Non toccare la mamma di Gino, io stravedo per lei!
L: Stai zitto!
P: Meno male che sono finiti gli idioms... Altrimenti uccidevi anche me!

B

BACK TO SQUARE ONE (tornare a quadro uno)
Equivale all'italiano: punto e a capo
Quest'espressione trae la sua origine da molti giochi di società, in cui si parte dal primo quadrato del tabellone e si deve arrivare in fondo, all'ultimo, per vincere. In molti giochi, se si sbaglia si torna all'inizio e si riparte. Come nella vita!
Our plan didn't work and so it's back to square one. Il nostro piano non ha funzionato e così siamo punto e a capo.

BAD EGG (A) (un uovo cattivo/marcio)
Equivale all'italiano: persona inaffidabile
Attenzione a non confondere questo idiom con l'espressione "una mela marcia", che è assai diffusa in italiano, ma con un altro significato.
His accountant was a bad egg and he lost all his money. Il suo commercialista era inaffidabile e lui ha perso tutti i soldi.

BELOW THE BELT (sotto la cintura)
Equivale all'italiano: un colpo basso
Noi uomini abbiamo un punto "sotto la cintura" che è molto delicato e sensibile... Se si dice qualcosa di crudele, soprattutto insulti personali gratuiti, questo in inglese è un commento sotto la cintura, ovvero un colpo basso. L'espressione si usa molto ed è riferita sia agli uomini che alle donne.
Toby: I will never forgive Ali. Non perdonerò mai Ali.
Carl: Why not? Perché no?
Toby: He insulted me and that was O.K., but he also insulted my mother, which was totally below the belt. Ha insultato me, e va bene, ma ha insultato anche mia madre, il che era assolutamente un colpo basso.

BETWEEN THE DEVIL AND THE DEEP BLUE SEA (tra il diavolo e il profondo mare blu)
Equivale all'italiano: tra l'incudine e il martello
Esattamente come in italiano, quest'espressione descrive una situazione in cui è difficile scegliere, trovandosi esattamente nel mezzo tra due possibilità.
Laura: So … Glasgow or Baghdad? Quindi (vai a) Glasgow o Baghdad?
Tom: I don't know; it's between the devil and the deep blue sea. Non lo so, sono tra l'incudine e il martello.

BEND/STRETCH THE TRUTH (piegare/stiracchiare la verità)
Equivale all'italiano: dire una mezza verità
Si usa per riferirsi alle occasioni in cui si dice la verità, ma solo in parte (quindi si dice una mezza verità).
Anna: Why did you tell John that you are a natural blonde? Perché hai detto a John che eri bionda naturale?
Antonietta: Because I am a natural blonde. I just didn't tell him that my hairdresser helps me to keep my hair natural blonde! Perché io sono bionda naturale. Non gli ho detto solo che il mio parrucchiere mi aiuta a mantenere il mio biondo naturale!
Anna: So, you bent/stretched the truth? Così gli hai detto una mezza verità?
Antonietta: A little. Un po'.

BENEFIT OF THE DOUBT (beneficio del dubbio)
Equivale all'italiano: concedere il beneficio del dubbio
Si concede il beneficio del dubbio a qualcuno quando gli si lascia una possibilità di dimostrare che le cose non sono come sembrano, quando si permette all'altro di dire la sua verità.
John: So, what did my wife say? Quindi, cos'ha detto mia moglie?
Olive: She thinks you are not going to the gym, but I think she will give you the benefit of the doubt. Pensa che tu non stia andando in palestra, ma io penso che ti concederà il beneficio del dubbio.
John: If she finds out about us, we're dead! Se viene a sapere di noi siamo morti! (Violin music Suono di violini) The end. Fine.

BEYOND ME (oltre me)
Equivale all'italiano: "Mah!"
Ora devo rivelare una cosa: gli italiani hanno espressioni bellissime, che noi inglesi non abbiamo, come "boh". Quanto è bella la parola "boh"?! Dice tutto. Se dovessi tradurla in inglese, scriverei una riga lunga e noiosa. Ancora più bello è "mah", che io considero "un boh all'ennesima potenza". Quel "mah" in inglese è beyond me: questa espressione, infatti, significa più che «oltre me», significa che non si ha idea, che la cosa in oggetto va oltre la propria capacità di capire, non è un semplice I don't know, è molto di piu, è... «mah!».
Earl: How does a computer work? Come funziona un computer?
Jonny: Don't ask me, it's beyond me! Non chiedermelo... Mah!

IDIOMS

BITE YOUR TONGUE (morditi la lingua)
Equivale all'italiano: mordersi la lingua
Quando si vorrebbe tanto dire qualcosa,
ma si decide che è meglio non farlo.
She will insult you, but, please, just bite your tongue!
Lei ti insulterà, ma, ti prego, morditi la lingua!

BROWNIE POINTS (punti marroni)
Virtuale "credito sociale", punti, e un po' di simpatia guadagnati per aver fatto una cosa buona. Si guadagnano i brownie points.
Quando vai al supermercato accetti i bollini? Subito dopo la Seconda guerra mondiale i primi, per quanto sembra, furono marroni, appunto, brown.
When John took Concy shopping, though he hates to do it, he earned some brownie points. Quando John ha portato Concy a fare un po' di shopping, anche se lo odia, ha guadagnato un po' di "credito".

BUTTERFLIES IN ONE'S STOMACH (TO HAVE) (avere le farfalle nello stomaco)
Equivale all'italiano: avere le farfalle nello stomaco
Si deve ricordare solo di cambiare il verbo e il pronome in base alla persona.
The first time John asked Concy out, he had butterflies in his stomach. La prima volta che John ha chiesto a Concy di uscire aveva le farfalle nello stomaco.
When I sang at John's birthday party, I had butterflies in my stomach. Quando ho cantato alla festa di compleanno di John, avevo le farfalle nello stomaco.

Using it!

against	contro
bonnet	cofano
imbecile	imbecille
ugly	brutto
honest	onesto/sincero
dangerous	pericoloso
VERBS	
to pay	pagare
to save	risparmiare
to stop	smettere
speaking	parlando

TRADUCIAMO!

L'INCIDENTE

Joe: Perché sei andato contro un albero?
Simon: Non lo so.
Joe: Gnnnnnnff! Simon: Cosa ha detto?
Terry: Mah! Aspetta. Ah sì, si sta mordendo la lingua. (Terry guarda sotto il cofano)
Terry: Quanto hai pagato per questa macchina?
Simon: Cinquanta euro.
Terry: Ok, ti concedo il beneficio del dubbio.
Simon: Ragazzi, forse non sono stato completamente sincero con voi. Sono stato inaffidabile.
Joe: Che cosa?
Simon: Aspettate, ho le farfalle nello stomaco. OK... Io non so guidare.
Joe: Abbiamo visto! Sei un imbecille, non solo brutto, ma anche stupido!
Simon: Aspetta! Questo è molto crudele e gratuito! Parlando così con me non ti guadagni la mia simpatia. Volevo venire con voi perché se stavo a casa dovevo lavare il cane, quindi ero tra l'incudine e il martello.
Terry: Capisco.
Simon: Ho risparmiato tanto per comprare questa macchina e adesso torno punto a capo.
Joe: Comunque sei un imbecille.

C

CAN'T MAKE AN OMELETTE WITHOUT BREAKING A FEW EGGS (non puoi fare una frittata senza rompere qualche uovo)
Equivale all'italiano: non si può ottenere un risultato senza fare qualche sacrificio. Questo, in pratica, vuol dire che ogni tanto è necessario fare delle cose spiacevoli per ottenere un grande risultato. Ricorda la filosofia di Machiavelli, per cui "il fine giustifica i mezzi".
John: In order to have my book published, I had to kiss everybody in Gribaudo! Per farmi pubblicare il libro ho dovuto baciare tutti alla Gribaudo!
Terry: I know, John, but your book is horrible! And you can't make an omelette without breaking a few eggs! Lo so, John, ma il tuo libro è orribile! E non puoi arrivare a grandi risultati senza qualche sacrificio.

IDIOMS

CASH COW (A) (una mucca da soldi)
Equivale all'italiano: essere una mucca da mungere
Se lo si dice di qualcosa o qualcuno è perché si pensa che questa cosa o persona renda soldi in continuazione, come la mucca che dà il latte ogni giorno. Si usa soprattutto nel business e nel marketing.
Arabian countries export coal and plastic, but their cash cow remains their oil. I Paesi arabi esportano carbone e materie plastiche, ma la loro mucca da mungere resta il petrolio.

CLEAR THE AIR (pulire l'aria)
Equivale all'italiano: chiarirsi
Dopo una litigata, l'aria è pesante. Per sistemare le cose (sort out) è meglio parlare, sfogarsi e ripulire, appunto, l'aria pesante.
I shouted a lot, she shouted a lot, but at least we cleared the air. Io ho gridato un sacco, lei ha gridato molto, ma almeno ci siamo chiarite.

COME WHAT MAY (venga quello che può)
Equivale all'italiano: succeda quel che succeda
Questo vuol dire che, sebbene si sia consapevoli della presenza di molti rischi nel fare qualcosa, la si fa ugualmente, perché si pensa che ne valga la pena.
Tracy: I want to get a tattoo. Voglio farmi un tatuaggio.
Cheryl: But you're only 16; your father will kill you! Ma hai solo 16 anni, tuo padre ti ucciderà!
Tracy: I don't care! I'm doing it, come what may. Non m'importa! Io lo faccio, succeda quel che succeda.

COUGH UP (tirare fuori tossendo)
Equivale all'italiano: tirar/strappar/cavar fuori
Quest'espressione è davvero brutta, ma noi la usiamo tanto! To cough significa «tossire». To cough up si usa per descrivere l'azione di tossire per espellere il catarro. Si usa per cose che la gente fa fatica a dare, tipo soldi o informazioni.
During the war, the Germans tortured English soldiers to make them cough up information. Durante la guerra i tedeschi torturarono gli inglesi per obbligarli a tirar fuori le informazioni.

CREAM OF THE CROP (la crema del raccolto)
Equivale all'italiano: la crema, il meglio che esista... il migliore o i migliori di tutti

Real Madrid bought the best players in the world, the cream of the crop, but Birmingham City is still a better team. Il Real Madrid ha comprato i giocatori più bravi del mondo, i migliori, ma il Birmingham City è una squadra ancora migliore.

CRASH COURSE (corso d'urto)
Equivale all'italiano: corso accelerato/intensivo
Un corso intensivo è necessario quando si vuole apprendere qualcosa in pochissimo tempo, quindi si sceglie il percorso più rapido.
Yuri: I got a job with Microsoft. Ho ottenuto un lavoro alla Microsoft.
Dylan: Great, aren't you happy? Fantastico, non sei contento?
Yuri: Yes, but I bent the truth. I told them that I could program an operating system. Sì, ma ho detto la verità solo in parte. Ho raccontato che ero capace di programmare un sistema operativo.
Dylan: Are you crazy? Sei matto?
Yuri: Don't worry. I'm taking a crash course in operating systems tonight! Non preoccuparti. Stanotte farò un corso intensivo in sistemi operativi!

CUT OFF ONE'S NOSE TO SPITE ONE'S FACE (tagliare il proprio naso per fare un dispetto alla propria faccia)
Equivale all'italiano: farsi male da solo, pestarsi i piedi
Quando uno fa una cosa a proprio danno… anche sapendolo prima!... uno si fa proprio, ma proprio male da solo, si pesta il proprio piede. Questo idiom va adattato alla persona che si fa male… io, tu, lui, loro…
John, why do you ask Concy out? You already know her answer! "No!" You always cut off your nose to spite your face! John, perché inisisti a chiedere a Concy di uscire? Sai già la sua risposta! "No!" Ti pesti sempre i tuoi piedi!

Using it!

dead	morto
it is worth it	vale la pena
mess	macello/casino
ridiculous	ridicolo

VERBS

to happen	succedere/accadere

TRADUCIAMO!

Innamorarsi

Due teenager, Steve e Billy, discutono del fatto che Billy è innamorato della sua insegnante di letteratura...
Billy: Voglio dirle che la amo e che voglio portarla in America con me.
Steve: Ma sei pazzo? Se lo viene a sapere tua mamma sei morto.
Billy: E chi glielo dirà?
Steve: Io, se non tiri fuori 100 euro!
Billy: Tu sta' zitto! Comunque, lei è la migliore, la migliore che c'è, quindi ne vale la pena.
Steve: Succederà un macello. Ti pesti sempre il piede da solo.
Billy: Succeda quel che succeda, io la amo, e non si può ottenere niente di grande senza qualche conseguenza spiacevole.
Steve: Sei proprio ridicolo, lo sai?
Billy: Steve, ascolta...
Steve: Sono tutt'orecchi!
Billy: Dobbiamo chiarirci, io e te. Mi dispiace averti deluso l'anno scorso.
Steve: Penso che tu dovresti fare un corso accelerato di vita, amico mio!

D

DELIVER THE GOODS (consegnare la merce)
Equivale all'italiano: soddisfare le aspettative, mantenere le promesse
Naturalmente quest'espressione è usata nel commercio, ma non solo.
To deliver the goods vuol dire fare quello che la gente si aspetta che tu faccia, ovvero che verranno soddisfatte le aspettative.
The boss wants us to increase sales by 50% this year, but with the global crisis it will be difficult to deliver the goods! Il capo vuole che incrementiamo le vendite del 50% quest'anno, ma con la crisi globale sarà difficile soddisfare le aspettative!
Noi inglesi usiamo talmente tanto questo idiom, che spesso utilizziamo solo il verbo to deliver:
My husband promised me a nice holiday for our anniversary. I hope he delivers. Mio marito mi ha promesso una bella vacanza per il nostro anniversario. Spero mantenga la promessa.

DIE IS CAST (THE) (il dado è tratto)
Equivale all'italiano: il dado è tratto, non si può tornare indietro
A me piace molto questo modo di dire! Un esempio della grande saggezza di Giulio Cesare, per cui non penso serva la mia traduzione.
Bill: Why did you send Gianna to the London meeting? She doesn't understand English! Perché hai mandato Gianna alla riunione a Londra? Non capisce l'inglese!
Colin: Too late! The die is cast. Troppo tardi! Il dado è tratto.

DOG EAT DOG (cane mangia cane)
Equivale all'italiano: morte tua, vita mia (*mors tua, vita mea*)
Quest'espressione si usa quando una persona schiaccia l'altra per avere dei vantaggi. È una giustificazione per dei brutti comportamenti che portano a favorire la propria posizione, è la sopravvivenza, la legge dei forti che mangiano i deboli. Naturalmente è molto popolare nel business.
Ian: David, you sacked Toby? But he has a family! David, hai licenziato Toby? Ma ha una famiglia!
Joe: I know and I'm sorry, but it's a dog eat dog world, Ian. Lo so e mi dispiace, ma è un mondo dove sopravvive il più forte, Ian.

DOGHOUSE (IN THE) (nel canile)
Equivale all'italiano: in castigo
Quando qualcuno l'ha fatta grossa e ha fatto arrabbiare qualcun altro, in inglese si dice che "si è nel canile". E in Italia? Sai come sono le donne... se sbagli, loro smettono di parlarti e quando chiedi cosa c'è, dicono... «Niente!» Bugiarde! Sei nei guai! Generalmente, solo uomini e bambini possono essere mandati nel doghouse.
Olive: Jessica, your little boy looks sad, is he ok? Jessica, il tuo bambino sembra triste, sta bene?
Jessica: He ate all my biscuits, so he's in the doghouse. Ha mangiato tutti i miei biscotti, quindi è in castigo.

DOWN TO EARTH (giù per terra)
Equivale all'italiano: con i piedi per terra
Si dice di una persona realistica, pratica, posata e diretta.
I like my boss. He doesn't make empty promises; he is very down to earth.
Mi piace il mio capo: non fa promesse a vuoto, è molto realistico.

DRESSED TO KILL (vestito per uccidere)
Equivale all'italiano: "mettersi in tiro", farsi notare
Una donna, generalmente, quando desidera che la gente rimanga a bocca aperta indossa i vestiti migliori, gli accessori più belli e vistosi e le ultime scarpe acquistate. Quando una donna si veste per essere guardata e notata, in inglese si dice che "si veste per uccidere".
C'e una frase di una canzone dei Roxy Music che per me è geniale. La canzone è *Dance Away* e il protagonista piange per una donna persa. A un certo punto, vede lei con un altro e canta «You dressed to kill, and guess who is dying?» (Ti sei vestita per uccidere e indovina chi sta morendo?) Wow!!!

DYING FOR SOMETHING (TO BE) (morire per qualcosa)
Equivale all'italiano: morire dalla voglia di...
In inglese, si dice che "si sta morendo per qualcosa" quando non si vede l'ora che questa cosa accada.
So, what did he say? I'm dying to know! Quindi, cosa ha detto? Sto morendo dalla voglia di saperlo!

Using it!

without	senza
doubt	dubbio
VERBS	
to happen	succedere
to promise	promettere
to keep	tenere

TRADUCIAMO!

IL GIOCO DI MENTIRE

Due bambini di 10 anni, Freddy e Jonny, stanno giocando, ma Freddy è un po' triste.
Jonny: Che cosa è successo?
Freddy: Sono in castigo.

Jonny: Perché?
Freddy: Perché ho promesso a mia mamma di sistemare la mia camera e poi non l'ho fatto.
Jonny: Non ti farà venire al cinema sabato?!
Freddy: Non lo so, il dado è tratto.
Jonny: Dille che non hai sistemato la camera perché ti ha chiamato Paul e ti ha tenuto al telefono per un'ora.
Freddy: Ma poi Paul sarà messo in castigo da sua mamma.
Jonny: Quindi? Morte sua, vita tua. Dai! Non puoi perdere il film. Io voglio vederlo tantissimo! Poi ci sarà anche Lilly, quindi devo proprio mettermi in tiro per fare colpo.
Freddy: Wow, Lilly? Quella bambina così posata a scuola?
Jonny: Questa è senza dubbio la peggiore storiella che John abbia mai scritto!
Freddy: Lo so, dovrebbe parlare con qualche professionista.

F-G

FACE THE MUSIC (affrontare la musica)
Equivale all'italiano: affrontare/assumersi le proprie responsabilità
Quando si sbaglia e l'errore porta delle conseguenze, arriva l'ora in cui si deve affrontare la propria responsabilità per l'accaduto. "La musica", in questo caso, rappresenta le accuse, i commenti, i problemi per ciò che si è combinato...
My wife found Lucy's telephone number in my jeans, so I'm in the doghouse. I'll have some more beer, then I'll go home and face the music. Mia moglie ha trovato il numero di telefono di Lucy nei miei jeans, quindi sono in castigo. Bevo ancora qualche birra poi vado a casa ad affrontare le mie responsabilità.

FIND YOUR FEET (trovarsi i piedi)
Equivale all'italiano: ambientarsi
All'inizio di una nuova esperienza c'è sempre da imparare. Ed è proprio all'inizio che si può incontrare il maggior numero di problemi. Per un nuovo lavoro, una nuova attività o anche nell'imparare una nuova lingua, all'inizio si è come sul ghiaccio e scivolano i piedi, poi, quando si riesce a tenerli fermi, si può andare avanti con meno problemi.
He is still finding his feet with the new team, but he's a great player! Si sta ancora ambientando con la nuova squadra, ma è un grande giocatore!

IDIOMS

FLASH IN THE PAN (A) (un lampo nella padella)
Equivale all'italiano: essere una meteora
Si usa per indicare chi ha avuto un momento di gloria e poi è subito sparito.
That man had one good idea, but nothing after that. He was a flash in the pan. Quell'uomo ha avuto una buona idea, ma niente dopo quella. È stato una meteora.

FLOG A DEAD HORSE (frustare un cavallo morto)
Equivale all'italiano: è una causa persa
Si riferisce a quando si spendono un sacco di energie per niente, perché quello che si vuole ottenere è impossibile, non c'é niente da fare, non c'é nessuna speranza, è come frustare a sangue (to flog) un cavallo morto.
Erica: Joe said he doesn't love me anymore, but tonight I will wait for him with roses and wine. Joe ha detto che non mi ama più, ma questa sera lo aspetterò con rose e vino.
Janet: You're flogging a dead horse, Erica, he doesn't want you! Non hai speranza, Erica, non ti vuole!

FULL OF HOT AIR (pieno di aria calda)
Equivale all'italiano: pallone gonfiato, "un mucchio di balle/palle"
Quest'espressione si usa per descrivere una situazione in cui non c'è niente di vero, oppure una persona che è "piena di aria calda" in quanto dice un sacco di cose, ma non combina niente… Come cantava Mina: «Parole, parole, parole… Parole soltanto parole, parole tra noiiiiiii....».
You promised me a promotion, you promised me an increase in my salary, but nothing… it was all hot air! Mi hai promesso una promozione, mi hai promesso un aumento dello stipendio, ma nulla… erano tutte balle!
Kylie: Samuel is taking me to Venice this summer! Samuel mi porta a Venezia quest'estate!
Yasmin: Samuel is full of hot air, Kylie. Please be more down to earth. Samuel è un pallone gonfiato, Kylie. Per favore: cerca di essere più realistica.

GET THE MESSAGE (capire il messaggio)
Equivale all'italiano: "Ci siamo intesi?"
La differenza tra il verbo to get e il verbo to understand è che il primo significa più esattamente «capire o comprendere un concetto», anche se lo stesso non è stato esplicitamente chiarito.

L'espressione che analizziamo si riferisce alle occasioni in cui si afferra un messaggio, anche se non è stato detto direttamente, ma lo si deve cogliere tra le righe.
Antonio: David, I heard that you are going out with my daughter. I hope you don't hurt her, because I don't want to hurt you… do you get the message? David, ho sentito che esci con mia figlia. Spero che tu non la faccia soffrire, perché non voglio farti del male… ci siamo intesi?
David: Yes, I get the message. Si, ci siamo intesi.

GO BANANAS (andare nello stato di Bananas)
Equivale all'italiano: perdere la testa
Vuol dire andare completamente fuori di testa, per rabbia o per gioia.
Oh my God! I have broken my mother's favourite vase… she will go bananas!
Oh mio Dio! Ho rotto il vaso preferito di mia mamma… andrà fuori di testa!

GO DOWN WELL (andare giù bene)
Equivale all'italiano: "prendere bene"
Si usa quest'espressione per riferirsi a un'idea o una proposta che è ben accettata.
Mike: So, did you ask the boss if you can work less for more money? And did your idea go down well? Quindi, hai chiesto al capo se puoi lavorare meno per più soldi? E la tua idea è stata presa bene?
Bob: No, it didn't go down well. He sacked me! No, non è stata presa bene. Mi ha licenziato!

Using it!

disaster	disastro
pointless	inutile
less	meno
rent	affitto

VERBS

to convince	convincere
to offer	offrire

TRADUCIAMO!

L'ORA DI PAGARE

Jim e Ken sono due coinquilini che parlano tra loro: Ken ha perso il lavoro e non può pagare l'affitto.
Jim: Cosa è successo?
Ken: Per avere quel lavoro, non ho detto tutta la verità. Comunque tutto era difficile e non riuscivo a trovarmi con il lavoro. Poi ho fatto un disastro e mi ha chiamato il capo. Sono andato nel suo ufficio per sentirlo. Ho cercato di convincerlo che imparavo bene il mio lavoro, ma è stato totalmente inutile. Lui ha detto che ero solo bravo con le parole. Allora mi sono offerto di lavorare per meno soldi, ma la mia proposta non è stata accettata per niente.
Jim: Ma sei incredibilmente stupido!
Ken: Dai, Jim, non andare fuori di testa!
Jim: Ascoltami, se tu non paghi l'affitto devo trovare qualcuno che possa farlo, ci siamo intesi?
Ken: Si, ci siamo intesi.

H

HAND IN GLOVE (mano nel guanto)
Equivale all'italiano: "culo e camicia"
Quest'espressione si usa per descrivere due persone che si frequentano spesso, quindi sono molto affiatate e unite, a volte complici.
Be careful what you say, when Judy is here. She is hand in glove with the boss. Stai attento a quello che dici quando Judy è qui. È culo e camicia con il capo.

HARD UP (duro su)
Equivale all'italiano: essere in bolletta, essere al verde
Se ci si riferisce a qualcuno descrivendolo con l'espressione hard up, significa che ha pochissimi soldi. Anche una ditta, se non ha molti soldi, è detta hard up: in realtà le ditte hanno sempre soldi, ma dicono comunque di essere in bolletta, è una regola!
I would like to come with you to Paris, but I'm hard up at the moment! Mi piacerebbe venire con te a Parigi, ma sono in bolletta al momento!

HEAD IN THE CLOUDS (la testa nelle nuvole)
Equivale all'italiano: avere la testa tra le nuvole
Se qualcuno ha la testa tra le nuvole, significa che è un sognatore, è distratto e non sta con i piedi ben piantati a terra.
She's a dreamer. When I talk to her, I feel she isn't there. She has her head in the clouds. Lei è una sognatrice. Quando le parlo ho l'impressione che non sia lì. Ha la testa tra le nuvole.
Get your head out of the clouds and listen! Scendi dalle nuvole e ascoltami!

HEART IN THE RIGHT PLACE (avere il cuore nel posto giusto)
Equivale all'italiano: avere buone intenzioni
Questo si dice quando una persona sbaglia, ma le sue intenzioni sono buone e sincere, quando una persona agisce convinta di essere nel giusto e mossa da buoni fini.
Olive: My little Tommy tried to cook dinner and he burned the whole kitchen! Il mio piccolo Tommy ha cercato di cucinare la cena e ha bruciato tutta la cucina!
Anna: Ah, poor little boy, at least his heart was in the right place. Ah, povero piccolo, almeno l'ha fatto con buone intenzioni.

IDIOMS

HEART ON YOUR SLEEVE (to wear your) (indossare il cuore sulla manica)
Non esiste in italiano un'espressione equivalente, che è riconducibile al concetto di essere una persona molto sensibile ed emotiva.
Quest'espressione si usa per riferirsi a una persona che ha il cuore aperto, non nasconde i propri sentimenti ed è emotiva e spontanea.
He gets very emotional at weddings. He has always worn his heart on his sleeve. Si emoziona sempre molto ai matrimoni. È sempre stato molto emotivo.

HOT POTATO (patata calda)
Equivale all'italiano: argomento tabù
ATTENZIONE a non confondere questo idiom con l'espressione "patata bollente", che è assai diffusa in italiano, ma con un altro significato.
Nobody talked about the reduction in staff at the meeting. I think it's still a hot potato for everybody. Nessuno ha parlato della riduzione del personale alla riunione. Penso che sia ancora un argomento tabù per tutti.

Using it!

actor	attore
famous	famoso
director	regista
affair	storia (in senso intimo)
way	modo
favour	favore

VERBS

to think	pensare
to buy	comprare
to work	lavorare
to explain	spiegare
to understand	capire

TRADUCIAMO!

Conversazione vicino al lago

Toby e il suo amico Gerry parlano vicino al lago.
Toby: Gerry? Gerry?!!
Gerry: Huh? Cosa?
Toby: Scusa, ma avevi la testa tra le nuvole. A cosa stavi pensando?
Gerry: Stavo pensando a quando sarò un attore famoso. Ho fatto un casting oggi.
Toby: Com'è andata?
Gerry: Non lo so, uno degli attori era culo e camicia con il regista, poi aveva un bellissimo vestito. Se non fossi così povero, lo comprerei anche io.
Toby: Perché non lavori ancora con Mr. Jennings?
Gerry: Perché dopo quella storia con la sua ragazza non mi vuole più vedere.
Toby: Hai avuto una storia con la sua ragazza?!
Gerry: Si, ma con buone intenzioni!
Toby: Cosa?
Gerry: Lei non andava bene per lui, in qualche modo gli ho fatto un favore.
Toby: Perché non spieghi questo a lui?
Gerry: Non posso, è un punto da non toccare con lui.
Toby: Vai lì con il cuore aperto e vedrai!

I

IF IT ISN'T BROKE DON'T FIX IT! (se non è rotto non ripararlo)
Attenzione, in quest'espressione il verbo broke è sbagliato grammaticalmente: perché la frase fosse corretta, ci dovrebbe essere broken, ma questo idiom è così!
A me piace tantissimo questo modo di dire e lo usavo spesso quando lavoravo nelle ditte americane; in molte occasioni la gente deve cambiare o modificare le cose e non capisci perché: insomma, va tutto bene, perché cambiare le cose? Se non è rotto, perché ripararlo?! Assomiglia e richiama l'espressione italiana: "Squadra che vince non si cambia".
Writer (scrittore): I am going to change the story. Ho intenzione di cambiare la storia.
Fan: But the story is wonderful! Please, if it isn't broke, don't fix it! Ma la storia è favolosa! Per favore, se va bene, perché cambiarla?

IDIOMS

IGNORANCE IS BLISS (l'ignoranza è paradiso)
Equivale all'italiano: non sapere è meglio
Se una persona non sa una cosa brutta sta meglio. Rimanere ignorante su certe cose, a volte, è meno doloroso e ci fa stare meglio.
I didn't know the neighbour was a hooligan, until the police arrived. Ignorance is bliss! Non sapevo che il vicino fosse un hooligan fino a che non è arrivata la polizia. Non sapere è meglio!

IN A NUTSHELL (nel guscio di una noce)
Equivale all'italiano: in sintesi, in poche parole
Questa espressione si usa quando si vuole dare un breve riassunto di qualcosa, per esprimere "il succo", poche informazioni che descrivono un discorso lungo.
Boss (Capo): Did you send the e-mail? Hai mandato la e-mail?
Linda: I wanted to, but I was out of the office. Volevo mandarla, ma ero fuori ufficio.
Boss (Capo): So, in a nutshell, no! Quindi, in poche parole, no!
Linda: Exactly. Esattamente.

IN THE LONG RUN (nel lungo corso)
Equivale all'italiano: a lungo termine. Si usa per parlare di qualcosa che adesso è difficile, ma a lungo termine avrà risultati positivi.
I am buying a house, which is killing me financially, but in the long run it is worth it. Sto comprando una casa che mi sta uccidendo finanziariamente, ma a lungo termine ne sarà valsa la pena.

IN THE BAG (nel sacco)
Equivale all'italiano: "È fatta!"
Questo idiom è troppo bello. Supponiamo che devi catturare un topo. Il topo è il tuo scopo. Quando lo prendi lo metti in un sacchetto.
It's in the bag!
Simon: Did you ask Judy to go out with you?
Hai chiesto a Judy di uscire con te?
Len: Yes. It's in the bag! Si. È fatta!

Using it!

share	azione (della Borsa)
sure	sicuro
rich	ricco
sand	sabbia
happy	felice/contento
VERBS	
to sell	vendere
to see	vedere
to leave alone	lasciare stare (qualcuno o qualcosa)

TRADUCIAMO!

Il prezzo della sabbia

Tre amici Pino, Dino e Kino stanno parlando. Pino ha comprato delle azioni in una nuova società che vuole vendere sabbia ai Paesi arabi!
Dino: Quante azioni hai comprato?
Pino: 200! Sarò ricco!
Dino: Sei sicuro?
Pino: Molto sicuro! È fatta!
Dino: Ma perché le hai comprate?
Pino: In breve, loro vendono sabbia agli Arabi per quasi niente. Sicuramente ne venderanno tanta! Non vedrò i soldi subito, ma a lungo termine vedrai!
(Pino va via ballando)
Dino: Ma gli Arabi hanno già tanta sabbia, Kino!
Kino: Lo so, ma lui è felice. A volte non sapere è meglio.
Dino: No, devo dire qualcosa a Pino.
Kino: Ascolta! Lui è felice, se è contento così, lascialo stare!

K-L

KILL TWO BIRDS WITH ONE STONE (uccidere due uccelli con un sasso)
Equivale all'italiano: prendere due piccioni con una fava
I gentili italiani candidamente prendono due uccelli con una favetta, mentre noi inglesi barbarici li uccidiamo con un sassone! Ma il significato è lo stesso.
I am going to the supermarket near David's house because I need to speak to him. That way, I can kill two birds with one stone. Sto andando al supermercato vicino alla casa di David perché ho bisogno di parlare con lui. Così prendo due piccioni con una fava.

LAST RESORT (l'ultimo villaggio turistico)
Equivale all'italiano: l'ultima spiaggia. Esattamente come in italiano, questo idiom dice che, quando tutte le altre possibilità se ne sono andate, e non si ha più scelta, ci si deve accontentare dell'ultima spiaggia!
William: Would you work as a funeral director? Lavoreresti come responsabile di funerali?
Jonathan: Only as a last resort. Solo come ultima spiaggia.

LEARN THE ROPES (imparare le corde)
Equivale all'italiano: farsi le ossa
Anche questo idiom mi piace un sacco: viene dal mondo delle navi. Si riferisce al fatto che un nuovo marinaio doveva imparare a conoscere le corde da utilizzare per dirigere la nave e potervi navigare. Si usa per riferirsi al periodo in cui una persona sta imparando una nuova cosa, quando sta facendo la gavetta.
My job was difficult at the beginning because I was learning the ropes. Il mio lavoro era difficile all'inizio, perché mi stavo facendo le ossa.

LET SLEEPING DOGS LIE (lascia che i cani addormentati rimangano sdraiati)
Equivale all'italiano: non svegliare il can che dorme
Come in italiano, è un invito a non tirare fuori certi argomenti delicati, a godersi la pace ed ignorare le cose che possono causare conflitto.
Robert: I will never forgive Bill for telling the boss I am lazy. I must tell him what I think of him! Non perdonerò mai Bill per aver detto al capo che sono pigro. Devo dirgli cosa penso di lui!
Jody: Oh, come on Robert, let sleeping dogs lie, please. Oh, dai Robert, non svegliare il can che dorme, per favore.

IDIOMS

LIGHT AT THE END OF THE TUNNEL (luce alla fine del tunnel)
Equivale all'italiano: vedere la luce alla fine del tunnel
Anche nelle situazioni difficili e disperate, arriva finalmente una speranza: un raggio di sole alla fine del tunnel, un modo per uscirne, una soluzione.
Boss (Capo): The crisis is very bad; this time I can't see the light at the end of the tunnel. La crisi è molto brutta; questa volta non riesco a vedere la luce in fondo al tunnel.

LIGHTS ARE ON, BUT NOBODY IS AT HOME (THE) (le luci sono accese, ma non c'è nessuno in casa)
Equivale all'italiano: essere sovrappensiero… Questo è il mio preferito in assoluto! I love it! E lo uso spesso. Se vedi una casa con le luci accese pensi che ci sia qualcuno dentro, giusto? Supponiamo che una testa sia una casa e gli occhi siano le finestre. Questa espressione si usa quando una persona è sovrappensiero o molto, molto stanca: gli occhi sono aperti, le luci sono accese… ma non c'è nessuno in casa, il cervello non è presente.
Laura: Are you coming to the party, Sarah? Vieni alla festa, Sarah?
Sarah: Eh? Eh?
Laura: The party, tonight! La festa, stasera!
Sarah: What? Cosa?
Laura: Oh dear, the lights are on, but nobody is at home! Oddio, sei tra noi?

LICK SOMEONE'S BOOTS (leccare gli stivali di qualcuno)
Equivale all'italiano: "leccare", fare il ruffiano
In italiano c'è un'espressione simile a quella inglese, ma non sono gli stivali che vanno leccati! Comunque, questo idiom descrive chi fa il ruffiano…
I worked in that company for twenty years and I never licked the manager's boots. Ho lavorato in quella compagnia per 20 anni e non ho mai fatto il ruffiano con il capo.

LOOK ON THE BRIGHT SIDE (guarda dal lato luminoso)
Equivale all'italiano: guarda il lato positivo
Quest'espressione è un invito a cogliere il lato luminoso e positivo di ogni cosa, persona o situazione.
Lenny: I have lost all my hair! Ho perso tutti i capelli!
Charles: Well, look on the bright side… you will save money on shampoo! Beh, guarda il lato positivo… risparmierai soldi in shampoo!

IDIOMS

Using it!

wrong	sbagliato
confused	confuso
hope	speranza
car	macchina
VERBS	
to sack	licenziare
to send	spedire
to need	avere bisogno di
to break	rompere

TRADUCIAMO!

Cercando un lavoro

Beppe e Fede discutono sul fatto che Beppe ha perso il lavoro.
Fede: Perché ti hanno licenziato?
Beppe: Ho mandato i file sbagliati alle persone sbagliate.
Fede: Perché?
Beppe: Ero confuso, stavo ancora imparando il lavoro!
Fede: Perché non hai fatto il ruffiano con il capo? Come ultima spiaggia?
Beppe: No!
Fede: Ok, ma guarda il lato positivo, avrai più tempo per la play-station.
Beppe: Ho bisogno di soldi!
Fede: Forse c'è un lavoro dal panettiere.
Beppe: Davvero? Meno male! C'è speranza per il futuro!
Fede: Sì, ma anche Rocco lavora lì.
Beppe: Rocco? Ma ho rotto la sua macchina. Non mi parla.
Fede: Meglio non toccare il discorso.
Beppe: Eh?
Fede: La macchina di Rocco che hai rotto!
Beppe: Quando?
Fede: Non ci sei proprio oggi, eh?
Beppe: Eh?
Fede: Ascolta, puoi fare il meccanico! Così lavori e metti a posto anche la macchina di Rocco, e così prendi due piccioni con una fava!

M

MADE OF MONEY (fatto di soldi)
Equivale all'italiano: pieno di soldi
Si usa per descrivere e parlare di una persona che ha molti soldi.
Little boy (Ragazzino): Mom, I want a new bike and a new pair of tennis shoes and a new toy car! Mamma, voglio una bicicletta nuova e un nuovo paio di scarpe da tennis e una nuova macchina giocattolo!
Mother (Mamma): Steven, I'm not made of money! Steven, non sono piena di soldi!

MAKE A KILLING (commettere un omicidio)
Equivale all'italiano: fare fortuna, fare tanti, tanti soldi da qualcosa
Gary had an idea. He sold hamburgers outside the discos at night. He made a killing! Gary ha avuto un'idea. Ha venduto hamburger fuori dalle discoteche la sera. Ha fatto una fortuna!

MAKE A MOUNTAIN OUT OF A MOLE HILL (fare una montagna dal mucchietto della talpa)
Equivale all'italiano: fare un dramma, di un sassolino una montagna
Questa espressione si usa quando una persona ha una reazione sproporzionata riguardo a una cosa.
Timothy: I didn't go to work, today, because I was ill. My wife called my doctor and asked him to come immediately with an ambulance! I only had a cold!... She always makes a mountain out of a mole hill! Non sono andato al lavoro oggi perché ero malato. Mia moglie ha chiamato il mio medico e gli ha chiesto di venire immediatamente con un'ambulanza! Ho solo un raffreddore!... Lei fa sempre di un sassolino una montagna!

MAKE UP FOR LOST TIME (recuperare per il tempo perso)
Equivale all'italiano: recuperare il tempo perso
Andrew: I'm going to America next week with my daughter. We are staying there for three months. Vado in America con mia figlia la prossima settimana. Stiamo là per tre mesi.
Bert: Three months? Just you and your daughter? Tre mesi? Solo tu e tua figlia?
Andrew: Yes, I was never around in recent years because of my job. I want to make up for lost time with her. Sì, non ero mai a casa negli anni scorsi a causa del mio lavoro. Voglio recuperare il tempo perso con lei.

IDIOMS

MISS THE BOAT (perdere la barca)
Equivale all'italiano: perdere il treno, perdere l'occasione
Si riferisce semplicemente al fatto di perdere un'opportunità, che forse non si avrà mai più.
Charles: Boss, I heard that there is a chance to work in the American branch of our company. I talked to my wife and she understands that it's a great opportunity for me. Capo, ho sentito che c'è una possibilità di lavorare nella filiale americana della nostra compagnia. Ho parlato con mia moglie e lei capisce che è una grande opportunità per me.
Boss (Capo): Well, it isn't really a problem because the opportunity is for Mr. Smith, not for you. Bene, non è davvero un problema, perché l'opportunità è per Mr. Smith, non per te!
Charles: Oh no, so have I missed the boat? Oh no, quindi ho perso il treno?
Boss (Capo): No, Charles, there was no boat to miss for you! And, stop making a mountain out of a mole hill! No, Charles, non c'era nessun treno da perdere per te! E smettila di farne una tragedia!

MIXED FEELINGS (emozioni miste)
Equivale all'italiano: essere combattuti
Quando una cosa è da una parte positiva e dall'altra no, provoca un misto di emozioni, appunto.
Mark: Sally is going to work in America. Well, on the one hand I am happy for her, but on the other hand I will miss her enormously. I have mixed feelings about it... Sally andrà a lavorare in America. Bene, da una parte sono felice per lei, ma dall'altra parte mi mancherà enormemente. Ho sentimenti in conflitto a riguardo.

MORE THAN MEETS THE EYE (più che incontra l'occhio)
Equivale all'italiano: c'è sotto qualcosa, gatta ci cova
Si usa quando si sospetta che in una certa situazione, in realtà, ci sia qualcosa sotto, qualcosa di più di quanto raccontino o di quanto si veda.
Alan: At work, nobody is talking to me. What did I do wrong? Al lavoro nessuno mi parla. Che cosa ho fatto di sbagliato?
William: Nothing, everything is fine. Niente, va tutto bene.
Alan: No, William, everything is calm, but there is more than meets the eye. No William, tutto è calmo, ma c'è sotto qualcosa.

Using it!

rich	ricco
loser	perdente
relationship	rapporto
sometimes	a volte/ogni tanto
scooter	motorino

VERBS

to invest	investire
to lose	perdere
to change	cambiare
to die	morire
to exaggerate	esagerare

TRADUCIAMO!

Dalle stalle alle stelle

Thomas va via dal paesino. Porta solo dei vestiti e pochi soldi. Dopo un anno torna guidando una Mercedes, vestito Armani e accompagnato da una supermodella. Va a bere nel pub del paesino, per la prima volta dopo un anno.
Bill: Guarda Thomas! È pieno di soldi.
Bob: Lo so, ha fatto una botta di soldi a Wall Street.
Bill: Io non posso permettermi un motorino e lui viene in Mercedes!
Thomas: Ciao, ragazzi! Vi avevo detto di investire a Wall Street... avete perso una grande opportunità.
Bill: Io vado a Wall Street! Devo recuperare il tempo perso… Vieni, Bob?
Bob: Non lo so, sono combattuto… Da una parte mi piace l'idea di diventare ricco, ma dall'altra non voglio cambiare.
Bill: Sei un perdente! E morirai qui con tutti gli altri perdenti!
Bob: Non esagerare, per favore. Vai tu, io sto qui con la tua ragazza.
Bill: Perché? Che rapporto hai con la mia ragazza? C'è qualcosa che non so?
Bob: Non dire cose stupide… siamo solo amici, amici molto vicini e ogni tanto ci baciamo vicino al lago di notte.
Bill: Ah, O.K.

N

NEST EGG (uovo nel nido)
Somiglia all'espressione italiana "gallina dalle uova d'oro", che non è esattamente sostituibile a questo idiom.
Hai messo da parte un po' di soldi, un gruzzolo? Hai fatto un investimento che ti renderà dei soldi per il futuro? Questo è il tuo uovo nel nido. Una sicurezza per il futuro.
Samuel: I want to buy a new motorbike, but I can't afford it, now. Voglio comprare una nuova moto, ma non posso permettermela ora.
Tom: Sell your stamp collection! Vendi la tua collezione di francobolli!
Samuel: Are you crazy? That collection is my nest egg for when I get old. Sei matto? Quella collezione è il mio gruzzolo per quando diventerò vecchio.

NEXT TO NOTHING (accanto a niente)
Si potrebbe rendere con l'espressione "quasi niente", ma non esiste una vera frase sostituibile a questo idiom.
Quest'espressione vuol dire «pochissimo», «quasi niente».
Hey, there are holidays to Cuba that cost next to nothing! I love Cuba… the beaches are full of girls wearing next to nothing! Ehi, ci sono delle vacanze a Cuba che costano pochissimo! Io adoro Cuba… le spiagge sono piene di ragazze che indossano quasi niente!

NOT FOR ALL THE TEA IN CHINA (non per tutto il tè della Cina)
Equivale all'italiano: neanche per tutto l'oro del mondo
Quando non si farebbe una cosa per nessun prezzo.
Terry: Suzie, will you please go out with me for one evening? Please. Suzie, usciresti per favore con me per una sera? Per favore.
Suzie: Not for all the tea in China! Neanche per tutto l'oro del mondo!

NOTHING DOING (niente facendo)
Equivale all'italiano: niente da fare
Quest'espressione rappresenta un rifiuto assoluto a un'offerta.
John: Please, darling, the World Cup is only every four years! And it's the final! Per favore, cara, la Coppa del Mondo è solo ogni quattro anni! Ed è la finale!
Wife: Big Brother is on now, nothing doing! Il Grande Fratello è in onda ora, niente da fare!

Using it!

only/just	solo
come on!	dai!
reason	motivo

TRADUCIAMO!

In vacanza

È quasi estate e la moglie vuole pensare alle vacanze.
Moglie: Guarda! La Spagna a solo 800 euro in due, albergo a 5 stelle! La Spagna costa quasi niente adesso.
John: Non possiamo.
Moglie: Perché no? Abbiamo 5.000 euro in banca!
John: Quelli sono per il futuro!
Moglie: Dai!
John: No, neanche per tutto l'oro del mondo.
Moglie: Per favore...
John: Niente da fare.
Moglie: Allora vado da sola!
John: Perfetto.

O

OUT OF ORDER (fuori ordine)
Out of order vuol dire due cose in inglese: guasto e persona che ha assolutamente torto... "ha torto marcio", "ha superato ogni limite", "è fuori luogo". Se un ascensore è rotto vedrai un cartello con scritto «Out of order».
That man asked my wife to go to dinner with him in front of me! He was totally out of order! Who is he?! Quell'uomo ha chiesto a mia moglie di cenare con lui di fronte a me. Era completamente fuori luogo. Ma chi è?!

OUT OF THE QUESTION (fuori dalla questione)
Equivale all'italiano: fuori questione
Esattamente come in italiano, una cosa è fuori questione se non è assolutamente possibile prenderla in considerazione e valutarla come una delle opzioni tra cui scegliere.
Boss: I want you to work on Saturdays from now on. Voglio che lavori i sabati da ora in avanti.
Sally: I'm sorry, but that is out of the question; that is my shopping day! Mi dispiace, ma è fuori questione, quello è il mio giorno per lo shopping!

ON THE MAP (sulla mappa)
Si potrebbe rendere con l'espressione "sulla bocca di tutti", ma non esiste una vera frase sostituibile a questo idiom.
Le informazioni sulla mappa solitamente sono importanti. Sono visibili, conosciute. Se tu o il tuo business siete stati messi sulla mappa, vuol dire che siete diventati importanti.
Pino: Hey, Sara, everybody is talking about your banana and fish sandwiches. Ehi, Sara, tutti stanno parlando dei tuoi panini con la banana e il pesce.
Sara: See, I am putting us on the map. Vedi, ci sto facendo conoscere!
Pino: Yes, but they are saying that they are horrible! Sì, ma dicono che facciano schifo!

OUT OF THIS WORLD (fuori da questo mondo)
Equivale all'italiano: la fine del mondo
Se si dice che qualcuno o qualcosa è la fine del mondo, significa che si considera quella persona o cosa molto bella, imperdibile.
You have to see the new Spielberg movie. It is out of this world! Devi vedere il nuovo film di Spielberg. È la fine del mondo!

Using it!

everywhere ovunque

TRADUCIAMO!

Il film

Una compagnia cinematografica vuole girare un film in un piccolo bar di campagna. Il giovane Dino capisce l'importanza di questa cosa per il bar della sua famiglia, ma suo padre no.
Dino: Faranno il film qui, papà, saremo conosciuti ovunque!
Papà: No, è fuori questione. Dovrai passare sul mio cadavere!
Dino: Ma perché? Come opportunità è la fine del mondo! Sei pazzo!
Papà: Stai davvero oltrepassando il limite, Dino.

P

PAID PEANUTS (pagato noccioline)
Si potrebbe rendere con l'espressione "quattro soldi" o "due lire", ma non esiste una vera frase sostituibile a questo idiom.
Se si è pagati in noccioline, vuol dire che si è pagati pochissimo.
Tony: I like my job, but they pay peanuts where I work, so it's difficult to pay for the house. I need an extra job. Mi piace il mio impiego, ma pagano pochissimo dove lavoro, quindi è difficile pagare la casa. Ho bisogno di un lavoro extra.

PAIN IN THE NECK (A) (un dolore al collo)
Equivale all'italiano: essere un rompiscatole
Sta a indicare una persona o una situazione che reca fastidio, noiosa o insistente, che rompe le scatole, insomma.
Lenny: How is your boss with you, now? Come si comporta il tuo capo con te adesso?
David: He's a pain in the neck! He's always telling me to do this or to do that... È un rompiscatole! È sempre lì a dirmi di fare questo o quello...

PIECE OF CAKE (A) (un pezzo di torta)
Equivale all'italiano: un gioco da ragazzi, una passeggiata
Se lo si dice di qualcosa, significa che quella cosa è davvero semplicissima, come mangiare una fetta di torta!
James: I don't know how to finish with Suzy. Non so come chiudere con Suzy.
Joe: Just say «Goodbye!»; it's a piece of cake. Dille solo: «Ciao, ciao!», è semplicissimo.

PLAY YOUR CARDS RIGHT (gioca bene/giusto le tue carte)
Equivale all'italiano: giocare bene le (proprie) carte
La vita è un gioco. Non sei d'accordo? Nel lavoro, nell'amore, in tutto quasi. Infatti, mio padre diceva che gli scacchi sono un buon gioco perché è come avere la vita sulla scacchiera, e si possono imparare delle strategie e leggere le intenzioni degli avversari. Con le carte è lo stesso, non si possono scegliere le carte che dà la vita ed è importante essere capaci di giocarle bene e non farle vedere mai a nessuno!
You have a great business idea. If you play your cards right, you could make a killing and then you will be made of money! Hai una grande idea di lavoro. Se giochi bene le tue carte potresti fare una fortuna e poi sarai pieno di soldi.

PENNY FOR YOUR THOUGHTS (A) (un penny per i tuoi pensieri)
Equivale all'italiano: un soldo per i tuoi pensieri
Quando si è con qualcuno a cui si vuole bene e lo si vede pensieroso, in quei casi si desidererebbe che quella persona condividesse i suoi pensieri. In inglese si dice una cosa molto bella: A penny for your thoughts, cioè ci si dimostra disponibili a pagare purché quella persona condivida i suoi pensieri con noi. Non metto esempi per questa espressione. È già chiara abbastanza, mi sa!

PIGS WILL FLY (i maiali voleranno)
Equivale all'italiano: gli asini che volano
Questa espressione si usa per dire che una cosa è talmente impossibile in questo mondo che potrà succedere solo il giorno in cui si vedranno i maiali volare, o gli asini, in Italia!
John: I think Birmingham City is strong enough to win the Champions League next year. Penso che il Birmingham City sia forte abbastanza da vincere la Champions League il prossimo anno.
Paul: Yes, and pigs will fly! Sì e gli asini volano!

IDIOMS

PLAN B (piano B)
Equivale all'italiano: piano B/di riserva
Questa espressione è grandiosa! Usatissima, come tutti gli idioms che abbiamo visto fino a ora. Se si fa un piano, è sempre meglio averne uno di scorta, giusto? Nel caso in cui il piano originale non funzioni, c'è sempre il piano B, appunto.
O.K., I will try to fix the broken toilet, but plan B is to call the plumber! O.K., cercherò di sistemare il water rotto, ma il piano B è di chiamare l'idraulico!

PLAY WITH FIRE (giocare con il fuoco)
Equivale all'italiano: giocare col fuoco
Questa espressione fa riferimento a qualcuno che si mette in una situazione pericolosa.
You shouldn't send romantic messages to Lucy via Facebook; you are really playing with fire. Her boyfriend is enormous and very jealous! Non dovresti mandare messaggi romantici a Lucy su Facebook, stai davvero giocando col fuoco. Il suo fidanzato è enorme e molto geloso!

PULL SOMEONE'S LEG (tirare la gamba di qualcuno)
Equivale all'italiano: prendersi gioco, farsi beffa
Per quanto ho capito io dell'italiano, ci sono due modi "per prendere in giro" qualcuno: uno cattivo, che serve quando qualcuno tradisce la fiducia di un altro; e uno buono, scherzoso. Questo idiom rappresenta l'espressione più scherzosa e divertente per prendersi gioco di qualcuno.
Carl: I told Sally that she has passed her exams, but she doesn't believe me! Ho detto a Sally che ha superato i suoi esami, ma non mi crede!
Anna: Of course she doesn't believe you; you are always pulling her leg! I will tell her. È ovvio che non ti crede, la prendi sempre in giro! Glielo dirò io.

Using it!

tired of	stanco di
factory	fabbrica
well	bene
pregnant	incinta

TRADUCIAMO!

Amici

Bruce è stanco del suo lavoro e Lenny cerca di dare al suo amico dei consigli per cambiare la situazione.
Bruce: Sono stanco del mio lavoro, voglio trovare qualcos'altro.
Lenny: Senti, se giochi bene le tue carte ti trovo un lavoro nella mia fabbrica.
Bruce: Pagano bene?
Lenny: Pagano molto bene. (Bruce pensa in silenzio)
Lenny: A cosa stai pensando?
Bruce: Mi stai prendendo in giro? Perché, se è così, stai giocando con il fuoco.
Lenny: No, Bruce, posso aiutarti.
Bruce: Grazie.
Lenny: Un giorno potresti diventare un manager importante.
Bruce: Sì, e gli asini voleranno!
Lenny: Ascolta, se non ti prendono nella mia fabbrica c'è un'alternativa... puoi fare la baby sitter... Lucy è incinta!

Q-R

QUICK FIX (aggiustamento veloce)
Si potrebbe rendere con l'espressione "modo di tamponare" o "tamponare una situazione", ma non esiste una vera frase sostituibile a questo idiom. Sarebbe una soluzione di emergenza, improvvisata, non permanente.
There is no quick fix solution to this problem. We need time. Non c'è una soluzione di emergenza per questo problema. Abbiamo bisogno di tempo.

QUIET AS A MOUSE (AS) (silenzioso quanto un topo)
Non esiste una vera frase sostituibile a questo idiom, che si riferisce a qualcuno che sta in silenzio totale, che non fa rumore.
Mary: Is your new baby letting you sleep? Vi lascia dormire il nuovo nato?
Olive: Oh, yes, we are very lucky, she is as quiet as a mouse. Oh sì, siamo fortunati, è molto silenziosa.

IDIOMS

RAINING CATS AND DOGS (piovendo gatti e cani)
Equivale all'italiano: piove a catinelle, pioggia a catinelle
Anche per questo idiom, credo che non ci sia altro da aggiungere.
Can you believe it? We finally had our holiday in Spain and it rained cats and dogs for two weeks! Riesci a crederci? Finalmente abbiamo fatto la nostra vacanza in Spagna e ha piovuto a catinelle per due settimane!

RED TAPE (nastro rosso)
Non esiste un'espressione simile in italiano, per rendere questo idiom che, in breve, sta a significare "iter burocratico"! Burocrazia: gli italiani sono i maestri in questo campo, il popolo italiano è totalmente legato al nastro rosso.
Shelley: My husband had an accident in America and nobody helped him. Mio marito ha avuto un incidente in America e nessuno lo ha aiutato.
Diana: Why not? Perché no?
Shelley: Red tape. Burocrazia.
Diana: Red tape? Burocrazia?
Shelley: Yes, he didn't have insurance. Sì, non aveva l'assicurazione.

ROCK THE BOAT (dondolare la barca)
Si potrebbe rendere con l'espressione "smuovere le acque" o "rompere l'equilibrio", ma non esiste una vera frase sostituibile a questo idiom.
Se qualcuno "dondola la barca" vuol dire che causa dei problemi in una situazione che prima era, comunque e in qualche modo, stabile.
Glen: The boss doesn't pay enough. I want to tell him that I want more money! Il capo non paga abbastanza. Voglio dirgli che voglio più soldi!
Dave: Don't rock the boat, please! The situation is already bad, Glen. Non causare problemi, per favore! La situazione è già brutta, Glen.

RUN OUT OF STEAM (finire il vapore)
Si potrebbe rendere con l'espressione "si sono scaricate le batterie" o "ha perso lo smalto", ma non esiste una vera frase sostituibile a questo idiom.
I vecchi treni andavano a vapore. Se il vapore finiva, il treno rallentava fino a fermarsi del tutto. In inglese, quando una persona o anche una cosa dopo una botta di energia rallenta, si dice che "ha finito il vapore", l'entusiasmo...
Manchester United started very well, but then ran out of steam in the second half of the season. Il Manchester United ha incominciato molto bene, ma poi ha perso energia nella seconda metà della stagione.

Using it!

umbrella	ombrello
reason	motivo
weapon	arma
law	legge
alone	solo/da solo
VERBS	
to rob	rapinare

TRADUCIAMO!

Ladro gentiluomo

Due malviventi, stanchi di non avere soldi, decidono di rapinare una banca.
Bones: Ok, sei pronto a rapinare la banca con me?
Rocky: Adesso? Sta piovendo a catinelle fuori!
Bones: Ho due ombrelli.
Rocky: Sì, ma non è una soluzione definitiva, Bones! Dove mettiamo gli ombrelli quando dobbiamo entrare? Dobbiamo essere silenziosissimi!
Bones: Devi sempre trovare problemi, eh?
Rocky: Sempre?
Bones: Sì, anche quando eravamo nel gruppo. Trovavi sempre problemi con i miei piani. Il gruppo si è sciolto per quel motivo.
Rocky: No, il gruppo non aveva più voglia, alla fine. Comunque non puoi portare ombrelli nella banca.
Bones: Eh?
Rocky: Un ombrello potrebbe essere usato come un'arma, quindi per la legge non possono essere portati nei posti pubblici... sai com'è la burocrazia per le banche!
Bones: Vado da solo.

S

SALT OF THE EARTH (il sale della terra)
In italiano al suo posto si preferiscono frasi come “una pietra preziosa” o “un tesoro”, che non sono esttamente sostituibili a questo idiom.
Quando di qualcuno si dice che è “il sale della terra”, vuol dire che è onesto, puro, semplice e che ha un buon cuore. Una bella persona, insomma. È un enorme complimento per noi inglesi.
I really miss my father. He always gave me important advice and help. He was the salt of the earth. Mi manca davvero mio padre. Mi dava sempre consigli importanti e aiuto. Era una bella persona.

SELL LIKE HOT CAKES (vendono come torte calde)
Equivale all’italiano: va via come il pane, va a ruba
Quando una cosa vende benissimo.
Danny: Yesterday, I got married for the tenth time! Ieri mi sono sposato per la decima volta!
Bob: If you wrote a book about your life, it would sell like hot cakes! Se scrivessi un libro sulla tua vita, andrebbe a ruba!

SECOND NATURE (seconda natura)
In italiano al suo posto si preferiscono frasi come “fa parte di me/te”, che non sono esattamente sostituibili a questo idiom. Se qualcosa fa parte del tuo carattere, vuol dire che è anche nella tua natura essere così. Se fai qualcosa che è tuo “secondo natura”, vuol dire che quello che fai fa parte del tuo carattere.
Teaching English is second nature to John. He has been teaching for many years. Insegnare l’inglese è connaturato in John. Insegna da molti anni.

SEE RED (vedere rosso)
Equivale all’italiano: non vederci più dalla rabbia
Significa che si è estremamente arrabbiati.
When I see people on the news who hurt children, I see red and have to turn off the T.V. Quando vedo sul TG delle persone che fanno del male ai bambini, non ci vedo più dalla rabbia e devo spegnere la TV.

SEEING IS BELIEVING (vedere è credere)
Equivale all’italiano: vedere per credere, se non lo vedo non ci credo
Questa espressione si usa quando uno ha dei dubbi sull’esistenza di qualcosa e non ci crede finché non lo vede con i suoi occhi.

I'm going to the pub, later, because Tony says his new girlfriend is a supermodel. Is that possible? Well, seeing is believing! Andrò al pub più tardi perché Tony dice che la sua nuova ragazza sia una super modella. È possibile? Bene, vedere per credere!

SELL YOUR SOUL (vendersi l'anima)
Equivale all'italiano: vendere l'anima al diavolo
Quest'espressione si usa per riferirsi a qualcuno che ha cambiato drasticamente e improvvisamente idea in merito a qualcosa.
Benny: Hey, John… I saw your brother today with the Scotland football shirt on. Did he sell his soul to the devil? Ehi, John… Ho visto tuo fratello oggi con su la maglietta della Scozia. Ha venduto l'anima al diavolo?

SET IN STONE (fissa nella pietra)
Equivale all'italiano: è legge
Nella Bibbia, Dio ha dato a Mosè delle tavole di pietra su cui erano scritti i Dieci Comandamenti: sulla pietra, in quanto regole che non potevano essere cambiate. In inglese, se una norma di legge relativa al lavoro o anche domestica è fissa nella pietra, significa che è una regola che non si può cambiare.
Listen, the guest list isn't set in stone. You can add a person if you want! Ascolta, la lista degli ospiti non è legge. Puoi aggiungere una persona se vuoi!

SHORT AND SWEET (corto e dolce)
Equivale all'italiano: breve ma intenso
Questa espressione si usa per descrivere un'esperienza che, pur essendo breve, è stata piacevole.
I had three days holiday, so we went to the coast for the weekend. It was short and sweet. Avevo tre giorni di vacanza, così siamo andati sulla costa per il fine settimana. È stato breve, ma intenso e piacevole.

SOFT SPOT (have a) (avere un punto morbido)
Equivale all'italiano: avere un debole (per)
Questo idiom fa riferimento ai punti deboli che ciascuno ha, quelle cose a cui non si riesce a dire di no e a cui non si sa resistere.
Terry: Why is your wife so big? Perché tua moglie è così grossa?
John: She has a soft spot for cakes. Ha un debole per le torte.
Terry: Does she have a soft spot for you, too? Ha un debole anche per te?
John: No, just for cakes. No, solo per le torte.

IDIOMS

SWEETEN THE PILL (addolcire la pillola)
Equivale all'italiano: addolcire la pillola, indorare la pillola
Hai una brutta cosa da dire a qualcuno? Puoi trovare qualche consolazione per limitare il dolore? Riesci a dire qualcosa, qualsiasi cosa che ammorbidisca il colpo? Hai un po' di zucchero da mettere sulla pillola amara che deve ingoiare il bambino?
He lost his job, but his boss sweetened the pill. He is giving him a few hours work in the evenings, until he finds something else. Ha perso il lavoro, ma il suo capo ha addolcito la pillola. Gli sta dando qualche ora di lavoro la sera fino a quando non trova qualcos'altro.

SWIM AGAINST THE TIDE (nuotare contro la marea)
Equivale all'italiano: andare controcorrente
Uno che dice o fa l'opposto della maggior parte della gente, nuota contro la marea, o controcorrente. Spesso questo richiede molto coraggio.
When the fashion was mini-skirts, Harriet wore long skirts. When the fashion was long hair, she cut her hair short. She was never a sheep and always swam against the tide. Quando andavano di moda le minigonne, Harriet indossava gonne lunghe. Quando andavano di moda i capelli lunghi, lei si è tagliata i capelli corti. Non è mai stata una pecora e andava sempre controcorrente.

Using it!

mind	mente
thing	cosa
ridiculous	ridicolo
against	contro
dummy	scemo
VERBS	
to give	dare
to write	scrivere

TRADUCIAMO!

Sulla pazzia

Theo e Brian sono due intellettuali dell'Università di Quarto Oggiaro.
Theo: Penso che Freud avesse una grande mente.
Brian: Era pazzo.
Theo: Ah, sì? Se lui era pazzo, io darei l'anima per essere pazzo. Pensa quando uscivano i suoi libri. Andava totalmente contro quello che scrivevano gli altri, ma andavano via come il pane.
Brian: Theo, so che hai un debole per Sigmund, ma ha detto tante cose ridicole.
Theo: Brian, non tutto quello che ha scritto erano regole, erano solo idee.
Brian: Era pazzo.
Theo: No! Era onesto, vero.
Brian: Perché hai questo debole per Freud?
Theo: Non ho un debole per lui, sciocco!
Brian: Vedi? Dico una cosa su Freud e dai i numeri.
Theo: Ma io so che per te è normale fare arrabbiare la gente, ma ora ti dico qualcosa per addolcire la pillola, ti dico che non sei solo tu. Faccio in modo che il mio discorso sia breve ma produttivo. Ok, pronto?
Brian: Sì.
Theo: Sei uno scemo.
Brian: Ah, sì?
Theo: Sì, vedere per credere! E io ti vedo e sei uno scemo.

T

TAKE IT OR LEAVE IT (prendilo o lascialo)
Equivale all'italiano: prendere o lasciare
La gente non ha sempre voglia di trattare o discutere sulle cose. Se qualcuno ti dice take it or leave it vuol dire che non ha nessuna intenzione di trattare: o accetti la sua offerta o niente, prendere o lasciare!
Egyptian farmer (Contadino egiziano): I will give you one camel for your wife. Take it or leave it. Ti darò uno dei miei cammelli per tua moglie. Prendere o lasciare.
John: I'll take it! Concettina, darling! Please go with this nice man. Ci sto! Concettina, cara! Per favore, vai con quest'uomo gentile.
Egyptian farmer (Contadino egiziano): Hey, crazy Englishman! You forgot to take your camel! Ehi, pazzo inglese! Hai dimenticato di prendere il tuo cammello! Sappi che sto scherzando, non scambierei mai la mia amata Concettina per un cammello, ma per chi mi hai preso, eh? Anche perché non saprei dove metterlo, un cammello. Ecco, se avessi un giardino più grande, magari...

TAKE SOMEBODY FOR A RIDE (portare qualcuno in giro)
Equivale all'italiano: prendere per i fondelli
Questa combinazione di parole ha un significato letterale: «portare qualcuno in giro». "Porterò la nonna a fare un giretto questo pomeriggio" sarebbe I'll take grandma for a ride this afternoon. Ma come abbiamo già visto, per un verbo frasale il significato deve cambiare... ed eccone la prova. Abbiamo già parlato dei due modi di "prendere in giro", uno più scherzoso e l'altro più cattivo; questo idiom si riferisce al secondo modo per scherzare su qualcuno.
A lot of these salesmen take you for a ride. They bend the truth so much that you don't really know what you are buying. Molti di questi venditori ti prendono per i fondelli. Dicono talmente tante mezze verità, che davvero non sai quello che stai comprando.

TALK SHOP (parlare del negozio)
Non esiste un'espressione simile in italiano, per rendere questo idiom che, in breve, sta a rappresentare chi parla sempre di lavoro.
Quello che questa espressione vuole indicare, mi sembra un po' un vizio di tutti i milanesi che, quando escono dal lavoro, non riescono a staccare la spina e continuano a parlare sempre di lavoro... Shop simbolizza il lavoro, non solo un negozio, ma qualsiasi ambiente di lavoro.

I have a friend from Naples. I have known him for twenty years, but I don't know what he does, because he never talks shop. Ho un amico di Napoli. Lo conosco da vent'anni, ma non so che cosa faccia perché non parla mai di lavoro.

THERE WASN'T A SOUL (non c'era un'anima)
Come in italiano, questo idiom si riferisce a situazioni in cui non c'era nessuno. We are playing really badly, in fact, on Saturday there wasn't a soul at the game. Not even the referee came! Stiamo giocando veramente male, infatti sabato non c'era un'anima viva alla partita. Non è venuto nemmeno l'arbitro!

THINK AGAIN (ripensare)
Equivale all'italiano: ripensarci
Se una persona ti dice think again, o ti vuole consigliare di cambiare idea su una cosa o te lo sta ordinando con un sottile imperativo. Come dire "non penso proprio, meglio che ci ripensi, perché non accetto quello che vuoi tu!".
John: Tonight, I am going to the pub. Questa sera andrò al pub.
Wife (Moglie): Think again, you have to give the dog a bath. Non penso proprio, devi fare un bagno al cane.

Using it!

true	vero
come on!	dai!
opinion	opinione

VERBS

to meet	conoscere/incontrare

TRADUCIAMO!

Gossip

Anna: Hai conosciuto il nuovo ragazzo di Amber?
Lucy: Sì, quello che parlava di lavoro alla festa... dovrebbe ripensarci quella ragazza, lui la prende solo per i fondelli.
Anna: Non è vero, dai!
Lucy: Questa è la mia opinione, prendere o lasciare.
Anna: Sono andata a casa sua ieri e non c'era un'anima viva. Sono andati via?

U

UNDER A PERSON'S THUMB (sotto il pollice di qualcuno)
Equivale all'italiano: essere succube di qualcuno
Questa espressione si usa per indicare una persona che è completamente dominata da qualcun altro.
Amber is totally under her boyfriend's thumb. When he says "jump", she jumps. Amber è completamente succube del suo fidanzato. Quando lui dice "salta", lei salta.

UP IN THE AIR (su nell'aria)
Equivale all'italiano: campato per aria
Questa espressione si usa quando succedono tante cose, ma non ci sono ancora certezze. Niente di concreto.
I have a chance to go to America to work, but I have to finish many things here, first, so everything is up in the air. Ho una possibilità di andare in America a lavorare, ma devo terminare molte cose qui prima, quindi tutto è campato per aria.

W-Y

WAITING GAME (gioco di aspettare)
Equivale all'italiano: temporeggiare
Quando hai due o più possibilità, ma preferisci una all'altra a volte è meglio aspettare senza fare nulla per vedere se ci sono degli sviluppi che possano cambiare le cose. È una tattica.
Hannah: Did Lenny call? Ha chiamato Lenny?
Lisa: No, he's playing the waiting game. He wants to see if I will go crazy without him. No, sta temporeggiando. Vuole vedere se diventerò matta senza di lui.
Sherry: Have you confirmed your acceptance of the job offer with TreniBoh, yet? Hai già confermato la tua accettazione dell'offerta di lavoro da TreniBoh?
Peter: No, I haven't, yet, because I would prefer to work for TeleBoh, and they haven't answered me, yet. No, non ho ancora confermato perché preferirei lavorare con TeleBoh e non mi hanno ancora risposto.

WALK ON AIR (camminare sull'aria)
Equivale all'italiano: toccare il cielo con un dito, essere al settimo cielo
Questo idiom fa riferimento alla situazione in cui si è talmente felici che si cammina in aria, sollevati da terra.
Jason: Hey, you got the job! How do you feel? Ehi, hai ottenuto il lavoro! Come ti senti?
Lucy: I'm walking on air! Sono al settimo cielo!

WEAR MANY HATS (indossare tanti cappelli)
Anche in italiano esiste il modo di dire "indossare tanti cappelli", ma è molto meno diffuso rispetto allo stesso idiom inglese.
Quest'espressione si usa per descrivere qualcuno che fa vari lavori.
The school caretaker has to wear many hats. He has to be a plumber, a gardener and a security guard. Il custode della scuola deve fare molte cose. Deve fare l'idraulico, il giardiniere e la guardia di sicurezza.

YOU CAN'T TEACH AN OLD DOG NEW TRICKS (non puoi insegnare nuovi trucchi a un vecchio cane)
Non esiste un'espressione uguale in italiano per rendere questo idiom che, in breve, significa che è difficile insegnare qualcosa a chi è anziano e ha già delle abitudini molto ben radicate.

IDIOMS

Ci sono tanti paragoni fatti tra persone e cani. Alcuni offensivi e altri piu nobili. In inglese, se si dice you are an old dog a una signora, questo è molto offensivo. Se invece si dice you are an old sea dog a un vecchio marinaio, questa è un'espressione di ammirazione e affetto. Questo idiom è detto con affetto. Con la parola tricks si intendono gli ordini; insegnare a un cane a dare la zampa è facile quando è giovane, ma quando è piu vecchio è molto complicato, se non impossibile. Con il tempo, le vecchie abitudini diventano automatiche e può diventare difficile imparare a fare nuove cose.

My grandmother is learning English, but she isn't making much progress. You can't teach an old dog new tricks. Mia nonna sta imparando l'inglese, ma non sta facendo molti progressi. Non puoi insegnare a un vecchio cane nuovi trucchi.

Using it!

agitated	agitato
lawyer	avvocato
way	modo
angry	arrabbiato
positive	positivo
tactic	tattica
VERBS	
to look	guardare
to look like/seem	sembrare
to think	pensare
to wait for	aspettare

TRADUCIAMO!

Il capo

Frank e Freddy parlano del capo dell'azienda in cui lavorano.
Frank: Il capo è agitato. Sta aspettando una risposta da Roma.
Freddy: Lui è il capo? Ma non è l'avvocato?
Frank: Sì, ma fa tante cose qui, perché è la ditta di suo papà.
Freddy: Perché non chiama lui Roma?
Frank: Perché temporeggia. È il suo modo di fare e non puoi pretendere di cambiarlo, ormai.
Freddy: Lui sembra arrabbiato...
Frank: Ora penso che, se Roma chiama oggi con la risposta positiva che si aspetta, lo vedrai molto felice. Ma per ora temporeggia. È la sua tattica.

STEP **10** ENGLISH IN USE

10.1 **Meeting someone**

10.2 **Small talk**
Ice breakers
Jobs
Hobbies
Weather
How to say goodbye

10.3 **Communicating**

10.4 **E-mail e lettere**
Formattazione
Contenuto
Il “panino”
Signing off

10.5 **On the telephone**
Answering machines
The game rules

Daily life

10.6 **Bookings**
Flights
Trains
Hotels
Restaurants

10.7 **Places and directions**

10.8 **Travel**

10.9 **Eating out**

10.10 **Shopping**

10.11 **Money**

10.12 **SMS texting**

Going abroad

Diciamo che hai la fortuna di vivere o lavorare con gli inglesi... ho detto "diciamo"... come cacchio fai a fare tutte le cose giornaliere che diamo per scontato in italiano? Comprare una camicia, un po' di frutta, andare al ristorante, fare una prenotazione, prendere un treno, fare due chiacchiere in ascensore.... Ora puoi!

Meeting someone 10.1

Quando ti presentano una persona nuova, è molto importante essere sciolto e amichevole. Siamo adulti fuori, ma spesso ancora bambini dentro. L'ignoto qualche volta può essere stimolante, ma può anche causare butterflies in your stomach (farfalle nello stomaco che svolazzano e ti agitano). Specialmente se devi incontrare per la prima volta persone molto importanti per te. Ricordati che la persona che devi incontrare potrebbe essere ugualmente stressata per la situazione e sarà molto più contenta di avere di fronte una persona sorridente e allegra, che la mette a suo agio.

Vediamo una scena tipica: arriva un visitor (non intendo una lucertola che striscia attraverso i corridoi, ma un ospite: se vedi una lucertola stai lavorando troppo!) alla festa a sorpresa che hai organizzato per la tua dolce metà...

offrigli la mano e salutalo:
Hello, I'm Roberto and it's very nice to meet you. (usi «I'm very pleased to meet you» quando arriva la Regina) Salve, sono Roberto e sono molto lieto di conoscerla.

oppure, se l'hai già conosciuto o incontrato prima:
Hello, It's nice to see you again. Salve, sono molto contento di rivederla.

a questo punto, sento spesso dire «follow me» (seguimi).
Questa espressione va bene se fai il poliziotto di mestiere e hai arrestato un criminale, ma al lavoro è meglio:
If you'd like to come this way, I'll take you to the room where everyone is waiting... Se vuole venire da questa parte, le mostro la stanza dove tutti aspettano...

PLEASE?

Se c'è da prendere l'ascensore, non dire please per dire «prego» quando giustamente fai entrare una persona prima di te. Si dice, invece, after you! Se dici please il tuo ospite si aspetterà che tu gli faccia una domanda e chiederà «please what?»... Prima che capisca cosa stai intendendo con "prego", l'ascensore si sarà già aperto, richiuso e sarà andato...

Small talk 10.2

Mentre tu e il tuo ospite camminate insieme, prova a sdrammatizzare la situazione con un po' di small talk. Ovvero, le chiacchiere... Vediamo qualche esempio:

So, how was your flight? Allora, come è andato il volo?
Have you been to Milan, before? È già stato a Milano?
I love London/Berlin/Kabul; I would like to spend more time there. Io adoro Londra/Berlino/Kabul, mi piacerebbe passare più tempo lì.
Concy will be arriving any minute now. Concy arriverà da un minuto all'altro.
The cake with the nude dancer inside is on its way. La torta con il ballerino nudo dentro sarà qui tra breve.
Can I get you anything? Posso offrirle qualcosa?

YOU

Sento spesso una piccola semi-fesseria: «Ma non c'è differenza tra "tu" e "lei" in inglese?». Non è vero, è solo che abbiamo modi molto più sottili per esprimere la differenza. È vero che grammaticalmente se in italiano si dà del lei, in inglese la forma di cortesia non esiste e si usa sempre you. Ma è altrettanto vero che queste differenze si sentono eccome e questo si chiama register (registro).
Se incontri il Presidente della Repubblica non dici: «Ehi, Giorgio, come butta?» Neanche in inglese. "Hello, Mr. President, it's an honor to meet you" (...è un onore incontrarLa). Il terreno minato si estende, però, tra questi due estremi. Come fai con una persona alla quale vuoi dimostrare rispetto, ma allo stesso tempo confidenza e, magari, anche affetto? Solo un esempio: potresti indirizzarti a lui o lei con la sua qualifica più una versione abbreviata del suo nome, "Hey, Dr. B., it's great to see you, again". Magari chiedendo la prima volta, "Do you mind if I call you 'Dr. B'?"

1. ICE BREAKERS

Queste sono delle frasi "rompighiaccio" che contengono un pizzico di umorismo, per aiutare a sdrammatizzare la situazione. Mostra anche simpatia e sicurezza mentre le pronunci!

Don't worry, there are people who speak better English than I (do)! Non si preoccupi, ci sono persone che parlano un inglese migliore del mio!
You should visit the Duomo; it took 500 years to build. Like my new garage! Dovrebbe visitare il Duomo, ci sono voluti 500 anni per costruirlo. Come il mio nuovo garage!
I would advise you to take a taxi in Milan; there is a terrible one-way system. Some people have been trapped in it for weeks. An old aunt is still in there, somewhere. Le consiglierei di prendere un taxi a Milano, c'è un terribile sistema di sensi unici. Alcune persone ci sono rimaste intrappolate per settimane. Una vecchia zia è ancora lì da qualche parte.

Se offri qualcosa da bere:
Sorry, we have only tea, coffee or water; someone finished the whisky after Inter won the cup. Mi dispiace abbiamo solo tè, caffè o acqua; qualcuno ha finito il whisky dopo che l'Inter ha vinto la coppa.
Something to drink, maybe? Qualcosa da bere, magari?
We have tea, coffee... or water. Abbiamo tè, caffè... o acqua.
Would you like some...? Vorresti del...?
Of course. a glass of water. Still or sparkling? Certo. Un bicchiere d'acqua. naturale o gassata?
Would you like a biscuit*? Vorresti un biscottino?

Sei molto in confidenza, tale da parlare molto colloquialmente? Prova questo:
Do ya' wanna drink? Vuoi qualcosa da bere?
Certainly. A cup of tea/coffee. Sugar? Milk? Certamente. Una tazza di tè/caffè. Zucchero? Latte?

* Stai parlando con un americano? I dolci si chiamano cookies; biscuits sono un altro paio di maniche: una specie di piccolo pannino morbido e fragrante che si offre insieme ai pasti... gnam! gnam!

ENVIRONMENT...the gray zone

Ora che sei diventato un esperto di register, cosa dici dei soggetti tabù? Quelli in inglese probabilmente si sovrappongono con quelli in italiano. È sempre meglio, nella conversazione, evitare soggetti touchy (esplosivi) almeno con persone che non conosci bene... e, per salvaguardare le amicizie, talvolta anche con quelle che conosci bene: l'ambiente, la religione, la politica, soldi...

2. JOBS

Cosa farai da grande?
Prima di tutto, voglio spiegarti la differenza tra work e job. Quello che identifichi con job è il compito che hai, quello per il quale sei pagato. Con work si intende invece il lavoro che fai, ovvero le mansioni di cui ti occupi nello svolgimento del tuo job.

What do you do? I am a policeman; that is my job.
What do you do in your job?
I work with other policemen to keep public order.

DIFFERENT JOBS

accountant/contabile o commercialista
An accountant sorts out my money and taxes. He works in an office. Un contabile si occupa dei miei soldi e delle tasse. Lavora in un ufficio.

baker/panettiere
The baker makes bread and we buy it in the morning. He works in a bakery. Il panettiere fa il pane e noi lo compriamo la mattina. Lavora in una panetteria.

barman OR barmaid/barista uomo O barista donna
The barman serves drinks in the pub. – He is my hero! – He works in a pub. Il barista serve da bere al pub. – È il mio eroe! – Lavora in un pub.

builder/muratore
The builder builds buildings and houses. He works on a building site. Il muratore costruisce edifici e case. Lavora in un cantiere.

butcher/macellaio
The butcher prepares and sells meat. He works in a butcher's (shop). Il macellaio prepara e vende la carne. Lavora in una macelleria.

chef/cuoco
The chef prepares and cooks food. He works in a kitchen. Il cuoco prepara e cucina il cibo. Lavora in una cucina.

cleaner/persona addetta alle pulizie
The cleaner cleans. He/She works in offices, bars and houses. La persona addetta alle pulizie pulisce. Lavora in uffici, bar e case.

dentist/dentista
The dentist looks after people's teeth. He works in a dentist's (office). Il dentista si prende cura dei denti delle persone. Lavora in uno studio dentistico.

doctor/medico
The doctor looks after people's health. He works in a hospital or surgery. (USA: clinic) Il medico si prende cura della salute delle persone. Lavora in un ospedale o in ambulatorio.

fireman/pompiere
The fireman extinguishes fire. He works in a fire station and in buildings. Il pompiere spegne il fuoco. Lavora nella caserma dei pompieri e negli edifici.

hairdresser/parrucchiere
The hairdresser cuts and styles people's hair. He works in a hairdresser's (shop). Il parrucchiere taglia e modella i capelli delle persone. Lavora in un salone.

judge/giudice
The judge judges and sentences people. He works in a court. Il giudice giudica ed esprime sentenze alle persone. Lavora in un tribunale.

lawyer/avvocato
The lawyer defends and prosecutes people. He works in a court and in his office. L'avvocato difende e accusa le persone. Lavora in un tribunale e nel suo uffcio.

nurse/infermiera o infermiere
The nurse looks after patients. She/He works in a hospital. L'infermiera/e si prende cura dei pazienti. Lavora in un ospedale.

policeman/poliziotto
The policeman keeps public order. He works in the police station and in the city. Il poliziotto mantiene l'ordine pubblico. Lavora nella stazione di polizia e in città.

plumber/idraulico
The plumber sorts out problems with the water system. He works in all types of buildings. L'idraulico mette a posto i problemi dell'impianto idraulico. Lavora in ogni tipo di edificio.

postman/postino
The postman delivers letters. He works on the streets. Il postino consegna le lettere. Lavora nelle strade.

receptionist/chi sta alla reception
The receptionist receives visitors. He/She works in a reception. Chi sta alla reception riceve i visitatori. Lavora alla reception.

shop assistant/commesso o commessa
The shop assistant sells products and helps customers. He/She works in a shop. Il commesso/La commessa vende prodotti e aiuta i clienti. Lavora in un negozio.

secretary/segretaria
The secretary sorts out appointments, meetings and writes e-mails. She works in an office. La segretaria organizza appuntamenti, riunioni e scrive e-mail. Lavora in un ufficio.

vet/veterinario
The vet looks after animals. He works in a veterinary (clinic). Il veterinario si prende cura degli animali. Lavora in una clinica veterinaria.

waiter or waitress/cameriere o cameriera
The waiter takes orders and brings food. He/She works in restaurants. Il cameriere/La cameriera prende le ordinazioni e porta il cibo. Lavora nei ristoranti.

teacher/ insegnante – professor/professore
A good teacher teaches well, but a great teacher inspires! He/She works in a school. Professors work at universities. Un buon insegnante insegna bene, ma un insegnante fantastico ispira! Lavora in una scuola. I professori lavorano nelle università.

Using it!

letters	lettere
good smell	profumo
newspaper	giornale
court	tribunale
stolen	rubato
understandable	capibile
thief	ladro
interview	colloquio
system	impianto
quote	preventivo
sum	cifra
immediately	subito
pain	dolore
compliment	complimento
to pay a compliment	fare un complimento
in trouble	nei guai
fire	fuoco
hero	eroe
stairs	scale
kind	gentile
coward	codardo
flames	fiamme
loser	perdente
tale	storiella

VERBS

to daydream	sognare a occhi aperti
to start	cominciare
to pass	passare
to take on	assumere
to introduce	introdurre/presentare
to escape	scappare

TRADUCIAMO!

Un giorno fuori

Alle sette del mattino il postino è arrivato con tre lettere. Erano tutte per mia moglie. Alle sette e mezza sono andato a prendere il pane dal panettiere. Mi piace il profumo del pane la mattina. Dopo sono andato a prendere il giornale, ma quando sono entrato nel negozio non c'era la commessa. Ho preso un giornale e stavo uscendo quando ho visto un poliziotto. In quel momento ho cominciato a sognare a occhi aperti. Ero in tribunale, il mio avvocato stava facendo vedere il giornale rubato al giudice e io ero in mezzo a due poliziotti. Poi ha parlato il mio contabile: «Forse pensate che sia stupido rubare un giornale che costa solo una sterlina, ma è comprensibile... perché lui ha finito i soldi! E, perché non ha soldi? Perché ha bisogno di un lavoro… e, perché non ha un lavoro?». «Perché è un ladro!» ha urlato il giudice.
Ho deciso di pagare il giornale.
All'una di pomeriggio avevo un colloquio per un nuovo lavoro, quindi sono andato dal parrucchiere. Sì! Ci vogliono due ore per mettere a posto i miei capelli. Mentre andavo dal parrucchiere ho visto dei muratori in un cantiere e ho chiesto cosa stavano costruendo.
«Una clinica veterinaria» ha detto un muratore. E io ho chiesto: «E lei cosa fa?».
«Sono un idraulico» mi ha detto «metto a posto tutto l'impianto dell'acqua.»
Dopo venti minuti mi faceva male un dente, quindi sono andato dal dentista per avere un preventivo. Lui mi ha detto la cifra e mi è passato subito il dolore.
Dopo il parrucchiere era ora di pranzo e sono andato al pub per una birra veloce, poi al ristorante. Il cameriere mi ha portato un piatto di pasta e mi ha fatto i complimenti per i miei capelli.
Dopo ho fatto i complimenti allo chef e sono andato al mio colloquio. Mentre entravo nel palazzo dove dovevo fare il colloqio, mi è arrivato un SMS. Era il mio contabile. «Se non ti assumono, sei nei guai!»
Alla reception ho dato il mio nome ed è venuta a prendermi la segretaria del capo. Nell'ufficio del capo mi sono presentato e lui mi ha fatto i complimenti per i miei capelli. Stavo parlando con il capo quando ho sentito una donna gridare "al fuoco!". Il capo ha chiamato i pompieri e io, cercando di essere un eroe, sono scappato. Mentre correvo giù dalle scale sono caduto.
In ospedale l'infermiera mi ha portato un giornale, era molto gentile. Incredibilmente: ero sulla prima pagina!

«Codardo si rompe una gamba scappando da un edificio in fiamme!» Il dottore mi ha detto che dovevo rimanere in ospedale quattro giorni. Dopo è arrivata la donna delle pulizie.
«Sei un perdente!» mi ha detto.
«C'era il fuoco!» ho risposto.
«Non perché sei scappato!» ha detto. «Perché non sei riuscito a mettere dentro il macellaio in questa storiella stupida!»

3. **HOBBIES**

A te cosa piace fare quando non stai studiando inglese?
Ho vissuto in Italia per quasi vent'anni prima di rendermi conto che il nome di una nota catena di negozi di bricolage è un riferimento alla parola hobbies, ai passatempo. Ti giuro. Sai benissimo (almeno in parte) quello che piace a me quando voglio rilassarmi... suonare, cantare, magari con una bella bionda fredda con una testa bianca bella schiumosa (sì, quel tipo di bionda) posata sul pianoforte. E tu? Ecco alcuni passatempi "preferiti"...

listening to music (ascoltare musica)
going to concerts (andare ai concerti)
playing an instrument (suonare uno strumento)
drawing and painting (disegnare e dipingere)
playing games on the computer (fare giochi al computer)
playing board games (fare giochi da tavolo)
playing cards and betting (giocare a carte e scommettere)
needlepointing and knitting (fare mezzopunto e lavorare a maglia)
reading (leggere)
chatting with friends (fare due chiacchiere con gli amici)
watching sports on T.V. (guardare sport alla T.V./in T.V.)
running and jogging (correre, fare jogging)
going to the gym (andare in palestra)
going swimming (nuotare)
going bike / horseback riding (andare in bici/cavalcare)
playing sports: football, football americano, basketball, baseball, volleyball... (fare uno sport: calcio, football americano, pallacanestro, baseball, pallavolo...)

Using it!

Who cares?!	Pazienza!
piano	pianoforte
love handles	maniglie dell'amore
even	pure
dirty	sporco
mash and bangers	purè di patata e salsicce
after all	dopotutto
VERBS	
waste	sprecare
(to be) entitled to	avere il diritto di
take for granted	prendere per scontato
relax	rilassarsi
buzz	ronzare
agree with someone	essere d'accordo con qualcuno
(to be) treated like a king/queen	servito e riverito
wake up	svegliarsi
invite	invitare

TRADUCIAMO!

Una bella domenica... tutta sprecata

Il sole entrò attraverso la finestra un po' sporca. Era davvero passato molto tempo da quando noi non l'avevamo pulita. Pazienza. È domenica e avrò il diritto di rilassarmi un po' anch'io, no? Comincio a sognare di suonare (of verb -ing) un po' il pianoforte, ho una nuova canzone che mi ronza in testa da giorni e poi, magari di andare a correre (sì, io... le maniglie dell'amore vengono pure a me) prima di fare una colazione meravigliosa, magari servito e riverito da Concy (svegliati!). E poi? Mmmmmm, è molto tempo che non faccio due chiacchiere con i miei amici e gioco a carte insieme a loro. Non li vedo dal mese scorso. Potremmo giocare per circa tre ore, ma poi dovrò... no, è domenica... vorrei giocare un po' a calcio, poi magari invitare i ragazzi a venire a casa mia per guardare un po' di calcio in T.V. e poi, ahhhh, sì, una bella cena di purè di patata e salsicce. Dopotutto, ho fatto un po' di sport, no?
Non tutti in casa erano d'accordo con me...

4. WEATHER

Che tempo farà?
Non è sempre banale parlare del tempo, specialmente oggi che c'è global warming. E se hai acquistato la tua borsa e le tue scarpe nuove, e magari sei anche andata dal parrucchiere, devi proprio informarti delle previsioni metereologiche, affinché un acquazzone non ti colga impreparato…
Qual è l'unica cosa al mondo piu imprevedibile di una donna? Il tempo in Gran Bretagna. Giusto!

In inglese ci riferiamo al tempo sempre con it:
It's raining, it's snowing, it's sunny. It rained, it snowed, it was sunny. It will rain, it will snow, it will be sunny.

cloud	nuvola
cloudy	nuvoloso
damp	umido
fog	nebbia
foggy	nebbioso
rain	pioggia
rainy	piovoso
snow	neve
snowy	nevoso
storm	tempesta
stormy	tempestoso
sun	sole
sunny	soleggiato
thunder and lightning	tuono e lampi
wind	vento
windy	ventoso
chilly	frescolino
cold	freddo
freezing	freddissimo/gelo
hot	caldissimo
warm	tiepido
very warm	caldo
humid	umido
balmy	mite, temperato

TRADUCIAMO!

UN FINE SETTIMANA IN GRAN BRETAGNA

Il tempo in Gran Bretagna è veramente pazzo!
Siamo arrivati a Londra, era molto nuvoloso e faceva frescolino. La famosa nebbia di Londra non c'era. Solo trenta minuti dopo pioveva e noi eravamo senza ombrello. Ma non era un problema, perché cinque minuti dopo c'era il sole anche se era ancora un po' umido. Due ore dopo siamo arrivati a Manchester ed era nevoso! Il giorno dopo siamo andati in Scozia e lì era freddissimo! Noi dormivamo in montagna e quella notte c'era una tempesta di neve. Il giorno dopo fuori era bellissimo. Tutti gli alberi erano coperti di neve e faceva caldo. Dopo pranzo è arrivato un vento incredibile e abbiamo visto che tutti gli alberi erano di nuovo verdi. Abbiamo visto tutte le 4 stagioni in 2 giorni!!

5. HOW TO SAY GOODBYE

Se è giunta l'ora dei saluti, per carità non dire mai "Bye-bye!" È roba da bambini!
Ecco come puoi congedarti dal tuo ospite:
It was a pleasure meeting you (again se non è la prima volta) and I hope you enjoyed your stay in our city.
È stato un piacere incontrarla (di nuovo) e spero che la sua sosta nella nostra città sia stata piacevole.

Conosci bene la persona?
Pronto ad affrontare un register meno formale?
Have a nice day. Passi una buona giornata.
Would you like me to call you a taxi?/Do you want me to call you a taxi? Vorresti che io chiamasse un taxi per te?/Desideri che ti chiami un taxi?
I'll see you to the door. Ti accompagno alla porta.
Don't bother, I know the way. Non scomodarti, conosco la strada.

Communicating 10.3

C'è un nuovo approccio alla comunicazione personale e sul lavoro ed è l'unico approccio! La buona notizia per te è che ora non si usano più frasi lunghe, complicate e piene di gergo. Anzi, si usa un inglese semplice, diretto e amichevole. Gli italiani hanno una leggera paranoia riguardo a cosa è educato, ma ti assicuro che non è maleducato essere concisi e semplici. Anzi, è molto più apprezzato in questo mondo sempre più veloce e frenetico.

Prima di scrivere una e-mail, una lettera o fare una telefonata importante, dovresti sempre preparare una scaletta con i punti più importanti da comunicare, una check-list, almeno puoi essere sicuro al 100% di ricordare tutti gli argomenti che devi affrontare. Ecco alcuni consigli...

SINTESI E IMMEDIATEZZA: taglia parole e frase inutili; taglia la prima parte se si riferisce a una corrispondenza precedente; separa le informazioni diverse: se hai 3 cose da dire, dille una alla volta.

CHIAREZZA E SEMPLICITÀ: usa parole facili, righe e paragrafi corti; tieni il soggetto il più semplice possibile; usa parole e frasi chiare e concrete, non vaghe.

CONCRETEZZA E DISPONIBILITÀ: rispondi subito alle domande; prima dai la risposta, in seguito dai le spiegazioni; usa uno stile amichevole, colloquiale.

SINCERITÀ E CONVINZIONE: rispondi rapidamente; cerca di essere comprensivo e disponibile; scrivi come se avessi il tuo destinatario davanti.

K.I.S.S.

Brevity is the soul of wit. Shakespeare l'ha detto in *Amleto*, puoi crederci: la brevità è l'anima dell'intelligenza*.
Keep It Short and Simple... K.I.S.S.

Che sia una lettera, una e-mail, una presentazione, un biglietto anonimo per l'idiota che non pulisce la cacca del suo cane, *multum in parvo*, my friend.

* Wit può significare anche «senso dell'umorismo», ma qui si parla di Amleto che sembra aver perso il suo wit, cioè sembra impazzito.

E-mail e lettere 10.4

Non è una lettera, quindi non servono le frasi lunghe e piene di ricami che si usavano "una volta". C'è lettera e lettera. Quando scrivi alla nonna o all'amica del cuore puoi deliziarla con frasi tortuose e con punteggiatura erratica, ma nella vita moderna la punteggiatura ti aiuta a capire il senso della frase. Inoltre, non si usano più certe frasi vecchie e inutili. Insomma, come nella musica, nella scrittura le scelte di tono, di forma, di contenuto in base al lettore hanno a che fare con il registro, register.

DON'T EAT GRANDMA

Le virgole sono tue amiche. È vero, si usano sempre di meno, ma se non vuoi che la tua povera nonna passi il resto dei suoi giorni rinchiusa tremando in un armadio, sarebbe meglio fare pace con loro:
Don't eat, grandma! Non mangiare, nonna!
Don't eat grandma! Non mangiare la nonna!

I regret to inform you meglio I am sorry, but.../Unfortunately...
Please do not hesitate to contact me meglio Feel free to ask me any questions
Please advise meglio Please let me know
Se ti chiedessi: «C'è Rita in casa/ufficio?», mi risponderesti forse: «Regarding your enquiry dated November 21 as to whether or not Rita is present, I regret to inform you that...»??! NON LO FARESTI MAI! Sembreresti un pazzo... Quindi, non scriverlo! Diresti: «I have checked Rita's room/office and she isn't in there», quindi scrivi così! È meno pomposo, più diretto, più chiaro e comunque ancora adeguato a un registro formale.

1. FORMATTAZIONE

Quando scrivi una e-mail il computer ti organizza la formattazione: il destinatario, il mittente, la data, l'oggetto. Ti devi ricordare solo il saluto, il contenuto, la chiusura. Con una lettera non è così: in inglese, ci sono alcune cose da tenere in mente che distano dalle prassi in italiano. Concentriamo su quelle. Let's take for granted, diamo per scontato che usi la carta intestata. La prima cosa da aggiungere è il destinatario e il suo inidirizzo, allineato a sinistra.

MR., MS., DR.

Le donne del mondo non ritenevano giusto che gli uomini rimanessero anonimi, nascosti dietro a un generico Mr. (usato ugualmente per uomini sposati e non sposati), mentre loro rivelavano il loro stato coniugale (Miss era usato per le donne non sposate mentre Mrs. per le donne sposate). Ora non si usano più Mrs. e Miss, ma soltanto Ms. (che si usa solo nella comunicazione scritta! Quando si parla a una signora in modo cortese e formale ci si rivolge a lei con ma'am*), che è neutrale.

Inoltre, in Italia diamo del "dottore" anche al povero criceto del vicino se pensiamo di potercelo ingraziare, ma in inglese si può adoperare la qualifica Dr. solo per le persone che hanno un dottorato di ricerca in medicina, odontoiatria, studi umanistici. Tutti gli altri, commercialisti, notai, avvocati, ingegneri, et al., sono solo Mr.

Se ti riferisci ad uno con un dottorato di ricerca, che sia uomo o donna, usa Dr., altrimenti...
Se ti riferisci a un uomo, usa sempre Mr.
Se ti riferisci a una donna, usa sempre Ms.
Se scrivi a un gruppo di persone, usa Dear Sirs.
Se non sai chi leggerà la e-mail, usa To whom it may concern.

* Se non vuoi un occhio nero è meglio non usare "madam"... è usato con sarcasmo e/o per dare della maitresse...

Più o meno in linea con l'ultima riga dove c'è il CAP scriviamo la data (e, se necessario, il numero di protocollo) a destra. (Attenzione: puoi scrivere la data anche allineata al margine di sinistra, ma vedrai fra poco perché devi prestare attenzione alla posizione della data.) Suggerisco di scrivere il nome del mese per evitare confusione: noi inglesi spesso scriviamo prima il giorno e poi il mese. Poi l'oggetto e il saluto seguito dal primo paragrafo all'inizio del quale hai messo un bel MAIUSCOLO... sempre.

CAPITAL LETTERS

L'uso del maiuscolo e del minuscolo è molto differente tra l'inglese e l'italiano (sigh!)... In sintesi, si potrebbe dire che le abitudini inglesi assomigliano a quelle italiane (whew!), mentre la stessa cosa non vale assolutamente per le abitudini americane (sigh!). Mettendo a parte le regole adoperate per i titoli di libri, poesie, capitoli di libri, articoli di giornali e riviste (che è tutta un'altra can of worms, come nel caso degli idioms), la regola d'oro sta nell'individuare se il sostantivo rappresenta un proper name, un nome vero e proprio, o se è solo un povero semplice sostantivo... anche se si tratta della stessa parola e dello stesso soggetto. Volete qualche esempio?

I work at the Texas Mosquito Agricultural College. The college's offices are open from 10 a.m. to 10:15 a.m. (mosquito è zanzara; agricultural... dai, questa è facile!)
(In un articolo) Dr. Doolittle, Director of the Texas Mosquito Agricultural College, has confided that the funds available for expanding the hours of the college's office are very limited. The director has promised to dedicate herself to fund-raising, this year. (promise: promettere; fund-raising... ormai si dice così anche in italiano...)

Abbi un po' di pietà per noi. Ci fa incrociare gli occhi quando tra un paragrafo e un altro non c'è una distinzione netta. È obbligatorio in una lettera più o meno formale in inglese di adoperare uno o anche due dei seguenti sistemi: o mettere una riga vuota tra i paragrafi o introdurre un rientro all'inizio del paragrafo.

La chiusura della lettera dev'essere allineata con la data: se 6 June 2045 è allineato al margine di sinistra anche Yours Sincerely sarà allineato alla sinistra, invece se il primo è posizionato verso destra, anche il secondo sarà posizionato verso la destra in diretta linea sotto il primo. In una comunicazione formale, ricordati di evitare le contrazioni e, ove possibile, il pronome "I". Per il resto, perché non guardi i due esempi di lettere, una formale una informale, per capire al volo come devi formattare le tue lettere?

John Peter Sloan, Pres.

Mr. Fellini, Ghost
111 Arrrrrrrgh Street
29044 Quarta Dimensione (QD), Italia

July 17, 2012
Prot. R 325/2012

Dear Mr. Fellini,

Please allow me to introduce myself. My name is John Peter Sloan, and I am an English actor, director, writer, comic and singer, who has been living in Italy for many years. Marcello Mastroianni, whom we both know well, suggested that I contact you with my proposal for a film project in English.

As perhaps you have heard, Instant English is very active both in the theatrical and scholastic spheres, bringing together the two worlds in order to facilitate Italians wanting to learn English. Until now, however, the performances, whether on stage or film, have been limited to short related sketches distributed evenly across the CDs in the *Speak Now!* series.

After years of continued and increasing success, the Instant English approach is ready for the production of a successful film. Both Mr. Mastroianni and I agree that your style of directing is coherent with the mood that is desired for this film, hopefully the first of many, and I would like to entrust the project to you.

I would appreciate an appointment to discuss the project with you, further. I will contact you early next week to set up an appointment, should you be interested.

Sincerely,

John Peter Sloan, President

Cc: Marcello Mastroianni

222 Brighton Way – 25664 Piccola Inghilterra (PI), Italia - ie@ie.it

July 17th

Ciao, Fede!

It's been awhile since we've heard from each other, so I thought I'd update you on what's been going on, here. Conci's career is (finally!) taking off, and Marcello and I have been bandying about an idea, which I hope will interest you: an Instant English film!!!

You've seen (dare I brag?!) the great success Instant English has had, but up to now we've been producing the clips – even if they are in a kind of series – little by little, as we needed them, creating a semblance of coherence as we went along. Last Saturday night, Marcello and I were watching a few of the more recent episodes, and we just looked at each other at the same time with the same thought, well, two thoughts: movie-length film and Fede!

What do you think? Does the idea stink, or can we interest you in it?

I'll give you a ring, soon, and see when I can kidnap you for a beer and a chat about it.

In the meantime, Conci sends her hugs to Giulietta, and 'Rica just called out to 'give her godfather a big squashy virtual hug.' She's so histrionic!

See you, soon, I hope. Bye for now,

2. CONTENUTO

Le e-mail sono un mezzo rapido di informazione, quindi fai in modo che siano corte e concise.

Dear Barney,
I will send the box tonight. Cheers (se hai confidenza)
Speak to you soon (se hai meno confidenza)
Fred Flintstone

Usa uno stile colloquiale, così è più credibile e il lettore si renderà conto di avere a che fare proprio con una persona in carne e ossa! A volte sento frasi del tipo "Mi sembra di essere maleducato così": non è maleducato comunicare in maniera semplice e amichevole, anzi è ben accettato, fidati! Anche le lettere dovrebbero avere un po' di pietà per il lettore. Usa un carattere non piccolo e cerca di scrivere una sola pagina con non più di due o tre paragrafi.

3. IL "PANINO"

(INIZIO POSITIVO-BRUTTE NOTIZIE-CONCLUSIONE FORTE)

Quando hai una cosa "bruttina" da dire o devi scusarti, usa sempre il sistema "panino" (© John Peter Sloan). L'inizio di una e-mail è come l'introduzione di una canzone, imposta il mood... Se una lettera o una e-mail comincia negativamente, è difficile poi recuperare. Facciamo un esempio...

Un siciliano, il Sig. Dipinto, manda 17 tonnellate di arance al suo miglior cliente, Mr. Jones. Mentre il traghetto attraversa la Manica, c'è una tempesta, il frigorifero nel camion si spegne e tutte le arance vanno a male. il Sig. Dipinto non ha la possibilità di contattare Mr. Jones per avvisarlo, se non via e-mail. È successo veramente ed ecco la e-mail disastrosa che è stata mandata:
Dear Mr. Jones,
I'm really sorry, but your load of oranges can't be delivered (già il sig. Jones cade dal cielo ed è disperato). There was an accident during the journey across the sea and all of the oranges went bad (ora il sig. Jones si sta sentendo svenire...). We have prepared a new load and I hope nothing happens this time.

Ecco, invece, come doveva essere fatta la lettera/e-mail:
Dear Mr. Jones,
I have just finished loading your new delivery. (azione-soluzione) We had an unexpected problem (non andare nei dettagli del problema, al sig. Jones non interessa, lui vuole solo sentire le soluzioni!), but I will do all I can to make sure this never happens again. (azione-soluzione) Please, accept this new load as our gift for any inconvenience caused. (compensazione) Feel free to call me for any details (così, se a lui interessa cosa è successo, ti chiama e te lo chiede). I look forward to a great future partnership. (non usare hope che è debole, dai per scontato che tutto andrà bene e sarà così)
Sincerely, Mr. Dipinto

Questo sistema è ugualmente importante per le tue lettere personali:
Dear Marge,
I'll be coming through town next week, and would love to see you (azione-soluzione). I'm sorry I can't be at your party as promised, but you know what it's like to have young kids in school (non solo non scendi in dettaglio, ma susciti anche empatia). I have your number, and will call you as soon as I get into town on Monday to set up an appointment. How about that restaurant on the corner? I know it's your favorite. (azione-soluzione e allusioni al fatto che tu presti attenzione a lei)
Hugs, Sarah

4. **SIGNING OFF**

Quando finalmente hai scritto l'intera e-mail o lettera, a volte ti trovi a pensare a lungo proprio alla conclusione. Come terminare? Quali sono i saluti corretti? Quale la giusta formula? Facciamo un po' di chiarezza...

Sincerely
quando hai sbagliato o ti dispiace per una cosa importante, è meglio usare sincerely: il messaggio che dai è che prendi seriamente la cosa.

Regards
da solo non vuol dire niente, infatti io lo uso quando sono incavolato, perche è il minimo indispensabile, pur rimanendo educato.

(eccezione: se scrivi spessissimo a una persona, va bene regards per non dover variare ogni volta!)

Best regards
è come dire "ciao" in modo formale.

Kind regards
è una bella espressione, da usare sopratutto se vuoi qualcosa!

Warm regards
quando conosci bene il tuo interlocutore, questa espressione è il massimo d'affetto, pur rimanendo formale.

Bye for now
è molto neutrale, ma indica che ci saranno future comunicazioni tra voi due.

Cheers
non esiste una vera e propria traduzione di questa parola molto britannica in italiano: si usa per congedarsi informalmente e – anche in America – si usa quando si fa un brindisi per dire "salute".

Take care
equivale all'italiano "stammi bene".

Speak to you soon
significa esattamente «a presto».

On the telephone 10.5

Ti tremano le gambe se devi parlare in inglese al telefono?
Non temere, anche qui ti do due dritte.

London: Hello, Bates Motel.
Anna: Good morning, I'd like to speak to Mr. John Sloan, please.
L: Do you know his room number?
A: No, I'm sorry, I don't.
L.: Hold on (attendere) a minute,... it's 354. I'll just put you through.
(to put + soggetto + through: connettere telefonicamente)

MUSICA IRRITANTE... di solito c'è una musica irritante mentre si aspetta, e si deve per forza tollerarla!

L: Sorry to keep you waiting. I'm afraid, Mr. Sloan isn't in at the moment, but if you leave your number I will ask him to call you back.
A: That would be great, thanks... It's Anna Rossi from Italy and the number is 0039 for Italy then 024456.
L: O.K., I'll make sure he gets that, when he comes in.
A: Thanks a lot, bye.
L: You're welcome, bye.

1. **ANSWERING MACHINES**

Lasciare un messaggio in segreteria telefonica...
Vediamo di seguito le fasi fondamentali da tenere presenti se ti troverai a dover lasciare un messaggio a una segreteria telefonica.

INTRODUZIONE
Hello, this is Ken. o Hello, My name is Ken Parks (più formale).

DIRE L'ORA DEL GIORNO E LA RAGIONE DELLA CHIAMATA
It's ten in the morning. I'm phoning/calling/ringing to see if.../to let you know (per informarti) that... to tell you that...

FARE UNA RICHIESTA
Would you call/ring/telephone me back? o Would you mind (ti dispiacerebbe)...?

LASCIARE IL PROPRIO NUMERO DI TELEFONO
My number is... o You can get me at... o Call me a... o You can reach me at...

COME TERMINARE
Thanks a lot, bye. o I'll talk to you later, bye.

Facciamo ora un esempio per chiarire quali sono le dinamiche che intervengono quando si lascia un messaggio in segreteria telefonica.

RING... RING... RING... (il telefono)
Tom's answering machine:
Hello, this is Tom.
I'm afraid, I'm not in at the moment.
Please leave a message after the beep...

BEEP... (il telefono)
Hello, Tom, this is Ken. It's about noon and I'm calling to see if you would like to go to the Birmingham game on Friday.
We are sure to win, again. Would you call me back?
You can reach me at 367-8925 until five this afternoon.
I'll talk to you later, bye.
Ken

THE NUMBER YOU HAVE DIALED

Be', ti sei fatto un po' di coraggio, hai un'idea di quello che vuoi dire nel caso in cui la persona che risponde non parli italiano e poi senti una voce metallica ripetere... The number lkj jkijlij lljljkl, please llkjj ljlj lkj... The number lkj jkijlij lljljkl, please llkjj ljlj lkj... The number lkj jkijlij lljljkl, please llkjj ljlj ljlj lkj...
Eh? È probabilmente un messaggio più o meno come questo: The number you have dialed is no longer in service at this time, and there is no new number. Please check your number, and dial, again. This is a recording.
Inoltre, i suoni telefonici sono molto differenti e se sei come me ti potrebbero confondere. Mai più! Un tono intermittente, regolare, né veloce, né lento vuol dire che il sistema sta cercando di collegarti (ring tone). Un tono intermittente, regolare e veloce indica una linea occupata (busy signal). Un tono intermittente, regolare e molto veloce indica una linea guasta, una cornetta non messa giù bene o un numero di telefono inesistente (problem signal). E se stai cercando di fare una telefonata il suono di una linea pronta è un tono continuo (dial tone).

2. THE GAME RULES

Ora ti svelo alcuni segreti da tenere bene a mente quando usi il telefono, soprattutto per lavoro. I nomi possono essere particolarmente difficili da capire. Chiedi all'interlocutore di fare lo spelling.

RIPETERE

Quando si sta prendendo nota del nome di una persona o di un'informazione importante, è fondamentale ripetere ogni parte dell'informazione ricevuta mentre la persona parla. Questo è un metodo molto efficace: ripetendo ogni parte rilevante o ogni numero che ci viene dato oppure ciascuna lettera, nel caso di uno spelling, si porta automaticamente l'interlocutore a parlare più lentamente, perché lui penserà che stai scrivendo tutto e anche qui farai bella figura perché uno che scrive tutto fa capire che ci tiene a comprendere bene l'informazione ricevuta.

NON FINGERE DI CAPIRE

Non dire mai di aver capito se non hai capito...
Chiedi alla persona di ripetere finché non ti è tutto davvero chiaro.
Ricorda che è l'altra persona che ha bisogno di farsi capire, ed è quindi sicuramente suo interesse essere certa che tu capisca correttamente. Se chiedi a una persona di spiegare o ripetere per più di due volte, questa comincerà a parlare più lentamente.

SLOWLY

Una delle lamentele più comuni che sento è: «Parlano così velocemente, non riesco a stargli dietro!». Non devi avere paura... tante volte gli inglesi non si rendono conto della velocità che usano e non si offendono se glielo fai notare, anzi, è molto peggio se fai finta di capire o se cerchi d'intuire; in taluni casi è anche pericoloso. Se non sei sicuro di aver capito, intErroMPi! E tieni a mente questo suggerimento: chiedi immediatamente alla persona di parlare più lentamente. «Sorry, could you speak slowly, please, I am still learning.» Il tuo interlocutore apprezzerà l'impegno che metti nell'imparare la sua lingua e, volentieri, ti aiuterà a capire.

Bookings 10.6

Quando pianifichi un viaggio all'estero, è molto importante cominciare con il piede giusto, ovvero conoscere le cose fondamentali che ti permetteranno di organizzare i tuoi spostamenti, scegliere l'alloggio, ordinare la cena e di non ritrovarti a dormire in un autobus, per non prenotare una sala fumatori al ristorante se non sopporti il fumo, o fare un viaggio romantico pernottando in un ostello, in una camerata con 20 letti a castello, tu e la tua dolce metà...

1. FLIGHTS

Il metodo migliore per capire come devi prenotare un volo aereo è quello di simulare una conversazione tipo con l'addetto della compagnia aerea. Presta molta attenzione al dialogo che ho preparato per te!

Y = you , Ta = travel agency (agenzia di viaggi)

Y: Hello, I'd like to know if there are any direct or non-stop flights to London this Tuesday. Salve, vorrei sapere se ci sono dei voli diretti o non-stop per Londra questo martedì.

Ta: Yes, there is one at 10,00 a.m. and one at 3 p.m. Sì, ce n'è uno alle 10 di mattina e uno alle 15.

Y: And how much are they? E quanto costano?

Ta: They both cost the same: 200 Euros one way or 300 Euros return (or round trip). Costano entrambi 200 euro solo andata o 300 euro andata e ritorno.

Y: O.K., I'd like to book two seats on the 10,00 a.m. flight, please. O.K., allora vorrei prenotare due posti sul volo delle 10, grazie.

Ta: Sorry, but there are no seats available on that flight. Mi dispiace, ma non ci sono posti disponibili su quel volo.

Y: So why did you mention it?! O.K., two tickets on the later flight. Do you know which gate it leaves from? Allora perché ne hai parlato?! O.K., due posti sul volo seguente. Sai da che gate parte?
Ta: Alright/O.K., you are booked on flight 3, and your PNR/reservation number is... O.K., siete prenotati sul volo 3 e il vostro numero di prenotazione è...
Ta: Hey, relax! Hey, calma!
Y: You relax! Si calmi lei!
Ta: Thank you for choosing Hooligan airlines. Grazie per aver scelto Hooligan airlines.

BY

Quando viaggi, per dire con quale mezzo di trasporto ti stai spostando, devi usare sempre la preposizione BY + il veicolo.
By car, by ship, by train... (con la macchina, con la nave, col treno).
Ma se decidi di andare a piedi... you go on foot.

2. TRAINS

Ecco una conversazione anche per prenotare un viaggio in treno: immagina di essere tu a dover partire e ad aver bisogno di un biglietto per Londra!

Y = you, C = clerk (impiegato)
Y: What time does the next train to London leave? A che ora parte il prossimo treno per Londra?
C: At 4 p.m., from platform 8. Alle 16 dal binario 8.
Y: Is it a direct train to London? È un treno diretto per Londra?
C: No, you have to change trains at Birmingham. No, deve cambiare a Birmingham.
Y: I see. One ticket to London, please. Capito, un biglietto per Londra, per favore.
C: One way or return, sir? Solo andata o anche ritorno, signore?
Y: One way, please. Solo andata, per favore.
C: 64 pounds, please. 64 sterline, prego.

Y: Here you are. By the way, are there any stairs that have to be done to get to the train? I broke my leg, and so can't take a stairway. I'd need an escalator or a lift. Ecco a lei. A proposito, ci sono scale da fare per arrivare al treno? Mi sono rotto una gamba perciò non posso fare le scale. Avrei bisogno o di una scala mobile o di un ascensore.
C: No problem, sir, there's an escalator. Have a nice trip. Nessun problema, signore, c'è una scala mobile. Buon viaggio.

3. **HOTELS**

Per prenotare una stanza in un albergo bisogna essere davvero preparati: molto spesso ti potresti far confondere da chi sta alla reception, persone che non sono molto gentili con te o che, anziché aiutarti, cercano proprio di fregarti! Per questo, faccio di seguito un esempio che ti potrà tornare utile, perché include tutte le cose fondamentali di cui potresti avere bisogno.

Y = you, R = receptionist
Y: Hello, is this the King George Hotel? Salve, è l'albergo King George?
R: Yes, sir, how can I help you? Sì, signore, come posso aiutarla?
Y: I'd like to know if you have [got] a double room available for one week from Friday the 13th to Friday the 20th. Vorrei sapere se avete una camera matrimoniale disponibile per la settimana da venerdì 13 a venerdì 20.
R: Just a minute, let me check... Yes, we've got a room on the fifth floor* with a really great view, Sir. Solo un momento, mi faccia controllare... Sì, abbiamo una camera al quarto piano* con una bella vista panoramica, signore.
Y: Great, and how much does it cost per night? Bene, e quanto costa per notte?
R: Would you like breakfast, too? Vuole anche la prima colazione?
Y: Yes, thanks./No, thank you. Sì, grazie./No, grazie.
R: 200 pounds, Sir, excluding VAT. 200 sterline, signore, IVA esclusa.
Y: Are you crazy? Ma è pazzo?
R: You are Italian, aren't you? Lei è italiano, vero?
Y: Does the room have a shower or a bath tub/minibar/balcony/bidet? La camera ha una doccia o la vasca/il minibar/un balcone/bidet?
R: It has a shower or tub and a minibar, but no balcony. Ha una doccia o la vasca e un minibar, ma niente balcone.

Y: O.K., with a shower, please. Va bene, con doccia, per favore.
R: Certainly. And the name for the booking, please? Certamente. A nome di chi prenoto, per piacere?
Y: My name is John Friend. Mi chiamo John Friend.
R: Aaah, would you spell that for me, please? Aaah, potrebbe fare lo spelling, per favore?
Y: Certainly, J-O-H-N F-R-I-E-N-D. Certamente, J-O-H-N F-R-I-E-N-D.
R: Thank you. O.K./Alright, a double room with a shower and a mini-bar, but no balcony and (no) breakfast, for eight nights, arriving on the 13th and departing on the 20th, right? Grazie. Quindi, una camera matrimoniale con doccia e minibar, ma niente balcone e (niente) prima colazione, per 8 notti, arrivando il 13 e partendo il 20, giusto?
Y: Right. Giusto.
R: Would you give me the number, the expiration date and the control number of your credit card, please? Mi potrebbe dare il numero, la data di scadenza e il codice di controllo della sua carta di credito, per favore?
Y: Buttttt why? I'd like to pay in cash. Maaaa perché? Vorrei saldare il conto in contanti.
R: You told me before that you're Italian, right? You can/It's perfectly alright to pay with cash, if you want, but we need a credit card as a guarantee. The card will be [get] charged only in case you don't come, and you forgot to alert us at least 48 hours in advance. Would you give me the name as it's written on the card, please? Mi ha detto prima di essere italiano, vero? Potrà perfettamente saldare il conto in contanti, se lei desidera, ma abbiamo bisogno di una carta di credito come garanzia. Verrà addebitata solo nel caso in cui non venisse e che si dimenticasse di avvertirci almeno 48 ore prima. Mi potrebbe dare il nome com'è scritto sulla carta, per favore?
Y: FRIEND, JOHN FRIEND, JOHN
R: What kind of card is it, please? We don't accept ItalBoh Express. Che tipo di carta di credito è, per favore? Non accettiamo ItalBoh Express.
Y: It's an ITALVISA. È una ITALVISA.
R: And the number of the card, please? E il numero della carta, per favore?
Y: 3232-23-3322.
R: Good, and the expiration date, please? Bene, e la scadenza, per favore?
Y: The 31st of December, 2052. Il 31 dicembre 2052.
R: Thank you, and the control number, please. Grazie, e ora il codice di controllo, per favore.

Y: The...what number?! Il... codice di che?!
R: The control number, Sir. If you look on the back of your card, you will see a number with three digits. That is the control number. Il codice di controllo, signore. Se guarda sul retro della sua carta, vedrà un numero di tre cifre. Quello è il codice di controllo.
Y: Aaah, O.K., I see it. The number is 252. Aaah, O.K., lo vedo. Il numero è 252.
R: Thank you, sir. Here's/Let me give you your reservation number: 6-6-6, I repeat, 6-6-6. Thank you for choosing the King George Hotel, and have a good day. Grazie, signore. Lasci che le dia il numero di prenotazione: 6-6-6, ripeto, 6-6-6. Grazie per aver scelto il King George Hotel e buona giornata.
Y: Thank you, goodbye. Grazie e arrivederci.

* Ricordati che noi cominciamo a contare i piani sin dal pian terreno, il first o ground floor, mentre voi cominciate dal primo piano sopra il pian terreno. Questo vuol dire che il nostro quinto piano è il vostro quarto e via discorrendo.

4. RESTAURANTS

E dopo aver prenotato il tuo albergo, con la sicurezza di un tetto sulla testa e un comodo letto in cui riposare, puoi pensare a riempirti la pancia...

Y = you, MPP = Mario's Pizza Palace
Y: Hello? Is this Mario's Pizza Palace? Pronto, Mario's Pizza Palace?
MPP: Yes, Sir, good evening. Sì, signore, buonasera.
Y: Good evening. I'd like to book a table for one, please. Buonasera. Vorrei prenotare un tavolo per una persona, per favore.
MPP: Certainly, Sir, for what time? Certamente, signore, per che ora?
Y: For 8 o'clock, please. Per le 20, per favore.
MPP: O.K., that's fine, and your name, please? O.K., va bene, e il suo nome, per favore?
Y: Popular, Mr. Popular. That's P-O-P-U-L-A-R. Popular, signor P-O-P-U-L-A-R.
MPP: O.K., your table for one will be ready at 8, Mr. Popular. O.K., il suo tavolo per uno (una persona) sarà pronto alle 20, signor Popular.
Y: Thank you. Bye. Grazie. Arrivederci.
MPP: Bye, Sir. Arrivederci, signore.

Places and directions 10.7

Come raggiungere la tua destinazione...
Se ti trovi all'estero e devi raggiungere un determinato posto, ti capiterà certamente di dover chiedere indicazioni stradali per farti indirizzare e guidare nella giusta direzione. Ricorda che questo è un ottimo esercizio per mettere alla prova la tua conoscenza della lingua inglese...

T = tourist, P = policeman

T: Excuse me! Where is Buckingham Palace, please?/How do I get to Buckingham Palace, please? Mi scusi! Dov'è Buckingham Palace, per favore?/Come faccio ad arrivare a Buckingham Palace, per favore?

P: Go straight on, turn left at the traffic lights, straight on for about 50 meters, then turn right and you can't miss it. Vada dritto, giri a sinistra al semaforo, vada dritto per circa 50 metri, poi giri a destra e non può non vederlo.

Di seguito vediamo se le indicazioni le dovessi chiedere a un passante anziché a un poliziotto, o comunque a un funzionario pubblico.

IT = Italian tourist, E = Englishman

IT: Excuse me, where can I find a post office? Mi scusi, dove posso trovare un ufficio postale?

E: It is far from here; you need to take a bus. È lontano da qui, deve prendere un autobus.

IT: Which bus is it? Where can I take it? Where do I get off? Quale autobus devo prendere? Dove posso prenderlo? Dove devo scendere?

E: The 33, you can get it at the bus stop at the end of the road. Get off right in front of the palace. L'autobus 33, la fermata è alla fine della strada. Scendi proprio davanti il palazzo.

IT: And how much is the ticket? E quanto costa il biglietto?

E: About 1 pound. Circa 1 sterlina.

IT: And where can I buy the ticket? E dove posso comprare il biglietto?

E: You pay on the bus. Paga sull'autobus.

IT: Why? Perché?

E: STOP! No more questions! I am very late for work! STOP! Basta domande! Sono molto in ritardo per il lavoro!

IT: What is your job? Che lavoro fai?

E: Aaaaaggrhhhhrr!

PLACES AND DIRECTIONS

L'esempio che hai appena visto ripropone una situazione che ti potrebbe capitare, ma sono certo che quello che stai per leggere ti sarà accaduto sicuramente almeno una volta. Magari non solo te lo sei sentito dire, ma l'hai pure detto tu stesso...

IT: Excuse me, where can I find...? Mi scusi, dove posso trovare...?
E: Sorry, I'm not from around here. Mi dispiace, non sono di qui.

post office	ufficio postale, posta
museum	museo
bank	banca
police station	polizia, stazione di polizia
hospital	ospedale
chemist's (USA: pharmacy/drugstore)	farmacia
shop	negozio
restaurant	ristorante
school	scuola
church	chiesa
bathroom	bagni, servizi
street	strada, via
square	piazza
mountain	montagna, monte
hill	collina
valley	valle
lake	lago
river	fiume
swimming pool	piscina
tower	torre
bridge	ponte
synagogue	sinagoga
mosque	moschea
temple	tempio
sea	mare
seaside/beach	costa
grocery story/supermarket	supermercato
boardwalk	lungomare

PLACES AND DIRECTIONS

M.U.Q.

(More Useful Questions)
Excuse me, where is the...? Mi scusi, dov'è...?
How far is the "x" from here...? Quanto è lontano "x" da qui...?
At what time does the "x" close/open? A che ora chiude/apre "x"?

Using it!

second	seconda
until	fino a/finché
traffic/stop lights	semaforo
roundabout	rotonda
island	isola
first	prima
VERBS	
to take	prendere
to turn	girare/svoltare
to go straight on	andare dritto
to drive	guidare
to book	prenotare
to cancel	cancellare

TRADUCIAMO!

La direzione giusta

IT: Mi scusi! Dov'è Buckingham Palace, per favore?
E: Da qui? (Mi sconvolge, ma a Londra fanno veramente questa domanda; incredibile... resisti dal rispondere: «No, da casa mia a Milano!!!».)
IT: Sì, da qui.
E: O.K., deve andare diritto, poi prenda la seconda strada a destra, vada avanti finché non vede il semaforo, al semaforo giri a sinistra poi vada diritto fino a una rotonda. Da lì, prenda la prima strada sulla sinistra poi chieda ancora.
IT: Perfetto, grazie!

Poi, troverai sempre un simpatico vecchietto, che alla tua domanda risponderà: It's where it has always been! Ah Ah Ah!

Travel 10.8

Segreti di viaggio…

TAKE (TIME)

Quando indichiamo quanto tempo ci vuole per un viaggio, corto o lungo, usiamo il verbo to take.

It takes one hour to get to London. Ci vuole un ora per arrivare a Londra.
The flight took two hours. Il volo è durato due ore.
We took twenty minutes to arrive. Ci abbiamo messo venti minuti per arrivare.
The ship took two weeks to get here. La nave ci ha messo due settimane per arrivare.

RITARDO

Questo concetto per gli italiani è complicato da capire: crea infatti confusione quello che ora definisco "il ritardo in inglese". Più di una volta, è capitato che uno studente arrivasse in ritardo per una lezione dicendo: «Sorry for the delay!». Ma il fatto è che non c'era nessun delay! Cerco di spiegare meglio la "catena" di un ritardo:

Hold up è un sostantivo di due parole, un compound noun, è il motivo del ritardo, l'inizio della catena.
Supponiamo che io sia sul treno con il mio amico Dave: il treno dovrebbe partire alle 9. Guardo il mio orologio e vedo che sono le 9.20. Passa il controllore e chiedo «What's the hold up?» (Qual è il motivo?) e lui mi risponde che un albero è caduto sul binario. Quindi, l'albero sul binario è l'hold up, il motivo del ritardo.

Delay è un sostantivo, ed è il ritardo espresso in tempo, la sua entità. Tolgono l'albero e il treno riparte alle 9.30. Questo vuol dire che c'è stato un delay di 30 minuti.

MA guarda la differenza tra delay e late…

Late è sia un aggettivo che un avverbio e si riferisce al ritardo rispetto a un impegno. Io, che sono sul treno con il mio amico Dave, ho un appuntamento a Milano e io arrivo late (in ritardo) perchè il treno doveva arrivare alle 10, ma arriva alle 10.30. In questo senso anche il treno è late, ma non Dave, in quanto lui non ha un appuntamento, quindi anche se io e il treno siamo late, lui non lo è. Perché non ha nessun appuntamento/orario da rispettare.

Hold up: tree on the track
Delay: 30 minutes
Late: 30 minutes late (for me and the train!)

Per concludere, quando il mio studente è arrivato 15 minuti in ritardo LUI era in ritardo, ma io avevo cominciato la lezione con gli altri, puntualmente, e non c'era stato nessun delay. Lui doveva semplicemente dire: «Sorry, I'm late!».

Using it!

air	aria
airport	aeroporto
check-in	check-in
flight	volo
landing	atterraggio
plane	aereo
destination	destinazione
journey	viaggio
pàssenger	passeggero
route	rotta
captain	capitano
crew	personale di bordo
trip	viaggio corto
luggage/suitcases	bagaglio
land	terra

TRAVEL

bike	bicicletta
bus	autobus
car	automobile
motorbike	motocicletta
train	treno
motorway/freeway	autostrada
train station	stazione del treno
underground/tube/subway	metropolitana
road	strada
traffic	traffico
traffic lights	semaforo
boat	barca
coast	costa
ferry	traghetto
port	porto
sea	mare
ship	nave
ticket counter	biglietteria
information desk	informazione
entrance	entrata
exit	uscita
stopover	scalo
delay	ritardo
snack	merenda
record	registrazione

VERBS

to board	imbarcare
to check in	fare il check-in
to fly	volare
to land	atterrare
to travel	viaggiare
to stop	fermarsi
to ride	prendere
to disembark	scendere
to embark	salire
to push	spingere
to pull	tirare

PHRASAL VERBS

to take off	decollare
to get ready	prepararsi
to get on	salire
to get off	scendere

TRADUCIAMO!

I bellissimi uomini di Birmingham (diario di Alice)

Alle sei del mattino ci siamo preparati e abbiamo chiamato il taxi.
C'era tanto traffico sulla strada e ci abbiamo messo (it took us) venti minuti per arrivare alla stazione del treno.
Abbiamo preso i biglietti e il treno è arrivato dieci minuti dopo.
Il treno si è fermato a sette stazioni prima di arrivare a quella centrale.
Da lì abbiamo preso l'autobus per l'aeroporto.
Ci abbiamo messo tre minuti per salire sull'autobus con tutte le valigie.
Dopo trentacinque minuti siamo scese dall'autobus davanti all'aeroporto.
Ci sono voluti quindici minuti per il check-in.
Il nostro aereo è atterrato a Londra alle undici.
A Londra abbiamo preso la metropolitana per arrivare in albergo.
Alla reception ho parlato io:
«Buongiorno, c'è una camera matrimoniale, per favore?»
«Certo, per quanto rimanete?»
«Solo questa notte, grazie.»
«O.K., abbiamo una camera con doccia per cento sterline a notte.»
«O.K., va bene, grazie.»
Il giorno dopo abbiamo preso un treno per la destinazione del mio cuore, Birmingham. La città di Birmingham è al centro dell'Inghilterra ed è famosa per i suoi uomini, che sono tutti bellissimi e intelligenti... e per la sua fantastica squadra di calcio. Dopo il paradiso di Birmingham, abbiamo preso un treno per la costa. Prossima destinazione: Irlanda.
Sulla costa abbiamo preso un traghetto per l'Irlanda. Il mare era calmo e bello.
Al porto siamo scese e abbiamo girato tutto il giorno.
Quella sera siamo tornate in Italia e io ho dormito sull'aereo, sognando gli uomini bellissimi di Birmingham.

Eating out 10.9

NON SOLO PIZZA!
Come è risaputo, noi inglesi siamo famosissimi in tutto il mondo per tre cose: the Beatles, i bellissimi uomini di Birmingham, la nostra deliziosa cucina.

Quindi, è davvero importante ordinare bene...
Simuliamo una situazione in cui stiate entrando in un ristorante.

Y = you, P = your partner, W = waiter (cameriere)
Y: Good evening, a table for two, please, in the non-smoking area. Buonasera, un tavolo per due, per favore, nell'area non fumatori. (o se hai già prenotato: Good evening. I reserved a table for two, under the name Rossi. Buonasera, ho prenotato un tavolo per due a nome Rossi.)
W: Of course, I'll show you to your table. Certo, vi mostro il vostro tavolo.
W: Can I get you something to drink, while you read the menu? Posso portarvi qualcosa da bere mentre leggete il menu?
Y: Yes, thank you. I'll have a glass of white wine. Sì, grazie, prendo un bicchiere di vino bianco.
W: Sweet or dry? Dolce o secco?
Y: Dry, thank you. Secco, grazie.
P: And I'll just have a glass of mineral water, please. E io prendo solo un bicchiere di acqua minerale, per favore.
W: Sparkling or still? Frizzante o naturale?
P: Still, at room temperature, thank you. Naturale, a temperatura ambiente, grazie.

E adesso siete pronti per ordinare...

STARTER/APERITIF/HORS D'OEUVRES (ANTIPASTO)
W: What will you have for your starter, Sir? Cosa desidera come antipasto, signore?
Y: I'll have the prawn cocktail, please. Prendo il cocktail di gamberi, per favore.
P: Just a salad for me, please. Per me solo un'insalata, per favore.

MAIN COURSE (pasto principale/secondo piatto)
W: And for your main course? E come secondo?
Y: What do you recommend? Cosa suggerisce?
W: I recommend a different restaurant! Vi suggerisco un altro ristorante!
Y: Ah ah ah! No, but seriously... Ah ah ah! No, scherzi a parte...

W: The fish, it is very fresh, today. Il pesce è molto fresco oggi.
Y: Then I will have the fish and chips! Allora prendo pesce con patatine!
W: Very good, Sir! Molto bene, signore!
P: I'll have a steak with vegetables, please. Io prenderò una bistecca con le verdure, per favore.
W: Certainly, and how would you like your steak cooked? Rare, medium or well done? Certamente, e come vuole la sua bistecca? Al sangue, normale o ben cotta?
P: Rare, please*. Al sangue, per favore.
Y: I didn't finish my steak, can I have a doggie bag, please? Non ho finito la mia bistecca, posso averla in sacchetto da portare via, per favore?

* Noi inglesi usiamo spessissimo please anche per le cose banali. È importante metterlo in ogni richiesta, per non sembrare maleducati.

DESSERT (IL DOLCE)
W: Dessert? Dolce?
Y: I'll have a slice of cheesecake. Io prenderò una fetta di torta al formaggio.
P: And I'll have the apple pie with cream. E io prendo la torta di mele con la panna.
W: Enjoy your meal! Buon appetito!

AT THE END...
P: That apple pie was so good, I'd like to take some back to the hotel for a snack. Quella torta di mela era così buona, che mi piacerebbe portarne un po' in albergo per la merenda.
W: Of course, I'll put some in a container and some cream in a jar for you. Certo, ne metterò un po' in un contenitore e un po' di crema in un vasetto per lei.
Y: Excuse me, could I have the bill, please? Mi scusi, potrei avere il conto, per favore?
W: Certainly, Sir. How would you like to pay? Certamente, signore, come vuole pagare?
Y: Credit card? Cash? Carta di credito? Contanti?
W: That's fine. Va bene.
Y: Could I have a receipt? Potrei avere una ricevuta?
W: Certainly, Sir. Certamente, signore.

EATING OUT

food	cibo
drinks	bevande
still water	acqua naturale (si usa anche per il vino!)
sparkling water	acqua frizzante (si usa anche per il vino!)
bread	pane
coffee	caffè
tea	tè
juice	succo (attenzione alla pronuncia!)
salt	sale
pepper	pepe
beef	manzo
pork	carne di maiale
fish	pesce
chicken	pollo
vegetables	verdure
potatoes	patate
carrots	carote
peas	piselli
chips	patatine
salad	insalata
fruit	frutta
apple	mela
orange	arancia
pear	pera
pineapple	ananas
strawberry	fragola
banana	banana
grapefruit	pompelmo
water melon	anguria
melon/cantaloupe	melone
desserts	dolci
ice cream	gelato
apple pie	torta di mele
chocolate cake	torta di cioccolato
cheesecake	torta al formaggio
trifle	zuppa inglese
pudding	budino
biscuit (USA: cookie)	biscotto
snack	merenda
scone	panino lievitato (USA, anche se sono leggermente differenti, biscuit)

Shopping 10.10

Ai tempi delle caverne l'uomo andava a caccia e le donne andavano in gruppi a raccogliere la frutta, la verdura e tante cose belle per decorare la caverna. Ora le cose non sono cambiate molto. Una donna, però, non deve mai portare il suo uomo con sé a fare shopping! E se decidesse di farlo, per cominciare con il piede giusto, iniziamo a vedere come si chiamano i negozi e cosa ci si può comprare!

'S

Per dire che si va a comprare il pane in panetteria, si può usare il sostantivo bakery, che è proprio il negozio, oppure dire che si va to the baker's, ovvero «dal panettiere». Questo è uno degli svariati usi del GENITIVO SASSONE, che, posto dopo una professione, fa acquisire alla stessa il significato del negozio o comunque del luogo dove l'attività di quella professione viene normalmente svolta o esercitata.

DIFFERENT SHOPS

chemist's/dal farmacista
I buy my medicine AT the chemist's. (USA: pharmacy/drugstore) Compro le mie medicine dal farmacista.

clothes shop/negozio di vestiti
My wife can walk around in the clothes shop for five hours and she doesn't get tired! Mia moglie riesce a camminare in un negozio di vestiti per cinque ore e non si stanca!

laundrette/lavanderia
When my wife is angry, I have to wash my clothes at the local laundrette. Quando mia moglie è arrabbiata, devo lavare i miei vestiti nella lavanderia di zona.

newsagent's/dall'edicolante
I buy my newspapers and sweets AT the local newsagent's. Compro i giornali e le caramelle all'edicolante di zona.

SHOPPING

hairdresser's/dal parrucchiere
My mom goes to the hairdresser's every Saturday afternoon, so she looks nice in the evening. Mia madre va dal parrucchiere ogni sabato pomeriggio, così è bella di sera.

greengrocer's/dal fruttivendolo
I get my greens from the greengrocer's; they don't cost much, there. Prendo verdure e insalate dal fruttivendolo. Non costano molto lì.

post office/ufficio postale
There are always many people waiting to send letters in the post office. Ci sono sempre molte persone che aspettano di spedire le lettere all'ufficio postale.

barber's/dal barbiere
I go to the barber's to talk about football and to have my hair cut. Vado dal barbiere per parlare di calcio e farmi tagliare i capelli.

off license/negozio di alcolici
In the off license, you can buy beer all day! Nel negozio di alcolici puoi comprare birra tutto il giorno!

bookshop/libreria
I bought a book in the bookshop about how to have a nice garden with minimum effort. Ho comprato un libro in libreria che tratta di come avere un bel giardino con il minimo sforzo.

hardware store/ferramenta
I need to go to the hardware store to buy a drill. Ho bisogno di andare dal ferramenta per comprare un trapano.

general store/emporio
The general store has practically everything! L'emporio ha praticamente tutto!

shoe shop/negozio di scarpe
I have nothing to say about the shoe shop; it is a terrible place! Non ho nulla da dire sul negozio di scarpe; è un posto terribile!

sports shop/negozio di attrezzatura sportiva
I buy my trainers here. Compro qui le mie scarpe da tennis.

SHOPPING

butcher's/dal macellaio
My wife likes to go to the butcher's because she imagines that it's me hanging from the ceiling. A mia moglie piace andare dal macellaio perché si immagina che sia io che penzolo dal soffitto.

baker's/dal panettiere
I love the smell of fresh bread in the baker's! Amo il profumo del pane fresco dal panettiere.

SHOPPING CENTRE (CENTRO COMMERCIALE)

cash point	bancomat (USA: ATM)
money/coins	soldi/moneta
credit card	carta di credito
bank account	conto in banca
shop	negozio
wallet/purse	portafoglio per uomini/per signore
lift (USA: elevator)	ascensore
customer	cliente
cashier	cassiera
shop assitant	commessa
till	cassa
shelf/shelves	scaffale/i
trolley (USA: cart)	carrello
parking lot	parcheggio
bag	sacchetto
changing room	spogliatoio
cheque/check	assegno
cash	contanti
clothes	vestiti
tear	lacrima
by the time	ora che
full	pieno

VERBS

to withdraw	prelevare
to pay	pagare
to push	spingere
to fill	riempire
to empty	svuotare

1. GROCERY

Facciamo la spesa in drogheria...

supermarket	supermercato
since	da quando
shopping list	lista della spesa
salad	insalata
vegetables	verdure
fruit	frutta
apples	mele
bananas	banane
the only thing	l'unica cosa
food	cibo
detergent	detergente
soap	sapone
queue (USA: line)	fila
torture	tortura
beef	manzo
sausages	salsiccia
fish	pesce
cake	torta
pound	libbra
ounce	oncia
jar	barattolo/vasetto
box	scatola
package	pacco
bottle	bottiglia
sack	sacchetto
basket	cestino
container	contenitore
vegetarian	vegetariano

VERBS

to show	far vedere/mostrare
to find	trovare
to laugh	ridere
to suffer	soffrire
to weigh	pesare

TRADUCIAMO!

GROCERY SHOPPING

Da quando fanno vedere Dottor House al pomeriggio devo fare io la spesa. Ho preso la lista della spesa e sono andato al supermercato. Mentre prendevo il carrello, l'ho guardata. "Ok, prima cosa insalata, poi verdure." Non riuscivo a trovare la frutta, quindi ho chiesto a un altro uomo. Lui ha riso. Quando ho trovato la frutta, ho preso due mele e due banane. Poi ho preso la carne, il manzo, la salsiccia e una libbra di pesce. Poi, l'unica cosa che mi interessava. La torta. Non c'era più cibo sulla lista. Ora dovevo trovare il detergente e 8 oncie di sapone. Nessun problema. Quando il carrello era pieno, ho fatto la fila alla cassa. In Italia non amano molto fare la fila, soffrono proprio. È una tortura per loro. Per me è la spesa la tortura, sono felice quando sono in fila perché è finita.

SHOPPING

2. **CLOTHES**

Rifacciamoci il guardaroba...

DRESSING	
clothes	abiti
lingerie	biancheria intima
bikini	bikini
socks	calze
blouse	camicetta
hat	cappello
shirt	camicia
coat	cappotto
cardigan	cardigan
tights (USA: pantyhose)	collant
suit	completo
tie	cravatta
jacket	giacca
skirt	gonna
jeans	jeans
jumper (USA: sweater)	maglione
t-shirt	maglietta
underpants	mutande
knickers (USA: panties)	mutandine
trousers (USA: pants)	pantaloni
bra	reggiseno
dress	vestito
wardrobe mistress	costumista
except	tranne
ready	pronto
enormous	enorme
slippers	pantofole
sandals	sandali

VERBS

to put on	mettere/indossare
to take off	togliere
to wear	vestire/avere addosso
to get dressed	vestirsi
to get undressed	spogliarsi
to try on	provare un vestito
to decide	decidere

WEARING

Quando in italiano si dice "indosso una camicia", in inglese invece si dice I am wearing a shirt, perché in questo contesto to wear è un verbo usato in forma progressiva, anche se in realtà non sta succedendo niente!

Jane is wearing a red hat. Jane indossa un cappello rosso.
He wore black trousers at the wedding. Indossava pantaloni neri al matrimonio.
I will wear my best shirt for the party. Indosserò la mia camicia migliore alla festa.
John is putting on his shoes. I am trying on a new coat. John sta mettendo le scarpe. Sto provando un nuovo cappotto.
It was cold, so we put on our coats. Faceva freddo, così abbiamo messo i nostri cappotti.
They will put on their hats at the funeral. Metteranno i loro cappelli al funerale.
Take off your tie! You're not in the office! Togliti la cravatta! Non sei in ufficio!
Did she take off her bra on the beach? Si è tolta il reggiseno sulla spiaggia?
I will take off my shoes in the new house. Toglierò le mie scarpe nella nuova casa.
I will be there in ten minutes. I am still getting dressed. Sarò lì in dieci minuti. Mi sto ancora vestendo.
I got dressed in five minutes; she got dressed in thirty five minutes! Mi sono vestito in cinque minuti, lei si è vestita in trentacinque minuti!
Will you get dressed to answer the door, please?! Ti vestirai per rispondere alla porta per piacere?!
She tried on every pair of trousers in the shop! Ha provato ogni paio di pantaloni nel negozio!
Will you try on this new shirt I bought for you? It might be too long. Proverai questa nuova camicia che ti ho comprato? Potrebbe essere troppo lunga.

Money 10.11

Paese che vai, moneta che trovi?
Una volta scelto il negozio giusto per comprare frutta, verdura, dei pantaloni o un paio di scarpe… avrai comunque e sempre bisogno dei soldi!

€

cents	centesimi
euro	euro

SOLDI INGLESI

pence	centesimi di sterlina
pound	sterlina (100 pence)

SOLDI AMERICANI

cents	centesimi
dollar	dollaro (100 cents)

AFFORD

Vorrei insegnarti una cosa importante: to be able to afford (essere in grado di/permettersi finanziariamente).

I am going to America for a holiday. I can afford it, now. Vado in vacanza in America. Posso permettermelo ora.
I love the jacket, but I can't afford it. Amo la giacca, ma non posso permettermi di comprarla.
John: Why didn't you come to the pub with us, last night? Perché non sei venuto al pub con noi ieri sera?
Jack: I couldn't afford it; I am not working. Non potevo permettermelo, non lavoro.

ABOUT MONEY

account/conto
I have nothing in my bank account. Non ho nulla sul mio conto corrente.

bank/banca
The bank opens at five. La banca apre alle cinque.

banknote/banconota
I keep my banknotes in my wallet. Tengo le mie banconote nel portafoglio.

cash/contanti
I always pay in cash. Pago sempre in contanti.

change/resto
I gave the shop assistant (USA: cashier) one pound for the chewing gum and she only gave me four pence change! Ho dato alla cassiera una sterlina per la gomma da masticare e lei mi ha dato solo quattro pence di resto!

cheque or check/assegno
I will write a cheque/check for the new car. Farò un assegno per la nuova macchina.

cheque or check book/libretto degli assegni
I need a new cheque/check book; is the bank open? Ho bisogno di un nuovo libretto degli assegni: è aperta la banca?

credit card/carta di credito
I need to block my credit card; I can't find it! Ho bisogno di bloccare la mia carta di credito, non riesco a trovarla!

cash point (USA: ATM)/bancomat
Is there a cash point near the hotel? C'è un bancomat vicino all'hotel?

coin/moneta
Every English coin has the Queen's head on it. Ogni moneta inglese ha sopra il volto della regina.

debit card/carta prepagata
When I buy online, I use my debit card. Quando compro online, uso la mia carta prepagata.

MONEY

make a deposit or withdrawal/fare un deposito o ritirare soldi
I can make a deposit online, but to withdraw money I have to go to the bank. Posso fare un deposito online, ma per ritirare soldi devo andare in banca.

PIN number/numero PIN
I can never remember my PIN number! Non riesco mai a ricordare il mio numero PIN!

Using it!

air	aria
car park	parcheggio
castle	castello
cathedral	cattedrale
church	chiesa
park	parco
railway station	stazione dei treni
town hall	comune
city	città
capital	capitale
village	villaggio/paesino
centre	centro
city centre	centro città
suburbs	periferia
beach	spiaggia
cliff	scogliera
coast	costa
countryside	campagna
forest	foresta
hill	collina
lake	lago
river	fiume
sea	mare
seaside	riva del mare
shore	riva
stream	ruscello
woods	bosco
near	vicino
waves	onde
so much	così tanto

noise	rumore
milk	latte
cheese	formaggio
blackberry	mora
vast	vasto
at least	almeno
difficult	difficile
historic	storica/o
soul	anima
sometimes	ogni tanto

VERBS

to live	abitare/vivere
to wash	lavare
to win	vincere
to flow	scorrere
to pick	cogliere

TRADUCIAMO!

Vicino al mio cuore

In Inghilterra abito in campagna. Vicino a casa mia c'è un ruscello dove mi lavo la mattina. Se segui il ruscello arrivi a un fiume. Il fiume scorre attraverso una foresta e arriva al mare. Mi piace andare al mare. Mi piace camminare sulla riva con mia moglie. Le onde fanno così tanto rumore che non sento la sua voce. È bellissimo. Se guardi in su dalla spiaggia vedi il vecchio castello sulla collina. Vicino alla spiaggia c'è un piccolo villaggio, dove compro il latte e il formaggio. Dietro il villaggio c'è un bosco dove colgo le more.
Quando ero bambino amavo guardare il mare. È così grande, così vasto. A Milano abito in periferia, ma lavoro in centro città. Davanti al mio uffico c'è il comune. Dalla finestra vedo solo macchine e caos, ma almeno vicino a casa mia c'è il parco. A Milano è difficile trovare un parcheggio per la macchina, quindi vado a lavorare in tram. Milano è una città importante in Italia, ma la capitale è Roma. Roma è una città storica, perché è lì che il Liverpool ha vinto la Champions. Io amo l'Italia ma dico sempre ai miei amici che vivono a Milano: «Vai ogni tanto in campagna, senza pc, senza cellulare e vivi un po' con la tua anima. Solo per un weekend». Ma non hanno mai il tempo.

SMS texting (il linguaggio degli SMS) 10.12

Ho pensato di farvi un regalo, di darvi un assaggio del linguaggio degli SMS...
Guardate qui:
Hi m8 r u ok? I'll b l8 4 dnr. C u l8r.

Cosa ho detto? Anzi, cosa ho scritto? Ve lo traduco:
Hi mate, are you ok? I'll be late for dinner. See you later.
Ciao amico, stai bene? Sarò in ritardo per cena. Ci vediamo più tardi.

Blimey!!! A volte è più il tempo che passo a cercare di capire questi geroglifici, piuttosto che quello che passo a leggere le cose "scritte normalmente".

Ecco una lista di comuni abbreviazioni di testo:

Are you OK – R U OK
As soon as possible - ASAP
Ate – 8
Be – B
Before – B4
Birthday – B-Day
Christmas – Xmas
Date – D8
Dinner – DNR
Excellent – XLNT
For – 4
For your information – FYI
Great – GR8
Hugs and kisses – 000XXX
Late – L8
Later – L8R
Laugh out loud – Lol
Lots of laughs – Lol
Love – LUV
Mate – M8
Please – PLS/PLZ
Please call me – PCM
Queue – Q
See – C
See you later – C U L8R
Speak – SPK
Thanks – THX
To/too – 2
To be – 2 B
Today – 2DAY
Tomorrow – 2MORO
Why – Y
You – U

SMS TEXTING (il linguaggio degli SMS)

E ora, un ultimo gioco. Sotto ho scritto una storiella in inglese e voi dovete riscriverla in SMS text.

ESERCIZIO n. 75

1. Hi, thanks for the excellent dinner, but why are you angry with me, today?

   ....
2. Because I didn't eat it? ....
3. I ate before I came to you see you! ....
4. See you later or tomorrow, ok? ....
5. Love, Sally ....
6. Final message:

   I hope to see you, again, soon, mate, lots of laughs/laugh out loud!

   ....

Hey, guys…

TVTTTB

Solutions and translations

ESERCIZIO n. 1

1. I am thin and mad. **2.** We are old and tired. **3.** They are drunk and mad. **4.** You are generous. **5.** She is fat. **6.** We are happy. **7.** The car is fast. **8.** He is generous. **9.** I am fat. **10.** We are sad.

ESERCIZIO n. 2

1. I'm drunk. **2.** Concy is beautiful, isn't she? **3.** The big car is old, isn't it? **4.** Julie is tall and elegant. **5.** I don't have any good food. **6.** They are thin, aren't they? **7.** We are nice and honest. **8.** The chicken dish is big, isn't it? **9.** Jack isn't serious. **10.** John is young and generous.

ESERCIZIO n. 3

1. She is generous because she is drunk. **2.** He is tired because he is old. **3.** They are fast because they are young. **4.** We are slow because we are fat and drunk. **5.** I am nice, but he is young and handsome. **6.** She is beautiful, but she is not elegant. **7.** We are fat, but we are fast. **8.** You are thin and young, but you are slow. **9.** They are honest and generous. **10.** We are handsome and nice, but we are not elegant.

ESERCIZIO n. 4

1. Those sweets are yours. **2.** These cups are big. **3.** That man is nice. **4.** This bar is ugly. **5.** That bar is beautiful. **6.** Those men are honest. **7.** These children are fast. **8.** This coffee is mine. **9.** These cars are slow. **10.** That girl is with that man with the green jacket; that one with the blue eyes is with this girl here. **11.** That is really a funny joke. **12.** Yes, it's really fun taking classes at John Peter Sloan – la Scuola.

ESERCIZIO n. 5

1. I want to hear your advice, please. **2.** I have some good news for you. **3.** Justice is the same for all people. **4.** Power corrupts, and absolute power corrupts absolutely. **5.** We need some/a little rain. **6.** The traffic this morning was terrible. **7.** Excuse me, (Iwould like) some information, please. **8.** The collaboration between Granny and the Maniac is beautiful. **9.** The food here is always good. **10.** My brothers are all nice.

ESERCIZIO n. 6

1. We are with you. **2.** Are you with him? **3.** He and she are with me. **4.** Are he and she with me? **5.** You are with them. **6.** You are not with her. **7.** I am not with them. **8.** Are you with me? **9.** Aren't you with him? **10.** We are not with you.

SOLUTIONS AND TRANSLATIONS

ESERCIZIO n. 7

1. We have a small garden. **2.** I haven't got/don't have a fat dog. **3.** She has an ugly brother. **4.** They have a thin mother. **5.** He has a beautiful wife and I have a beautiful girlfriend. **6.** He has a beautiful, but sad sister. **7.** Have you/Do you have a boyfriend? No, I don't. **8.** I am young, but I have a big car. **9.** I am not beautiful, but i have a handsome boyfriend. **10.** She has two brothers and a sister.

ESERCIZIO n. 8

1. He has got a fast red car. **2.** I have a big white house. **3.** They have a slow black dog. **4.** He has a black eye. **5.** She has an orange hat. **6.** We have a brown bike. **7.** Have you got a black and white television? **8.** Have you got a grey cat? **9.** Have you got a black pen? **10.** I have a green apple. **11.** I haven't got time, but I have/have got paper clips, tape, a stapler and staples. **12.** She hasn't got money for me. **13.** We haven't got a beautiful house. **14.** We haven't got a beautiful car. **15.** You haven't got time for me!

ESERCIZIO n. 9

1. My father is under the car in the garage. **2.** My grandmother is in the bedroom with her book. **3.** The black cat is in the cellar because it is cool. **4.** The bedroom is near the bathroom. **5.** My brother is in the living room with his friend, but without the dog. **6.** My sister is in the garden. **7.** My mother is in the kitchen. **8.** My grandfather is in bed and the cat is under the bed. **9.** My cousin is in the car in the garage. **10.** My parents are in the cellar.

ESERCIZIO n. 10

1. is **2.** Is **3.** Are **4.** Has **5.** has **6.** is **7.** Is **8.** Have **9.** is **10.** have/am **11.** is **12.** are **13.** have **14.** has **15.** are **16.** is **17.** are/are **18.** has **19.** are **20.** are/have

ESERCIZIO n. 11

1. She has two big ugly dogs that weigh 150 pounds each. **2.** He hasn't got a black bike. **3.** Have you got four euros? I have no money. **4.** No, I haven't got four euros because I haven't got a job. **5.** He has two big, red eyes because he is tired. **6.** We have forty chickens in our garden. **7.** Have you got a big, white chicken that weighs twenty kilos? **8.** They haven't got a big, white chicken, but they have a nice grey rabbit that weighs three pounds. **9.** They have seven small (o little) children because they haven't got a T.V. **10.** You haven't got two fast legs because you are old and drunk. What is your weight?

SOLUTIONS AND TRANSLATIONS

ESERCIZIO n. 12

1. I am usually in Customer Service. **2.** She is never here. **3.** I am always on the telephone. **4.** I am on the telephone once an hour with a client. **5.** Do you often have problems with clients? **6.** Are you in reception during the day? **7.** Sometimes, I have thirty-three orders. **8.** Before the dog is/gets here, Giorgio has a question. **9.** After John is on the telephone, he rarely is happy. **10.** Julie in Customer Service is sad, sometimes.

ESERCIZIO n. 13

1. Do **2.** Is **3.** do **4.** Do **5.** are **6.** do **7.** is **8.** does **9.** do **10.** isn't **11.** have **12.** do **13.** is **14.** do **15.** is **16.** am **17.** are **18.** do **19.** do **20.** does **21.** is **22.** do **23.** does **24.** am **25.** do/Are

ESERCIZIO n. 14

1. make **2.** do **3.** does **4.** make **5.** does **6.** does **7.** do **8.** makes **9.** make **10.** make

ESERCIZIO n. 15

1. I'm in my garage with my yellow car. **2.** My wife and her mother are in via Montenapoleone and they have my wallet! **3.** I am in the garden with my dog and my cat, which are old and tired. **4.** Sara has my red car because her green bike is broken. **5.** They are in their car with my brother and his friend. **6.** My book is on the table; your book (o yours) is in the bedroom. **7.** His father is old and thin; mine is fat. **8.** Our parents are old; their parents (o theirs) are young. **9.** Her bag is big and new, but yours is old and dirty. **10.** Her mother is English; their mother (o theirs) is American.

ESERCIZIO n. 16

1. I am my mother's son. **2.** He is Concettina's husband. **3.** The cooks' hat is white. **4.** Peru's mountains are beautiful. **5.** My grandfather's newspaper is on the table. **6.** I already have tomorrow's newspaper. **7.** I have my brother's radio. **8.** He has my father's car. **9.** The workers' canteen is open. **10.** I am my readers' guide.

ESERCIZIO n. 17

1. in **2.** on **3.** in **4.** at **5.** in **6.** in/on **7.** at **8.** on **9.** On **10.** on/at **11.** at/at **12.** in/at **13.** in/on **14.** in **15.** at/at **16.** on **17.** in/at/in **18.** in/on **19.** in **20.** at

SOLUTIONS AND TRANSLATIONS

TRADUCIAMO: The trip of my dreams

Aboard the plane, I ask for a drink. The hostess pours hot coffee into my cup, while the plane goes against the wind. Through the window, I see a bird among the clouds and when i look down, I see boats on the sea.
I want to go out of the plane and to be on the boat.
Suddenly, I smell whiskey and when i look around, i see that I am in between two Scots.
During the flight, I speak with an American lady near me.
She puts her coffee onto the little table and listens to my funny jokes.

TRADUCIAMO: Bologna of my dreams

I am in a bar in the centre of Bologna at 10.15.
In front of me, [tolto] a lady sits on the table and pours wine into a glass.
She falls onto the floor (oppure ground).
On the wall, a photo has a bird that flies through the clouds. Outside, I see a child, who is waiting for his/her mom in front of a shop. While I help the woman, her boyfriend arrives. At eleven, I go to the hotel.
I put my hands into my pocket and I get the keys for my room. Inside the room, there is a letter from my wife.
"Dear ex-husband, today I was shopping with Maria and we saw you molesting a woman in a bar. Tomorrow, I will help you find a new house!"

ESERCIZIO n. 18

1. Who is the woman with the red skirt and green eyes? **2.** Who is that mad man in the road (oppure street)? **3.** Who are you to ask me who I am? **4.** Who are those children in the pub? **5.** Who is in charge at your house? **6.** Who are these men in black? **7.** Who is the tall girl? **8.** Who is fat and stupid?!
9. Who are those old men in my garage? **10.** Who are you to ask me who I am?

ESERCIZIO n. 19

1. What is a "tamarro"? **2.** What are these green things on my plate?
3. What is on the menu? **4.** What? **5.** What are we? **6.** What are you?
7. What is that? **8.** What have you got? **9.** What have I got in my bag?
10. What has he got that I haven't got?

ESERCIZIO n. 20

1. When is the game, at 3:15 P.M./3 and a quarter in the afternoon?
2. When can I call you? **3.** When will they arrive? **4.** When did you call me?
5. When was I born?

SOLUTIONS AND TRANSLATIONS

ESERCIZIO n. 21

1. Where is the cinema? **2.** Where are my beautiful, black shoes? **3.** Where is the train station? **4.** Where is my money? **5.** Where is my bag? **6.** Where are you? **7.** Where am I? **8.** Where is it? **9.** Where is the shop? **10.** Where is the beautiful road (oppure street)?

ESERCIZIO n. 22

1. Why do we eat fish for dinner? **2.** Why are you here? **3.** Why do we have a cat? **4.** Why do you appreciate it? **5.** Why do I have some clocks in my room?

ESERCIZIO n. 23

1. Which room is mine? **2.** Which stepsister are you? **3.** Which color do you want? **4.** Which desk is yours? **5.** Which number do they have?

ESERCIZIO n. 24

1. How are the children? **2.** How can I cook without a kitchen? **3.** How can you resist with him? **4.** How do I look with this red hat? **5.** How do you know my name? **6.** How do you like your pasta? **7.** How can I know? **8.** How are the children where you work? **9.** How are you? **10.** How am I? Beautiful or ugly?

ESERCIZIO n. 25

1. Are there two fat girls at the bar? **2.** There are no men at the bar today because there is the football match. **3.** That girl isn't there this evening. **4.** There are those sweets in the kitchen. **5.** There is no money for the holiday. **6.** There is no hope with that team. **7.** There are two horses in the stable. **8.** There are two Indian boys in my class. **9.** There is time! **10.** There are two red cats on the roof of my house.

ESERCIZIO n. 26

1. much **2.** many **3.** a lot of **4.** many **5.** much **6.** a lot of **7.** much **8.** many **9.** a lot of **10.** A lot of

ESERCIZIO n. 27

1. too much **2.** too many **3.** too much **4.** too much **5.** too much **6.** too many **7.** too much **8.** too much **9.** too many **10.** too many

SOLUTIONS AND TRANSLATIONS

ESERCIZIO n. 28

1. There is not enough work to do. **2.** There are not enough people on the bus. **3.** There is not enough panic about the crisis! **4.** We have not/don't have enough rabbits in the garden. **5.** There is not enough interest in my sister!

ESERCIZIO n. 29

1. What day is today? Thursday the 15th of November? **2.** When you come next summer, bring me some white chairs, please. **3.** What day of the week is December 25th this year? **4.** I eat at midday, even in autumn/the fall. **5.** This year Ferragosto is a Tuesday, summer passes too quickly.

TRADUCIAMO: Dialogues between John and Concettina

J: Hi love, where are you? **C:** In front of the T.V.; I'm watching a film. **J:** Why don't you look at me, instead?

C: Where are you? I am waiting for you! **J:** Why are you waiting for me, my love? **C:** I haven't got any money for the hairdresser.

J: Hi love, do you miss me? **C:** Yes, I miss you, but who are you? **J:** I am getting angry! **C:** Aaah, it's you!

J: Love, what are you doing? **C:** I am crying. **J:** Don't cry! I'm coming home! **C:** That is why I am crying.

J: Are you at home? **C:** Yes, I am making a cake with a lot of love. **J:** For who?

C: What are you watching on T.V.? **J:** I don't know; I'm not listening to it. **C:** Can you hear? Why aren't you listening to it? **J:** Because you are talking to me!

ESERCIZIO n. 30

1. B: When will you send the material? E: I am sending it, now.

2. B: Are you in the office? E: Yes, I am turning on the pc.

3. B: Are you in the office? E: Yes, but I'm turning off the pc, now.

4. B: Is Rossi there? E: No, he's eating in the canteen.
B: And what is he eating? E: I don't know what Rossi is eating!!

5. B: What are you doing? E: I am talking with Mr. Smith; do you know him?

6. B: What time will the delivery arrive? E: I am looking into it, now.
I am waiting. E: O.K., they are delivering it, now.

7. B: Is Franco finishing the project? E: No, but I am helping him.

8. B: What is he doing, now? E: He is waiting for me.

SOLUTIONS AND TRANSLATIONS

ESERCIZIO n. 31

1. **Mother:** What is Timmy doing? **Father:** He is trying to find his ball. **Mother:** Is he looking under the bed? Because the ball is there.
2. **Boss:** What are you doing? **Secretary:** I am calling the client. **Boss:** Isn't he answering? **Secretary:** No, but I am waiting. **Boss:** I am going. **Secretary:** Bye!
3. **Karl:** What is happening? **Lisa:** The dog is eating, my mother is cooking, my father is cleaning his motorbike and I am talking to you.
4. **Sales Manager:** What are you doing? **Lucy:** I am sending an email, Tom is sleeping on his desk, Giovanni is drinking a coffee and Umberto is reading the newspaper. **Sales Manager:** Ah, so all is normal!

ESERCIZIO n. 32

1. These days, I am painting. **2.** I am reading a book.
3. My wife is going to yoga often these days.
4. I'm not going to the restaurant because I'm dieting. **5.** I am studying English.
6. Where are you going? I am going to the doctor; I am ill.
7. We are studying; we aren't playing!! **8.** Are you doing the French translation?
9. Hey! Hello, where are you going?
10. We are going to George Michael's concert.
11. I am working on the Star project. **12.** I'm making a conference call.
13. We are trying to sell to Russia. **14.** Are you trying out new software?
15. I'm not going to work at seven a.m.
16. S/he is booking the hotels for the boss.
17. I am covering for my colleague who is at home.
18. Are they buying our products? **19.** We are not opening a new office.
20. We are closing the office.

ESERCIZIO n. 33

1. **Shop keeper:** We are losing money with this crisis.
2. **Assistant:** I have an idea; let's sell for less.
3. **Shop keeper:** No!
4. **Assistant:** But everybody is selling for less now, and they are working.

ESERCIZIO n. 34

1. work **2.** is sleeping **3.** is raining **4.** singing/is talking **5.** play
6. is writing **7.** is working/cooks **8.** swim **9.** takes **10.** eats **11.** making
12. comes **13.** gives **14.** are giving **15.** works **16.** running **17.** is falling
18. love **19.** am studying **20.** is walking

SOLUTIONS AND TRANSLATIONS

ESERCIZIO n. 35

1. On Sunday morning, I am painting the kitchen. **2.** This evening, I am seeing my mother. **3.** Tonight, I am leaving for London. **4.** This evening, I am sleeping at my friend's house. **5.** Tomorrow, I am leaving my girlfriend. **6.** I am taking a shower. **7.** This afternoon, I am doing my homework with Alex. **8.** Tomorrow morning, I am washing the car. **9.** On Wednesday, I am buying a cat.
10. On Saturday, I am buying Christmas presents.

ESERCIZIO n. 36

1. This evening, I am leaving the office at 8 p.m. **2.** We are having a meeting at 4 p.m. **3.** Tomorrow, we are meeting all our London colleagues.
4. The new boss is arriving at 12. **5.** Are we moving to a new office on Tuesday?
6. This afternoon, the boss is making a moving speech. **7.** Monday morning, they are paying us. **8.** At 2 p.m., I am sending the fax. **9.** Are you calling the supplier after lunch? **10.** I am not going to the office with them.

TRADUCIAMO: Cinema and presents

K: What are you doing, this evening? **R:** I am watching a film with Mary.
I am taking her to the cinema. **K:** I will come with you! (deciso ora)
R: Are you crazy? They are showing a violent film; you are sensitive.
K: O.K. thanks, Rocco; you are kind to protect me!

W: This evening, we are celebrating my birthday! **S:** Who is coming?
W: Everybody is coming! **S:** Are they bringing presents? **W:** I hope so!

ESERCIZIO n. 37

1. am going; present continous **2.** am going to; going to **3.** is going to; going to
4. is going to; going to **5.** am going to; going to

ESERCIZIO n. 38

1. B: I need the X file. P: I will send it to you, now.
2. J: Gianni, will you help me lift the sofa? G: I will try!/I'll try!
3. B: Where is Mr. Jones? P: I will ask Marta./I'll ask Marta.
4. C: I will return at 3 a.m. J: I will not open the door after twelve!
5. B: Will you book me a table at the "Gambero Storto" for this evening?
P: Of course! I will call immediately!
6. J: Will you kiss me while I sleep? C: No! I won't. J: Good!
7. B: Is the flight booked? P: Now I will check.
8. C: I am going to bingo. J: I will stay here.
9. T: Don't eat the cake. It's for Sunday! A: I won't.
10. T: Now I will book the hotel. A: O.K., now I will tell my mother.

SOLUTIONS AND TRANSLATIONS

ESERCIZIO n. 39

1. Milan will lose on Sunday. **2.** She will leave you for this. **3.** Take Julie to the cinema and she will love you. **4.** John will not (won't) come with us. **5.** Suzy will hate you for this. **6.** The email will arrive on Monday. **7.** If you do all your exercises at John Peter Sloan la Scuola your English will get better. **8.** The package will arrive today. **9.** Yes, I will come this afternoon. **10.** Will you let me know by 3 p.m., please? **11.** It will be marvelous, I promise. **12.** He will like your idea! **13.** They will hate your idea. **14.** Now you'll be in trouble! **15.** (DIN-DON) That will be the postman.

ESERCIZIO n. 40

1. B: On Saturday my husband is taking me shopping on Saturday. (azione programmata... almeno per lei!) C: I'm going to find a husband like yours! (intenzionale) S: I will give you mine, if you want him! (promessa... o minaccia?)
2. S: Tomorrow evening, I am eating with my sister at her house. Do you want to come, Concetta? (azione programmata) C: Yes! now, I will call my husband. (decisione al momento) B: Will she make "tiramisù"? (chiedere informazione)
3. C: What you find to eat in my flat depends on my husband. (clausola subordinate) B: Why? Aren't you going to stop at the supermarket? (going to)
4. C: Maybe. Which one of us goes there depends on my meeting this afternoon with John and Concy. (semplificazione quando il future è chiaro)

ESERCIZIO n. 41

1. John: Are you coming tonight at 8 P.M.? **2.** Concy: Yes, I probably will be finishing everything by that time. **3.** J: During the afternoon, we will be making an English delicacy just for you. **4.** Stella: Yes, I will be buying the groceries this morning. **5.** C: Whatever is it going to be?!

ESERCIZIO n. 42

1. John is a	tall, young, handsome, white man.
2. John's wife is	short, old, fat, ugly woman.
3. He had a	long, brown, wooden leg.
4. She had a	short, old, nice, glass table.
5. they were in a	new, fast, blue, metal car.
6. i have a	new, soft, white, cotton t-shirt.
7. She wears	modern, pink, plastic glasses.
8. She had	big, beautiful brown eyes.
9. He was a	tall, old, thin boy.
10. She is a	young, nice, polite girl.

SOLUTIONS AND TRANSLATIONS

ESERCIZIO n. 43

1. He is as fast as a leopard. **2.** He is as fat as a pig. **3.** I am as big as an elephant. **4.** She is as slow as a snail. **5.** She is as busy as a bee. **6.** I am as dangerous as a lion. **7.** He eats as much as a horse. **8.** He is as blind as a bat. **9.** She is even lighter than a feather. **10.** A lion eats even more than a camel.

ESERCIZIO n. 44

1. as **2.** like **3.** As **4.** as **5.** like **6.** as/as **7.** like **8.** as/as **9.** like **10.** as

ESERCIZIO n. 45

1. hotter **2.** deepest **3.** livelier **4.** sadder **5.** ugliest **6.** smallest **7.** most unpleasant **8.** more destructive **9.** softest **10.** nessuna di queste, ingannato! Heat non è un aggettivo, ma un sostantivo!

TRADUCIAMO: The letter

Dear Mr. Smith,

On Monday, a fat, slow, white dog arrived.
On Tuesday, a fatter and slower dog than the first arrived.
On Wednesday, the fattest and slowest dog of all arrived.
On Thursday, a thin, slow, stupid, black dog arrived.
On Friday, a stupider dog than that of Thursday and fatter than that of Wednesday arrived.
On Saturday, the worst dog in the world arrived: a dog called 'lucky' with a wooden leg and a broken glass eye.

I want my money back! Mr. Jones

ESERCIZIO n. 46

1. Yesterday evening, I cooked, ate, cleaned the house, then went to bed.
2. Today, I worked, watched a film, took my son to school, then slept.
3. This morning, I bought the milk, went home, and then returned to bed.
4. Yesterday, we finished the project, then went to celebrate. **5.** I wrote a letter, then slept for 3 hours. **6.** I used to sleep until late, but now I don't. **7.** I am used to cleaning the neighbor's house. **8.** I used to buy the bread, but now I don't.

TRADUCIAMO: Suzy's diary

On Monday, I saw a handsome man. I asked him to go out with me.
We went to the lake, and then ate.
While we were eating, he asked me to kiss him, but my mouth was full of bread.

When my mouth was empty, he was kissing another.
"You are a playboy!", I shouted. "But she is my sister", he said.
I saw in the mirror that my face was red. While we were finishing eating the bill arrived. He paid for everything and afterwards we went to the bar and got a bottle of wine. While we were drinking, he asked me for a kiss, but my mouth was full of wine. When my mouth was empty, he was kissing another.
"Is she your sister too?", I asked. "No, I'm a playboy", he said.
I went out, took a taxi and went home. When I arrived home, I saw some flowers on the table with a message. The message was "I love you".
While I was smiling because of the message, my neighbor entered. "Suzy!", she said, "You are in my house! Did you drink wine, again?".

ESERCIZIO n. 47

1. While I was cleaning, Simon called me. **2.** I was talking, when she started to cry. **3.** While I was watching the game, I fell. **4.** He wasn't running, when he broke his leg. **5.** While s/he was asking me a question, I forgot her/his name. **6.** I was sorting out the bedroom, when I found a pound! **7.** Was I undressing, when your wife arrived? **8.** While we were playing, we heard a scream. **9.** I was falling asleep, when s/he gave me a kick. **10.** I was singing, when John entered the room at John Peter Sloan – la Scuola.

ESERCIZIO n. 48

1. presente: I am begging her to go out with me. passato: I was begging her to go out with me. futuro: I will be begging her to go out with me.
2. presente: She is counting her money to see if she can buy a new dress. passato: She was counting her money to see if she could buy a new dress. futuro: She will be counting her money to see if she will be able to buy a new dress.
3. presente: I complain to the father, when the child behaves badly at school. passato: I complained to the father, when the child behaved badly at school. futuro: I will complain to the father, when the child will behave badly at school.
4. presente: I am cleaning my garage.
passato: I was cleaning my garage. futuro: I will be cleaning my garage.
5. presente: I am concentrating on my work. passato: I was concentrating on my work. futuro: I will be concentrating on my work.
6. presente: The postman doesn't deliver letters to my house, sometimes. passato: The postman didn't deliver letters to my house, sometimes. futuro: The postman will not/won't deliver letters to my house.
7. presente: I dislike everything he says. passato: I disliked everything he said. futuro: I will dislike everything he says.

8. presente: I am describing the party to Simon. passato: I was describing the party to Simon. futuro: I will be describing the party to Simon.
9. presente: She develops projects for big companies. passato: She developed projects for big companies. futuro: She will develop projects for big companies.
10. presente: She isn't forcing her son to study. passato: She wasn't forcing her son to study. futuro: She will not be forcing her son to study.
11. presente: They are improving conditions, finally. passato: They were improving conditions, finally. futuro: They will be improving conditions, finally.
12. presente: They live in a big house. passato: They lived in a big house. futuro: They will live in a big house.
13. presente: We are launching the new product in January. passato: We were launching the new product in January. futuro: We will be launching the new product in January.
14. presente: I am watching T.V. and opening my mail, while Tina is cleaning the room. passato: I was watching T.V. and opening my mail, while Tina was cleaning the room. futuro: I will be watching T.V. and opening my mail, while Tina will be cleaning the room.
15. presente: They shout, scream and complain about everything.
passato: They shouted, screamed and complained about everything.
futuro: They will shout, scream and complain about everything.

ESERCIZIO n. 49

1. I have spoken with your aunt, and she wants us to come, tomorrow. **2.** I saw a very beautiful car, yesterday. **3.** John wrote *Instant English 1* just for you! **4.** Concy has seen some really beautiful red shoes, and wants to buy them. **5** John asked himself with which wallet Concy goes shopping. (formale)/John asked himself which wallet Concy goes shopping with. (informale) (comunque è inutile chiedersi…) **6.** In the winter of 2045, the sun shone and it was very/extremely hot, thanks to global warming. **7.** It has been so hot that I have to go around Milan naked. **8.** I've seen the horror film "Phrasal Verbs in Space"…(shudder)! And you? What did you think of it? **9.** I saw the horror film "Phrasal Verbs in Space"…(shudder)! **10.** Did you see the doctor? – Yes, yesterday. – Oh, yeah? And what did he say to you? **11.** He said to give up drinking beer… he's a madman! **12.** He told me so many things that it has given me a headache. I need a beer!

ESERCIZIO n. 50

1. Between you and me, I think John's cute. **2.** You will have to choose from among the fourteen tastes available. **3.** In front of the John Peter Sloan la Scuola there is a beautiful park…don't I wish. **4.** John plays an adorable character in his latest film. **5.** It's one against five.

SOLUTIONS AND TRANSLATIONS

ESERCIZIO n. 51

1. Before arriving at your house, I'll pass by Concy's. **2.** During next summer, I'll be in Birmingham. **3.** I have too many things to do until the next long weekend.

ESERCIZIO n. 52

1. I run along the river every Thursday. **2.** The cars go through the intersection at noon/midday. **3.** I go/I'm going toward the second mountain.

ESERCIZIO n. 53

1. Regarding the book you're going to buy me tomorrow; I want (something by) John Peter Sloan. **2.** I will have the painting from Dalì, himself. **3.** Like moths to a flame, Concy is attracted to John.

ESERCIZIO n. 54

1. for **2.** to **3.** to **4.** for **5.** to **6.** for **7.** to **8.** for **9.** to **10.** to

ESERCIZIO n. 55

1. J: My love, you are tired. How come? W: Because I have been cleaning all day. J: I know, I have been watching you all day. W: You have been watching me all day? Why didn't you help me? J: Because I didn't want to disturb you!

2. J: Since when have they been building that house? I: They have been working for two years. J: Has it been raining until now? I: No, the problem is that there are only two builders!

ESERCIZIO n. 56

1. Before I saw you, I already had gone to the supermarket. **2.** Before you left, she had finished the book. **3.** By the time she arrived, I already had made a cake. **4.** When John arrived at his school on Saturday morning, Sara already had opened the doors. **5.** When I did my English exercises, yesterday, I already had studied the day before.

ESERCIZIO n. 57

1. yet **2.** again **3.** still **4.** still **5.** again **6.** again **7.** still **8.** yet **9.** yet **10.** again **11.** still **12.** still **13.** yet **14.** again

ESERCIZIO n. 58

1. John already had been working for Teleboh for two years, when BohTel called him to offer him a job. **2.** Concy said, "I had been waiting for Prince Charming for years, and then I met John... and that's all/and that's it." **3.** The cousins Jack and John had been talking since 1994 about going to Cesano Maderno, and so they finally went last summer. **4.** My neighbor already had been sleeping for two hours, when I started to talk with his hamster, instead, about my vacation in Cesano Maderno. **5.** John already had been teaching English, singing and acting for many years in Italy when he opened the John Peter Sloan – la Scuola.

TRADUCIAMO: Big Dreams

When I was ten years old, I dreamed of becoming an astronaut. "When I will be big, I will have finished astronaut school, and I will go into space."
When I was fifteen years old, I dreamed of having a beautiful girlfriend. "When I will be twenty, I will have found a beautiful, no, a very beautiful girl to be my girlfriend."
When I was twenty, I dreamed, again, of becoming an astronaut. "When I will have completed university with a degree in physics, I will fly in space, and I will see the earth from thousands and thousands of kilometres above."
When I was thirty years old, I still wanted to have a beautiful girlfriend. "When I will have become financially successful, I will find myself a beautiful girl (or two, or three...) to travel around the world with.
When I was thirty-five years old, I dreamed of a job.

ESERCIZIO n. 59

1. In May, it will be ten years that John and Concy will have been going to Cesano Maderno in vacanza. **2.** Next week, it will be three months that I will have been reading this book. **3.** In June, it will be five months that I will have been trying to lose five kilos. **4.** In November, it will be seven months that I will have been trying to get pregnant. **5.** In September, it will be twenty years that John will have been living in Italy.

TRADUCIAMO: A scream and then...

Yesterday evening at 7:30, I was in a taxi with my wife.
I was sitting behind the driver and I was looking at the photos of the new house, while my wife listened to the radio.
The driver spoke with (or to) us, but I couldn't hear (did not hear) what he was saying. From behind, I saw that the driver had long black hair and big ears.
Suddenly, I heard a scream and I touched my wife's arm.
I wanted to see what had happened, so I told the taxi driver to stop.
I went towards the house, but my wife didn't want to come with me.
When I was outside of the house, I couldn't see anything, so I went into the garden to see better. Through the window, I couldn't see anything because

it was all dark so I decided to go behind the house. I entered through the back door. Inside the house, I heard someone whisper. I wanted to run away, but I was too curious. After 5 minutes, I heard somebody shout "Go away! Go away from here!" I wanted to die. Slowly I walked into the living room and I saw everything. It was a television, turned on at maximum volume, with an old lady, who was sleeping in front of it.

TRADUCIAMO: Does Carlo get it?

1. C: This evening, I am having a party, are you coming?
   L: Yes, but first I have to get my son from the school, take him to his grandmother, then get a bottle of wine to bring to the party.
2. C: This evening I am having a party, are you coming?
   T: No, sorry, I have to get shampoo at the supermarket, wash my hair, and then take my husband to the theatre.

ESERCIZIO n. 60

1. My secretary set up a meeting for me for this morning. **2.** The thieves set me up for the scam. **3.** I set aside some money to buy myself a beautiful painting. **4.** She set up her office, this morning. **5.** They set aside their problems for the holidays.

ESERCIZIO n. 61

1. Let's see what's on at the cinema, this evening. **2.** Let's play football! **3.** Let's ask Susan where they are going, this evening. **4.** Let's sleep a little (or a bit). **5.** Let's listen to a little (o some) music.

ESERCIZIO n. 62

1. I keep sneezing. **2.** He needs to keep calm. **3.** I keep too much stuff in the house. **4.** I have to keep my ex-wife in the life to which she was accustomed while we were still married. Se vuoi sembrare Shakespeare, ecco la traduzione letterale: I have to pay so that my ex-wife might continue to live the life to which she was accustomed while we were still together. **5.** I still keep my appointments in a paper daybook/calendar.

TRADUCIAMO: A day at San Siro

I had put it off and put it off and put it off. Now the day had finally arrived: San Siro and the horse races.I wanted to put a little bit of money on my favorite horse, One-Eyed Jim, a horse with a big heart notwithstanding his lame leg, ruined lungs, the three blisters under his tail and some warts on his right ear.

First, however, I had to count my money and to do that I had to find where I keep my money. I always forget. Where did I put it? Did I put it in my desk in my office? I couldn't check because my wife was busy in there with the electrician and I always put family first.
I wanted to put the question to my daughter, but she had to keep an appointment with the neighbor's hamster at that time, and when she makes a promise she keeps it. What a good girl. I was a little put out and wanted to put my foot down, but in the end I put up with everything because they respect me so much.

ESERCIZIO n. 63

1. Permesso **2.** Sapere **3.** Permesso **4.** Dedurre **5.** Riuscire **6.** Permesso **7.** Sapere/riuscire **8.** Sapere **9.** Sapere/riuscire **10.** Riuscire

ESERCIZIO n. 64

1. I can't help you, but maybe James can. **2.** Can you come with us? **3.** I can't listen to this music! **4.** But, can you dance? **5.** I can't talk to you; my wife is jealous even though she envies you because of your husband. **6.** I will be able to pay you in 50 years. **7.** I could speak Chinese when I was a child because we lived in China. **8.** She will be able to take you to school, when she has a car. **9.** This can't be true. **10.** I can because it is mine!

ESERCIZIO n. 65

1. That/It couldn't be true. **2.** If you can't do it, I could help you. **3.** I'm sorry, I could have been with you. **4.** Give Cinzia a kiss; she could leave tomorrow. **5.** Could you buy me a book? Then tomorrow, I will bring you the money. **6.** If I find time this summer, I could come to London. **7.** You could have called me. **8.** I could have eaten with you. **9.** If I hadn't seen you, I couldn't have given you the money. **10.** If I hadn't studied, I couldn't have gone to university.

ESERCIZIO n. 66

1. You should stay at home this evening; it might rain. **2.** You should have called the office; they might have found your mobile. **3.** I might stay at home and watch the film; it should be good. **4.** Should i forgive her? It might be better. **5.** They shouldn't cause problems; they might regret it.

ESERCIZIO n. 67

1. If I could, I would go away with you. **2.** I would do it, if I could. **3.** Would you do it, if you could? **4.** If we could, we would buy you a car. **5.** If he could, he would marry lucy. **6.** If I had money, I would buy a house. **7.** If we could, we would go to London. **8.** If I could come, I would be happy. **9.** If I had known you were there, I could have bought you a beer and I would have (done it). **10.** If I had known you were at home, I would have come to your house.

TRADUCIAMO: The truth hurts...

G: Do you think I should change woman? **M:** You should be happy, no other woman would take you. **G:** You shouldn't say that; you are my friend! **M:** What should I say? It's true!

ESERCIZIO n. 68

1. I ought to speak to the boss about this. **2.** He/She ought to have taken the dog out before 7 p.m. **3.** He ought to have been here by now. **4.** I ought to repair the roof before winter. **5.** I ought to have gone to see my aunt.

ESERCIZIO n. 69

1. Don't you think that we had better send him a bottle of champagne?
2. We had better return/go back before it gets dark.
3. I had better study English. **4.** Hadn't we better fawn over the boss?
5. Hadn't John better indulge/humour Concy?

ESERCIZIO n. 70

1. I have to get the kids (or children) from school. **2.** I must smoke less!
3. I have to get a license, if I want to drive here. **4.** You have to pay taxes.
5. You must help me more!

TRADUCIAMO: And if I went tomorrow?

If I can go to visit Franco in hospital, today, I will go. I would have gone, yesterday, but I was working. I could ask Tommy to come with me. I would go alone, but I haven't got/don't have a/the* car. I must go, today, and I should take a present (o gift). Something Franco will like. Flowers? An apple? A blonde? I should ask advice from his mom/his mom for advice. The doctor said that he has to stay in hospital for two weeks. I couldn't stay in hospital; I would get (or go) crazy. I might be crazy, already. Wouldn't it be better to go tomorrow? I wouldn't want to go there, now; he might be sleeping. As long as I don't go for nothing. Should I stay, or should I go? Would Franco be offended, if I didn't go? I wouldn't want him to be offended. I must go, yes! At the end of the day, it was me who pushed him down the stairs. But if I had known that he would break his leg, I would not have done it! I'm not going.

* Per decidere tra a e the, vai a pag. 28.

SOLUTIONS AND TRANSLATIONS

TRADUCIAMO: IF, IF, IF...

1. Tom: If I find a job (o work), I will buy a car.
   Tim: If I had known yesterday, I would have sold you mine.
   Tam: If I could drive, I would buy a beautiful, fast car.
2. Sara: If I have the money, I will go to New York this summer.
   Giulia: If i had the time, I would come with you.
   Lisa: If I had had the time and the money, I would have gone to New York last year.
3. Concetta: If you come with me, I will be happy.
   Emma: If you had asked me before, I would have said yes.
   Carmen: If you had asked me, I would have come.
4. FC: If you play like on Saturday again, we will lose.
   P: I will play well; you will see.
   FC: I'm sorry; I wanted to say, if you played today, you would play badly.
   P: Why? Am I not playing?
   FC: No!

TRADUCIAMO: THE BIG CHANCE

I was walking with Carlo, when we saw a bar.
The bar was old and ugly, but I said, "That bar could be a gold mine, look at how many offices there are in the area. If I had money, I would buy that bar and I would get rich!".
Carlo, unlike me, has got a lot of/lots of money, so at lunchtime, he went to the bar and he asked the owner, "Would you sell this bar?".
The owner answered "I would sell it but I must ask my wife; call me at 6 p.m."
Afterwards in the office Carlo said, "If he sells me that bar, I'll get rich".
At 6 p.m. Carlo called the owner, but the owner said, "I'm sorry, but my wife doesn't want to sell".
One month later the city council of Milan decided to open a new exhibition centre near that bar.
Carlo was sad. "If he had sold me that bar, I would have gotten rich", he said.

ESERCIZIO n. 71

1. If everybody is going to the cinema, I will stay at home. **2.** You have something in your eye. **3.** I want to buy something for you. **4.** Somebody ate my ice cream! **5.** Nobody wants to come with me! **6.** I have nothing to hide! **7.** I would give you everything, but I have nothing! **8.** Every day, I hope you arrive. **9.** Everytime I go there i come back tired. **10.** Sometimes s/he calls me. **11.** Everything I do, I do for you. **12.** Everybody needs somebody to love.

13. Nobody understands me. **14.** I need somebody, sometimes.
15. If you eat something, you'll feel better.

ESERCIZIO n. 72

1. Before going out, clean the bathroom and kitchen. **2.** I went to school without having done my homework. **3.** Why do you forget to call your mother? **4.** Stop always repeating the same words. **5.** Instead of playing tennis, why don't you study? **6.** We are used to listening to your/his/her nonsense. **7.** They are tired of always repeating the same words. **8.** Why do you forget having called/that you called your mother? **9.** We are afraid of making a bad impression. **10.** I finished cleaning the bathroom.

ESERCIZIO n. 73

R = Restricted **I** = Identifying **1.** I **2.** R **3.** R **4.** I **5.** I

ESERCIZIO n. 74

1. She complained that the restaurant was too cold. **2.** Giorgio insisted that we stay with them. **3.** He insisted that he get his money back. **4.** I explained to her (that) this was the way that things were done in our office. **5.** She demanded a refund. **6.** She insisted on paying. **7.** John told me that he was going to release a new record, soon. **8.** She asked for help perhaps/maybe because of a broken foot. **9.** The technician explained that my/our scanner would be ready in three days. **10.** My little girl cried for me to read her a story.

TRADUCIAMO: It's YOUR responsability!

Anne: The crisis accounts for one million euros less (in) profit this year. **Boss:** Who made mistakes, Giorgio? **Anne:** I don't know, he always manages to cover up his errors, even if he always is up to something. **Boss:** But we were aiming for fifty million more! So, we have to cut back on staff by 30%. **Anne:** Yes, but we must also beef up the advertising budget, if we want to build up a better relationship with our clients. **Boss:** We can't spend more; if we do we will close down and I won't back down this time! I don't want to take the responsibility if we close down! (An alarm sounds!)

TRADUCIAMO: When they get mad...

Andy: It's a bad day. Jake: Why? A: I didn't go to my wife's birthday party and I must sort things out because she's angry. J: Why didn't you go? A: Because the car ran out of petrol and by the time I arrived (o got there)

the party had already finished. J: Couldn't she wait? A: No, I called her and said "Can you put off the party for two hours. I'm arriving!".
J: Did you point out that the car had stopped? A: Yes, but she just (or only) said "No, I will bring forward ... our divorce!". I wanted to make up for it by sending flowers, but nothing doing. J: So, you have to sort out a lawyer, now.
A: I can't, I have run out of money!

TRADUCIAMO: Pino, Lino and Gino (the letal plan)

I: We have to kill Gino; he's dangerous.
P: And how are we going to kill him? I'm all ears.
I: Very easy. While he's sleeping, I will suffocate him.
P: But it's dangerous, everybody knows him.
I: They knew him, he was famous, but many years ago.
P: When his mom finds out, all hell will break loose!
I: That woman is bad; let's kill her, too!
P: Don't touch Gino's mom; she is the apple of my eye!
I: Shut up!
P: Thank goodness the idioms have finished… otherwise you would have killed me, too!

TRADUCIAMO: The accident

Joe: Why did you hit a tree? **Simon:** I don't know. **Joe:** Gnnnnnff! **Simon:** What did he say? **Terry:** It's beyond me… wait, oh yes… he's biting his tongue. (Terry looks under the bonnet.) **Terry:** How much did you pay for this car?
Simon: Fifty euros. **Terry:** O.K., I'll give you the benefit of the doubt.
Simon: Guys, maybe I bent the truth with you. I'm a bad egg. **Joe:** What?
Simon: Wait, I have butterflies in my stomach. O.K., I can't drive.
Joe: We saw that! You are an imbecile, not only ugly, but also stupid.
Simon: Wait! That is below the belt! Speaking that way to me doesn't earn you brownie points. I wanted to come with you because, if I stayed home, I would have had to wash the dog, so I was between the devil and the deep blue sea.
Terry: I get it (capire il concetto). **Simon:** I saved a lot of money to buy this car and now I'm back to square one. **Joe:** Anyway, you're an imbecile.

TRADUCIAMO: Falling in love

Billy: I want to tell her that I love her and that I want to take her to America with me. **Steve:** Are you crazy? If your mom finds out, she will kill you.
Billy: And who will tell her? **Steve:** Me, if you don't cough up 100 euros.
Billy: You shut up! Anyway, she is the best, the cream of the crop, so it's worth it.
Steve: There will be a mess. You always cut off your own nose to spite your face.

Billy: Come what may, I love her and you can't make an omelette without breaking a few eggs. **Steve:** You are really ridiculous, do you know that? **Billy:** Steve, listen... **Steve:** I'm all ears. **Billy:** We have to clear the air you and I (colloquiale me). I'm sorry I let you down last year.
Steve: I think you have to take a crash course in life, my friend!

TRADUCIAMO: The lying game

Jonny: What happened? **Freddy:** I'm in the doghouse. **Jonny:** Why? **Freddy:** Because I promised my mother I'd sort out my bedroom, then I didn't do it. **Jonny:** Won't she let you come to the cinema on Saturday? **Freddy:** I don't know; the die is cast. **Jonny:** Tell her you didn't sort out your bedroom because Paul called you and he kept you on the telephone for an hour. **Freddy:** But then Paul will be in the doghouse with his mom. **Jonny:** So? It's dog eat dog. Come on! You can't miss the film. I'm dying to see it. Lilly will be there, too, so I have to be dressed to kill. **Freddy:** Wow, Lilly? That girl at school who is so down to earth? **Jonny:** This is, without doubt, the worst tale (o story) John ever wrote. **Freddy:** I know, he should speak to a professional.

TRADUCIAMO: Time to pay

Jim: What happened? **Ken:** To have that job, I bent the truth. Anyway, everything was difficult and I couldn't find my feet. Then I caused a disaster and the boss called me. I went into his office to face the music. I tried to convince him that I was learning the job well, but it was like flogging a dead horse. He said i was full of hot air. So, I offered to work for less money, but that didn't go down well. **Jim:** But, you are incredibly stupid! **Ken:** Come on, Jim, don't go bananas! **Jim:** Listen to me, if you don't pay the rent, I have to find somebody who can, get the message? **Ken:** Yes, I got it.

TRADUCIAMO: Conversation near the lake

Toby: Gerry? Gerry?!! **Gerry:** Huh? What? **Toby:** Sorry, but you had your head in the clouds. What were you thinking about? **Gerry:** I was thinking about when I will be a famous actor. I had an audition, today. **Toby:** How did it go? **Gerry:** I don't know, one of the actors was hand in glove with the director and he had a beautiful suit. If I wasn't so hard up, I would buy one, too. **Toby:** Why don't you work with Mr. Jennings, again? **Gerry:** Because after that affair with his girlfriend, he doesn't want to see me, anymore. **Toby:** You had an affair with his girlfriend?! **Gerry:** Yes, but my heart was in the right place! **Toby:** What? **Gerry:** She wasn't good for him, in some way, I did him a favour. **Toby:** Why don't you explain this to him? **Gerry:** I can't, it's a hot potato with him.
Toby: Go there with your heart on your sleeve and you will see!

SOLUTIONS AND TRANSLATIONS

TRADUCIAMO: The price of the sand

Dino: How many shares did you buy? **Pino:** 200! I will be rich! **Dino:** Are you sure? **Pino:** Very sure. It's in the bag! **Dino:** But why did you buy them? **Pino:** In a nutshell, they sell sand to the Arabs for next to nothing. Surely, they will sell a lot! i won't see the money immediately, but in the long run, you'll see! **Dino:** But the Arabs already have a lot of sand, Kino! **Kino:** I know, but he's happy. Sometimes ignorance is bliss. **Dino:** No, i have to say something to Pino. **Kino:** Listen! He's happy, if it isn't broke don't fix it!

TRADUCIAMO: Looking for a job

Fede: Why did they sack you? **Beppe:** I sent the wrong files to the wrong people. **Fede:** Why? **Beppe:** I was confused, I was still learning the ropes! **Fede:** Why didn't you lick the boss's boots? As a last resort? **Beppe:** No! **Fede:** O.K., but look on the bright side, you'll have more time for the play-station. **Beppe:** I need money! **Fede:** Maybe there is a job at the baker's. **Beppe:** Really? Thank goodness! There is light at the end of the tunnel! **Fede:** Yes, but Rocco works there, too. **Beppe:** Rocco? But i broke his car. He doesn't speak (o talk) to me.**Fede:** It would be better to let sleeping dogs lie. **Beppe:** Eh? **Fede:** Rocco's car, that you broke. **Beppe:** When? **Fede:** The lights are on, but nobody is at home, today, eh? **Beppe:** Eh? **Fede:** Listen, you could be a mechanic! That way, you work/have a job and you could sort out Rocco's car and kill two birds with one stone!

TRADUCIAMO: From rags to riches

Bill: Look at Thomas! He's made of money. **Bob:** I know, he made a killing on Wall Street. **Bill:** I can't afford a scooter and he comes in a Mercedes! **Thomas:** Hi guys! I told you to invest on Wall Street… You missed the boat. **Bill:** I'm going to Wall Street! I have to make up for lost time. Are you coming, Bob? **Bob:** I don't know, i have mixed feelings ... On the one hand, I like the idea of getting rich, but on the other hand I don't want to change. **Bill:** You are a loser! And you will die here with all the other losers! **Bob:** Don't make a mountain out of a mole hill, please. You go, I'll stay here with your girlfriend. **Bill:** Why? What kind of relationship have you got with my girlfriend? Is there more than meets the eye? **Bob:** Don't say stupid things… We are just friends, very close friends and sometimes we kiss near the lake, at night. **Bill:** Ah, O.K.

TRADUCIAMO: On holiday

Wife: Look! Spain for only 800 euros for two, (at a) five star hotel! Spain costs next to nothing now. **John:** We can't. **Wife:** Why not? We have 5000 euros in the bank! **John:** That is our nest egg! **Wife:** Come on! **John:** No, not for all the tea in China. **Wife:** Please... **John:** Nothing doing. **Wife:** Then I will go alone. **John:** Perfect!

TRADUCIAMO: The film

Dino: They will make the film here dad, we will be on the map! **Father:** No, it's out of the question. Over my dead body. **Dino:** But why? As an opportunity, it's out of this world! You're crazy! **Father:** You are really out of order, Dino.

TRADUCIAMO: Friends

Bruce: I am tired of my job. I want to find something else. **Lenny:** Listen, if you play your cards right, I'll find you a job in my factory. **Bruce:** Do they pay well? **Lenny:** They pay very well. **Lenny:** A penny for your thoughts. **Bruce:** Are you pulling my leg? Because if you are, you are playing with fire. **Lenny:** No, Bruce, I can help you. **Bruce:** Thank you. **Lenny:** One day, you could become (o get to be) an important manager. **Bruce:** Yes, and pigs will fly. **Lenny:** Listen, if they don't take you on at my factory there is Plan b. You can be a babysitter... Lucy is pregnant!

TRADUCIAMO: Gentleman thief

Bones: O.K., are you ready to rob the bank with me? **Rocky:** Now? It's raining cats and dogs outside! **Bones:** I have two umbrellas. **Rocky:** Yes, but that's a quick fix, Bones! Where will we put the umbrellas when we have to enter? We have to be as quiet as a mouse! **Bones:** You always have to rock the boat, eh? **Rocky:** Always? **Bones:** Yes, even when we were in the group. You always found problems with my plans. The group ended for that reason. **Rocky:** No, the group ran out of steam in the end. Anyway, you can't take umbrellas into the bank. **Bones:** Eh? **Rocky:** An umbrella could be used as a weapon, so by law they can't be taken into public places... you know how the red tape is for banks. **Bones:** I'm going alone.

TRADUCIAMO: About madness

Theo: I think that Freud had a great mind. **Brian:** He was crazy. **Theo:** Oh yes? If he was crazy, I would sell my soul to be crazy. Think about when his books came out. He totally swam against the tide, but they sold like hot cakes. **Brian:** Theo, I know you have a soft spot for Sigmund, but he said a lot of ridiculous things. **Theo:** Brian, it wasn't all set in stone; they were just ideas. **Brian:** He was crazy. **Theo:** No! He was the salt of the earth. **Brian:** Why have you got a soft spot for Freud? **Theo:** I haven't got a soft spot for him, you dummy! **Brian:** See? I say something against Freud

and you see red! **Theo:** I know that for you it is second nature to get people angry, but now I'll tell you something and to sweeten the pill, I will tell you that it's not only (o just) you. I'll make it short and sweet, ready?
Brian: Yes. **Theo:** You are a dummy. **Brian:** Oh yes?
Theo: Yes, and seeing is believing and I can see you, and you're a dummy.

TRADUCIAMO: Gossip

Anna: Have you met Amber's new boyfriend? **Lucy:** Yes, the guy who talked shop at the party… she should think again that girl, he is taking her for a ride.
Anna: It's not true, come on! **Lucy:** That's my opinion, take it or leave it.
Anna: I went to her house, yesterday, and there wasn't a soul. Have they gone away?

TRADUCIAMO: The Boss

Frank: The boss is agitated. He's waiting for a call from Rome.
Freddy: Is he the boss? Isn't he the lawyer? **Frank:** Yes, he wears many hats here because it's his father's company. **Freddy:** Why doesn't he call Rome?
Frank: Because he's playing the waiting game. It's his way and you can't teach an old dog new tricks. **Freddy:** He seems angry...
Frank: I think that, if Rome calls today with a positive answer, you'll see him very happy. But for now he is playing the waiting game.
It's his way/tactical approach.

TRADUCIAMO: A day out

At 7 o'clock in the morning, the postman arrived with three letters.
They were all for my wife. At 7.30 I went to get the bread from the baker's.
I like the smell of bread in the morning.
After, I went to get the newspaper, but when I entered into the shop, the shop assistant wasn't there.
I took a newspaper and was leaving, when I saw a policeman. In that moment, I started to daydream. I was in court (o in the court room), my lawyer was showing the stolen newspaper to the judge and I was between two policemen. Then my accountant spoke, "Maybe you think it is stupid to steal a newspaper that costs only a pound, but it's understandable ... because he has run out of money! And why hasn't he got any money? Because he needs a job and why hasn't he got a job?"
"Because he's a thief!" shouted/yelled the judge. I decided to pay for the newspaper.
At one in the afternoon, I had an interview for a new job, so I went to the hairdressers. Yes! It takes two hours to sort out my hair.

While i was going to the hairdressers, I saw some builders on a building site and I asked them what they were building. "A vets", said a builder.
"And what do you do?"I asked.
"I am a plumber" he said "I sort out the water system".
After twenty minutes, my tooth hurt (o I had a bad tooth o I had a toothache), so I went to the dentist for a quote. He told me the sum and the pain passed immediately.
After the hairdressers, it was lunchtime and I went to the pub for a quick (o fast) beer, then to the restaurant.
The waiter brought me a plate of pasta and complimented me on my hair.
Afterward, I paid my compliments to the chef and went to my interview.
While I was entering into the building where I had my interview, an SMS arrived.
It was my accountant. "If they don't take you on/hire you, you are in trouble".
At the reception, I gave my name and the secretary of the boss came to get (o receive) me. In the boss's office, I introduced myself and he complimented me on my hair. I was talking to the boss when I heard a woman shout "Fire!".
The boss called the fire man and I, trying to be a hero, escaped. While I was running down the stairs, I fell.
In hospital, the nurse brought me a newspaper. She was very kind.
Incredibly, I was on the front page!
"Coward breaks a leg escaping from a building in flames!" The doctor said I had to remain (o stay) there for four days. Afterward, the cleaning lady arrived.
"You are a loser", she said to me. "There was fire!" I answered.
"Not because you escaped!" she said. "Because you couldn't put the butcher's (o get the butcher's) in this stupid little story (o tale)", she said.

TRADUCIAMO: A BEAUTIFUL SUNDAY... COMPLETELY WASTED

The sun entered through a window that was a little dirty. It really has been a long time since we last cleaned them. Who cares?! It's Sunday, and I have the right to relax a bit, too, don't it?
I began to dream of playing the piano a little bit/of playing a little bit of piano, there's a new song that has been buzzing in my head for days and then maybe to go running (yeah, me*... I get love handles, too) before having a marvelous breakfast, maybe even treated like a king by Concy (wake up!). And then? Hmmmmmm, It's been a long time since I have chatted with my friends and played cards with them. I haven't seen them since last month. We could play cards for about three hours, but then I must... no, it's Sunday... I'd like to play a little bit of football, then maybe invite the guys over to my house to watch a bit of football on T.V., and then, ahhh, yes, a great dinner of mash and bangers. After all, I did a little bit of sport, today, didn't I?
Not everyone in the house agreed with me....

SOLUTIONS AND TRANSLATIONS

TRADUCIAMO: A WEEKEND IN GREAT BRITAIN

The weather in Great Britain is really crazy!
We arrived in London and it was very cloudy and chilly. There was no famous London fog.
Only thirty minutes later (o after) it was raining and we were without an umbrella!
But it wasn't a problem because, five minutes later, the sun was in the sky, even if it was still a bit/a little humid.
Two hours later, we were in Manchester and it was snowy.
The day after, we went to Scotland and there it was very (o really) cold.
We slept in the mountains and that night there was a snow storm.
the day after, it was very (o really) beautiful outside. All the trees were covered in (or with) snow and it was warm.
After lunch, an incredible wind arrived and we saw the trees were green, again.
We saw all four seasons, in two days!

TRADUCIAMO: THE RIGHT DIRECTION

IT: Excuse me! Where is Buckingham Palace, please?
E: From here?
IT: Yes, from here.
E: O.K., go straight on, then take the second road/street on your right, go straight on until you see a traffic light, at the traffic light turn left then go straight until you get to a roundabout. From there take the first left, then ask again.
IT: Perfect, thanks.

TRADUCIAMO: THE EXTREMELY HANDSOME MEN OF BIRMINGHAM (ALICE'S DIARY)

At six in the morning, we got ready and we called a taxi.
There was a lot of traffic on the road and it took us twenty minutes to get to the train station.
We got our tickets and the train arrived 10 minutes later.
The train stopped at seven stations before it arrived at the central station.
From there, we took the bus to the airport.
It took us three minutes to get on the bus with all our luggage (or baggage).
After thirty five minutes, we got off the bus in front of the airport.
The check-in took fifteen minutes.
Our plane landed in London at 11 o'clock (a.m.).
In London, we took the underground to get to the hotel.
At the reception, I spoke: «Good morning, is there a double room, please?»
«Certainly. How long will you be staying?»
«Just for tonight, thank you.»
«O.K., we have a room with a shower for one hundred pounds per night.»

«O.K., that's fine, thanks.»
The next day, we took a train to the destination of my heart, Birmingham.
The city of Birmingham is in the centre of England and is famous for its men who are all really handsome and intelligent... and for its fantastic football team.
After the paradise of Birmingham, we took a train to the coast.
Next destination: Ireland.
On the coast, we took a ferry to Ireland. The sea was calm and beautiful.
At the port, we got off the ferry and we went around all day.
That evening, we returned to Italy and I slept on the plane, dreaming about the really handsome men of Birmingham.

TRADUCIAMO: Grocery Shopping

Since they started showing Dr. House in the afternoon, I have to do the shopping. I took the shopping list and went to the supermarket.
While I was taking the trolley/cart, I looked at the list (mancando il genere, it in inglese riferisce sempre all'ultima cosa menzionata e qui non stai guardando il carrello!). "O.K., first thing salad, then vegetables". I couldn't find the fruit, so I asked another man. He laughed. When I found the fruit, I took two apples and two bananas. Then I took meat, beef, sausage and a pound of fish.
Then, the only thing that interested me. A cake. There was no more food on the list.Now I had to find detergent and eight ounces of soap. No problem.
When the trolley/cart was full, I queued/stood in line at the till. In Italy they don't love to queue. They really suffer. It is torture for them. For me, it is the shopping that is the torture. I am happy when I am in the queue because it has finished.

TRADUCIAMO: Near my Heart

In England, I live in the countryside (o in the country).
Near my house, there is a stream where I wash in the morning.
If you follow the stream, you will arrive at a river. The river flows through a forest and arrives at the sea. I like to go to the sea (o seaside).
I like to walk on the shore with my wife. The waves make so much noise, I can't hear her voice. It's really beautiful.
If you look up from the beach, you see the old castle on the hill. Near the beach, there is a small village, where I buy milk and cheese. Behind the village, there are woods, where I pick blackberries.
When I was a child, I loved to look at the sea. It's so big, so vast.
In Milan, I live in the suburbs, but I work in the city centre.
In front of my office, there is the town hall. From my window, I can see only cars and chaos, but at least near my house there is a park.

In Milan it is difficult to find a parking lot for the car, so I go to work by tram. Milan is an important city in Italy, but the capital is Rome. Rome is a historical city because it is there that Liverpool won the Champion's Cup. I love Italy, but I always say to my friends, who live in Milan "Go to the countryside sometimes, without your pc, without your cell phone and live a little with your soul. Just for a weekend".
But they never have time.

ESERCIZIO n. 75

1. Hi , thx 4 the XLNT dnr but y r u angry with me 2day?
2. Because I didn't eat? **3.** I 8 b4 I came 2 c u! **4.** C u L8R or 2moro, ok?
5. Luv, Sally **6.** Final message: I hope 2 C U again soon M8, LOL!

INDEX

STEP 1

1.1 **Verbo essere (to be)** *9*
Pronomi personali (soggetti) *9*
"H" *9*
Forma affermativa *10*
NICE *11*
Forma negativa *13*
DOUBLE TROUBLE *14*
Forma interrogativa *15*
SHORT ANSWERS *16*
IT'S NICE TO SEE YOU, AGAIN *17*

1.2 **Il plurale** *19*
BECAUSE, BUT, AND *20*
PRONUNCIA *21*

1.3 **Articoli… the basics** *22*

1.4 **Pronomi e aggettivi dimostrativi** *23*

1.5 **Countables and uncountables** *26*
SOME, ANY, NO, NONE *27*
IMBUTO MAGICO *28*

1.6 **Pronomi personali complemento** *32*
I APPRECIATE IT *32*
WITH (OUT) *34*

1.7 **Verbo avere (to have/to have got)** *35*
Forma affermativa *35*
IN ANTEPRIMA: TO HAVE GOT *36*
IN ANTEPRIMA: GET *36*
Forma negativa *37*
TO DO *38*
Forma interrogativa *39*
SHORT ANSWERS *40*
PRINCIPAL vs. PRINCIPLE *40*

1.8 **Vocaboli base** *42*
I colori *42*
La famiglia e la casa *44*
IN-LAW, STEP- e FOSTER *44*
HOUSE or HOME *46*
Everyday objects *48*
(N)EITHER *50*
I numeri *51*

1.9 **L'ora** *54*

1.10 **Gli avverbi di frequenza e di sequenza** *57*
ADVERBS *58*
PARTECIPARE *59*

STEP 2

2.1 **Simple present/present simple** *61*
IN ANTEPRIMA… CAN *62*
Forma affermativa *63*
Forma negativa *64*
Forma interrogativa *64*
SHORT ANSWERS *65*
TO MAKE/TO DO *68*
TO MAKE + *70*

2.2 **Pronomi e aggettivi possessivi** *71*

2.3 **Double object** *73*

2.4 **Riflessivo** *74*

2.5 **Imperativo** *75*
REMEMBER vs. REMIND *75*

2.6 **Genitivo sassone** *77*

2.7 **Preposizioni 1.0** *79*
Place *79*
IN (MY) OFFICE *81*
Time *82*
Motion *85*
GO OUT OF YOUR MIND *86*
MIND *87*

2.8 **Chi, come, cosa, quando, quale e dove?** *92*
MEAN-MEANT-MEANT *94*

2.9 **There is/there are** *102*

2.10 **How much/how many** *104*

2.11 **Much, many, a lot of** *105*

2.12 **Too much, too many, too** *106*
TOO… or SO? *106*
NOT ENOUGH *108*

2.13 **I giorni della settimana e le parti del giorno** *109*

2.14 **I mesi e le stagioni** *110*

STEP 3

3.1 **Present continuous** 113
Forma affermativa 113
Forma negativa 114
Forma interrogativa 114
SHORT ANSWERS 115
QUESTION TAGS 116

3.2 **-ing… lo spelling** 117
I'M NOT LOVING IT 118

3.3 **Uso del present continuous** 120
Instant 120
I'M WATCHING YOU! 121
I HEAR YOU, TOO! 122
These days 127
Per enfasi 131
Future 133
PROSSIMA APERTURA 134

3.4 **Going to** 137
Forma affermativa 137
Forma negativa 138
Forma interrogativa 138
SHORT ANSWERS 139
GONNA/WANNA/GOTTA/HAFTA 139

3.5 **Simple future** 141
Forma affermativa 142
Forma negativa 142
Forma interrogativa 143
COURTESY 1.0 143
Forma abbreviata 'll 144

3.6 **Simple present per il futuro** 148

3.7 **Future continuous** 151
Forma affermativa 152
Forma negativa 152
Forma interrogativa 152

3.8 **Adjectives** 154
TIP 154
RIGHT 156
FUN vs. FUNNY 159

3.9 **Very, so and really** 161

3.10 **Comparative** 162
Maggioranza 162
THAN vs. THEN 163
Minoranza 164
Uguaglianza 165
EVEN 165
AS or LIKE 167

3.11 **Superlative** 168
Assoluto 168
Relativo 169
OLD 170

STEP 4

4.1 **Simple past** 173
Regolari e irregolari 173
-ED 175
Forma affermativa 177
Forma negativa 177
Forma interrogativa 178
USED TO 179
EXCUSE ME, I'M AN ITALIAN… 180
AND/THEN 180

4.2 **Past continuous** 184
Forma affermativa 185
Forma negativa 185
Forma interrogativa 186
BEFORE/AFTER/LATER 186

4.3 **Present perfect** 192
Forma affermativa 192
Forma negativa 193
Forma interrogativa 193
ARE YOU NUDE or NAKED? 195

4.4 **Preposizioni 2.0** 197
TO WAIT 197
A TRAP 198
Place 198
Time 200
Motion 200
Notions 201
Finali di causa o di scopo 202
I PRIMI SARANNO GLI ULTIMI 203

4.5 **Present perfect continuous** 204
Forma affermativa 204
Forma negativa 204
FOR and SINCE 204
Forma interrogativa 205
LATELY and RECENTLY 206

4.6 **Past perfect** 208
Forma affermativa 208
LAST NIGHT vs. TONIGHT 208
Forma negativa 209
Forma interrogativa 209
ANCORA 210

4.7 **Past perfect continuous** 213
Forma affermativa 213
Forma negativa 213
Forma interrogativa 214
"e… STOP!" 214

STEP 5

5.1 **Future perfect** 217
Forma affermativa 217
Forma negativa 217
Forma interrogativa 217

5.2 **Future perfect continuous** 219
Forma affermativa 219
Forma negativa 220
Forma interrogativa 220

5.3 **The human body and the five senses** 222
KNOCK ON WOOD! 223
…Pain 223
The head 225
The eyes 226
LOOK AT vs. WATCH 226
The ears 227
HEAR vs. LISTEN TO 227
The nose 228
The mouth 228
"The voice" 229
The fifth sense 230

STEP 6

6.1 **Anglo-Saxon family** 233
To get 233
1 + 1 = 2: GET… 235
GET, TAKE, CARRY, BRING 238
To set 239
1 + 1 = 2: SET… 240
To let 241
1 + 1 = 2: LET… 242
To keep 243
1 + 1 = 2: KEEP… 243
To put 245
1 + 1 = 2: PUT… 246

6.2 **False friends** 249

STEP 7

7.1 **Verbi modali** 253
Can/could/be able to 253
Could/could have 259
May/might/might have 263
% 264
Will/would/would have 266
Shall/should/should have 269
Ought to/ought to have 271
Had better (faresti meglio) 274
Must and have (got) to 276
SECRETS THAT WE KEEP 277
… ANOTHER SECRET 279

7.2 **If** 280
Possibilità reale 280
Ipotesi pura 280
COURTESY 2.0 282
If passato 282
If 0/zero incertezze 283
EVERYTHING or NOTHING 286

7.3 **Verb patterns** 287
Verb senza to 287
To + verb 287
Verbo -ing 288

STEP 8

8.1 **Passive form** 293
Forma affermativa 294
AFFECT vs. EFFECT 295
Forma negativa 295
Forma interrogativa 296

8.2 **That vs. which, et al.** 297

8.3 **Reported speech** 300
SAY/TELL … SPEAK/TALK 302

STEP 9

9.1 **Phrasal verbs** *305*
9.2 **Idioms** *316*

STEP 10 English in use

Daily life

10.1 **Meeting someone** *363*
PLEASE? *363*
10.2 **Small talk** *364*
YOU *364*
Ice breakers *365*
ENVIRONMENT… the gray zone *366*
Jobs *366*
Hobbies *371*
Weather *373*
How to say goodbye *374*
10.3 **Communicating** *375*
K.I.S.S. *375*
10.4 **E-mail e lettere** *376*
DON'T EAT GRANDMA *376*
Formattazione *376*
MR., MS., DR. *377*
CAPITAL LETTERS *378*
Contenuto *381*
Il "panino" *381*
Signing off *382*
10.5 **On the telephone** *384*
Answering machines *385*
THE NUMBER
YOU HAVE DIALED… *386*
The game rules *386*
SLOWLY *387*

Going abroad

10.6 **Bookings** *388*
Flights *388*
BY *389*
Trains *389*
Hotels *390*
Restaurants *392*
10.7 **Places and directions** *393*
M.U.Q. *395*
10.8 **Travel** *396*
TAKE (TIME) *396*
RITARDO *396*
10.9 **Eating out** *400*
10.10 **Shopping** *403*
'S *403*
WEARING *409*
10.11 **Money** *410*
AFFORD *410*
10.12 **SMS texting (il linguaggio degli SMS)** *414*